Le grand livre du mélangeur

400 recettes au blender

Photos : Tango
Styliste culinaire : Jacques Faucher
Styliste accessoiriste : Luce Meunier
Essai des recettes : Jennifer MacKenzie
Traduction : Françoise Schetagne
Correction : Anne-Marie Théorêt

Catalogage avant publication de
Bibliothèque et Archives Canada

Chase, Andrew

Le grand livre du mélangeur : 400 recettes au blender

Traduction de : *The Blender Bible*

1. Mélangeurs (Cuisine). I. Young, Nicole. II. Titre.

TX840.B5C4314 2007   641.5'893   C2006-942329-6

Pour en savoir davantage sur nos
publications,
visitez notre site : www.edhomme.com
Autres sites à visiter : www.edjour.com
www.edtypo.com • www.edvlb.com
www.edhexagone.com • www.edutilis.com

01-07

L'ouvrage original a été publié
par Robert Rose Inc.
sous le titre *The Blender Bible*

Dépôt légal : 2007
Bibliothèque et Archives nationales du Québec

ISBN : 978-2-7619-2287-6

DISTRIBUTEURS EXCLUSIFS :

• Pour le Canada et les États-Unis :
MESSAGERIES ADP*
2315, rue de la Province
Longueuil, Québec J4G 1G4
Tél. : (450) 640-1237
Télécopieur : (450) 674-6237
*une division du Groupe Sogides inc.,
  filiale du Groupe Livre Quebecor Média inc.

• Pour la France et les autres pays :
INTERFORUM editis
Immeuble Paryseine, 3, Allée de la Seine
94854 Ivry CEDEX
Tél. : 33 (0) 4 49 59 11 56/91
Télécopieur : 33 (0) 1 49 59 11 33
Service commandes France Métropolitaine
Tél. : 33 (0) 2 38 32 71 00
Télécopieur : 33 (0) 2 38 32 71 28
Internet : www.interforum.fr
Service commandes Export – DOM-TOM
Télécopieur : 33 (0) 2 38 32 78 86
Internet : www.interforum.fr
Courriel : cdes-export@interforum.fr

• Pour la Suisse :
INTERFORUM editis SUISSE
Case postale 69 – CH 1701 Fribourg – Suisse
Tél. : 41 (0) 26 460 80 60
Télécopieur : 41 (0) 26 460 80 68
Internet : www.interforumsuisse.ch
Courriel : office@interforumsuisse.ch
Distributeur : OLF S.A.
ZI. 3, Corminboeuf
Case postale 1061 – CH 1701 Fribourg – Suisse
Commandes :   Tél. : 41 (0) 26 467 53 33
              Télécopieur : 41 (0) 26 467 54 66
              Internet : www.olf.ch
              Courriel : information@olf.ch

• Pour la Belgique et le Luxembourg :
INTERFORUM editis BENELUX S.A.
Boulevard de l'Europe 117,
B-1301 Wavre – Belgique
Tél. : 32 (0) 10 42 03 20
Télécopieur : 32 (0) 10 41 20 24
Internet : www.interforum.be
Courriel : info@interforum.be

Gouvernement du Québec – Programme de crédit
d'impôt pour l'édition de livres – Gestion SODEC –
www.sodec.gouv.qc.ca

L'Éditeur bénéficie du soutien de la Société de
développement des entreprises culturelles du
Québec pour son programme d'édition.

Conseil des Arts   Canada Council
du Canada   for the Arts

Nous remercions le Conseil des Arts du Canada de
l'aide accordée à notre programme de publication.

Nous reconnaissons l'aide financière du
gouvernement du Canada par l'entremise du
Programme d'aide au développement de l'industrie
de l'édition (PADIÉ) pour nos activités d'édition.

Andrew Chase
Nicole Young

Le grand livre du mélangeur

400 recettes au blender

LES ÉDITIONS DE
L'HOMME

TABLE DES MATIÈRES

INTRODUCTION

Dans les années 1930, l'invention du mélangeur a révolutionné notre façon de cuisiner. Mais, depuis les années 1970, le robot de cuisine semble avoir peu à peu pris sa place, si bien qu'aujourd'hui on n'utilise plus le mélangeur que pour préparer certaines boissons. Le mélangeur est pourtant un appareil indispensable et utile qu'il ne faut pas négliger. Il est important de lui redonner la place de choix qui lui revient pour moudre les épices, réduire les soupes en purée, concocter des boissons originales et préparer de nombreux autres plats. Bref, il est temps qu'on lui redonne sa place sur le comptoir de notre cuisine!

Au cours des nombreuses années que j'ai passées comme chef et rédacteur de recettes, j'ai appris à travailler efficacement avec le mélangeur. Aucun autre appareil ne peut moudre de grandes quantités d'épices aussi efficacement ni hacher des ingrédients aussi durs que la citronnelle pour leur donner une consistance fine et digeste. Le mélangeur permet de faire du beurre d'arachide, de la mayonnaise et de la purée de poivron. Les trempettes, les tartinades et les sauces telles que le pesto et la sauce tomate se préparent en un clin d'œil. Les légumes peuvent être transformés en potage en quelques secondes seulement. Les pâtes de cari n'exigent plus que l'on se tue à la tâche en travaillant avec un mortier et un pilon. Plusieurs personnes d'origine indienne comptent aujourd'hui sur le mélangeur pour faire les nombreuses sauces, épices et préparations qui sont à la base de leur délicieuse cuisine. Les boissons pour le petit-déjeuner et les desserts minute gagnent aussi à être faits avec le mélangeur.

Je vous recommande le mélangeur pour les recettes de base suivantes:

- Chapelure: Briser du pain sec et rassis en petits morceaux avec les mains. Réduire 60 g (1 tasse) de pain à la fois jusqu'à consistance voulue. (On peut préparer les biscuits et les craquelins de la même manière.)
- Râper les fromages à pâte dure: Couper le fromage en cubes de 1 cm (½ po). Râper 60 g (½ tasse) de fromage à la fois à haute vitesse afin de ne pas surcharger le bol du mélangeur.
- Moudre le café: Mettre 120 g (1 tasse) de grains de café à la fois et procéder à haute vitesse jusqu'à consistance voulue.
- Moudre les épices: Moudre de 30 à 60 g (¼ à ½ tasse) d'épices à la fois jusqu'à consistance voulue.
- Crème fouettée: Fouetter 250 ml (1 tasse) de crème à basse vitesse jusqu'à consistance lisse et épaisse.
- Hacher les noix: Moudre de 60 à 120 g (½ à 1 tasse) de noix à la fois en mettant l'appareil en marche et en l'arrêtant à quelques reprises en raclant les parois du bol à l'aide d'une spatule avant de poursuivre.

- Poudre de champignon : Briser 30 g (1 oz) de champignons séchés en petits morceaux avec les mains. Réduire en poudre à haute vitesse. Utiliser cette poudre pour rehausser les sauces.
- Pâte de tomates séchées : Verser 175 ml (¾ tasse) d'eau bouillante sur 30 g (1 oz) de tomates séchées. Laisser reposer environ 20 min pour les attendrir. Réduire en purée à haute vitesse, puis passer dans un tamis à fines mailles. Cette sauce douce aux parfums intenses remplacera agréablement la pâte de tomates traditionnelle.

Vous vous interrogez peut-être sur la vitesse idéale qui doit être utilisée. Dans ce livre, j'ai choisi de vous simplifier la tâche en parlant uniquement de haute et de basse vitesse. En général, la basse vitesse convient pour hacher les ingrédients très finement. La haute vitesse est requise pour faire des purées onctueuses. Quand je recommande de procéder à haute vitesse, vous pouvez commencer à basse vitesse et ne passer à haute vitesse qu'au moment où les ingrédients sont suffisamment hachés. Pour éviter les éclaboussures, il est important de ne remplir le bol qu'à moitié, surtout s'il s'agit d'ingrédients chauds. Si votre mélangeur offre des vitesses intermédiaires, faites vos propres expériences et retenez ce qui fonctionne le mieux. Il n'y a rien de sorcier : si l'on mélange des aliments plus longtemps à basse vitesse, l'on obtiendra les mêmes résultats que si l'on procède rapidement à haute vitesse. Chaque fois que vous utilisez votre mélangeur, arrêtez le moteur après quelques secondes et vérifiez si les ingrédients doivent être mélangés à l'aide d'une spatule avant de poursuivre. Cela permettra à votre appareil de mélanger uniformément tous les ingrédients.

Pour nettoyer le mélangeur, remplissez-le d'eau chaude et mettez le moteur en marche environ 1 min. Mettez-le ensuite dans le lave-vaisselle ou lavez-le à la main. Si vous avez un appareil plus complexe, désassemblez-le et lavez les différentes pièces séparément. Laissez-les sécher complètement avant de les assembler de nouveau.

Dans ce livre, vous trouverez d'excellentes recettes dont plusieurs viennent de différents pays réputés pour leurs traditions culinaires. J'ai renoncé aux recettes pour lesquelles le mélangeur aurait pu être utile sans toutefois être indispensable. Je n'ai sélectionné que des recettes pour lesquelles l'utilisation du mélangeur donne assurément de meilleurs résultats que si l'on travaillait à la main ou à l'aide d'un mortier et d'un pilon.

Vous découvrirez certainement de nombreuses autres manières d'utiliser votre mélangeur. J'espère que les pages suivantes sauront vous inspirer et vous faire découvrir de belles recettes !

Andrew Chase

HORS-D'ŒUVRE, TREMPETTES ET TARTINADES

6 À 8 PORTIONS COMME HORS-D'ŒUVRE ; 4 OU 5 PORTIONS COMME REPAS DU MIDI

WELSH RAREBIT

Cette gâterie fort populaire est encore plus facile à faire avec un mélangeur.

250 ml (1 tasse) d'ale ou de stout
180 g (1 ½ tasse) de cheddar extravieux, en cubes
1 jaune d'œuf
60 g (½ tasse) d'oignons doux, hachés grossièrement
2 c. à soupe de moutarde forte anglaise ou de moutarde de Dijon

1 c. à café (1 c. à thé) de sauce Worcestershire
½ c. à café (½ c. à thé) de paprika doux
¼ c. à café (¼ c. à thé) de sauce forte aux piments
10 tranches de pain, grillées
7 g (¼ tasse) de ciboulette hachée

1. Dans une casserole moyenne, porter la bière à ébullition.

2. Pendant ce temps, dans le mélangeur, combiner le fromage, le jaune d'œuf et les oignons. Pendant que le moteur tourne, dans l'ouverture du bouchon, verser la bière, la moutarde, la sauce Worcestershire, le paprika et la sauce aux piments. Mélanger à basse vitesse jusqu'à consistance onctueuse. Verser dans la casserole et cuire à feu moyen-vif, sans cesser de remuer, de 2 à 3 min, jusqu'à ce que la préparation ressemble à une crème épaisse qui nappe bien une cuillère.

3. Couper les toasts en deux pour faire des triangles. Servir les toasts dans un plateau après les avoir nappés avec le welsh rarebit. Garnir de ciboulette.

CROÛTONS AU FROMAGE

Voici une recette traditionnelle de la Suisse romande typique de l'amour de ce pays pour la cuisine au fromage.

TRUC

Pour une saveur encore plus riche, remplacez le gruyère par du vacherin ou de l'appenzeller.

• *Préchauffer le four à 260 °C (500 °F)*
• *Plaque à pâtisserie à bords élevés*

**6 tranches de pain blanc croûté ou
 12 tranches de baguette
150 ml (⅔ tasse) de vin blanc sec
360 g (3 tasses) de gruyère, en cubes
1 œuf
1 jaune d'œuf**

**1 gousse d'ail écrasée
2 c. à soupe de farine tout usage
Une pincée de cayenne
¼ c. à café (¼ c. à thé) de poivre noir frais
 moulu ou au goût**

1. Sur la plaque à pâtisserie, griller légèrement le pain environ 6 min dans le four préchauffé en le retournant à mi-cuisson. Retirer du four et arroser avec 3 c. à soupe de vin. Réserver.

2. Dans le mélangeur, à basse vitesse, réduire les cubes de gruyère en filaments. Ajouter le vin restant, l'œuf, le jaune d'œuf, l'ail, la farine et le cayenne. Mélanger jusqu'à consistance quasi onctueuse.

3. Napper le pain avec le fromage et poivrer. Faire dorer au four environ 10 min.

ENVIRON 50 BLINIS

TRUC

Utilisez de la farine de sarrasin ordinaire – souvent appelée farine de sarrasin légère – et non pas de la farine de sarrasin noir.

BLINIS DE SARRASIN

Ces crêpes russes très simples sont délicieuses avec du caviar, du saumon fumé ou d'autres poissons fumés, du gravlax, de la crème sure et une infinité de hors-d'œuvre.

1 ½ c. à café (1 ½ c. à thé) de sucre granulé
50 ml (¼ tasse) d'eau chaude
1 ½ c. à café (1 ½ c. à thé) de levure sèche active
1 œuf

375 ml (1 ½ tasse) de lait tiède
30 g (¼ tasse) de beurre fondu
130 g (1 tasse) de farine tout usage
120 g (¾ tasse) de farine de sarrasin
½ c. à café (½ c. à thé) de sel

1. Dans le mélangeur, dissoudre ½ c. à café (½ c. à thé) de sucre dans l'eau chaude. Incorporer la levure et laisser reposer environ 10 min, jusqu'à ce que des bulles commencent à se former. Ajouter l'œuf, le lait, 2 c. à soupe de beurre et le sucre restant. Mélanger à basse vitesse jusqu'à formation de bulles. Pendant que le moteur tourne, dans l'ouverture du bouchon, ajouter lentement la farine tout usage, la farine de sarrasin et le sel. Bien mélanger en raclant les parois du bol au besoin. Verser dans un bol, couvrir et laisser doubler de volume environ 1 h dans un endroit chaud.

2. Chauffer une poêle antiadhésive à feu moyen et badigeonner légèrement avec le beurre restant. Sans remuer, verser 2 c. à soupe combles par blini dans la poêle en ajoutant du beurre au besoin. Cuire environ 1 min, jusqu'à ce que des bulles se forment à la surface. Retourner les blinis et continuer la cuisson environ 30 sec, jusqu'à ce que le dessous soit doré. Déposer dans une assiette chaude et répéter avec la pâte restante.

BLINIS DE FARINE BLANCHE

Ces blinis sont plus légers que ceux de la page précédente et on peut les servir de la même manière.

1 ½ c. à café (1 ½ c. à thé) de sucre granulé
50 ml (¼ tasse) d'eau chaude
1 ½ c. à café (1 ½ c. à thé) de levure sèche
   active
2 œufs, séparés

375 ml (1 ½ tasse) de lait tiède
30 g (¼ tasse) de beurre fondu
260 g (2 tasses) de farine tout usage
½ c. à café (½ c. à thé) de sel

1. Dans le mélangeur, dissoudre ½ c. à café (½ c. à thé) de sucre dans l'eau chaude. Incorporer la levure et laisser reposer environ 10 min, jusqu'à ce que des bulles commencent à se former. Ajouter les jaunes d'œufs, le lait, 2 c. à soupe de beurre et le sucre restant. Mélanger à basse vitesse jusqu'à formation de bulles. Pendant que le moteur tourne, dans l'ouverture du bouchon, ajouter lentement la farine tout usage et le sel. Bien mélanger en raclant les parois du bol au besoin. Verser dans un bol, couvrir et laisser doubler de volume environ 1 h dans un endroit chaud.

2. Dans le mélangeur propre, à haute vitesse, battre les blancs d'œufs jusqu'à ce qu'ils forment des pics. Incorporer dans la pâte. Couvrir et laisser reposer 15 min.

3. Chauffer une poêle antiadhésive à feu moyen et badigeonner légèrement avec le beurre restant. Sans remuer, verser 2 c. à soupe combles par blini dans la poêle en ajoutant du beurre au besoin. Cuire environ 1 min, jusqu'à ce que des bulles se forment à la surface. Retourner les blinis et continuer la cuisson environ 30 sec, jusqu'à ce que le dessous soit doré. Déposer dans une assiette chaude et répéter avec la pâte restante.

**6 PORTIONS
(6 RAMEQUINS)**

TRUCS

La croûte du fromage s'enlèvera plus facilement s'il est encore froid.

Pour une saveur supérieure, achetez du fromage oka classique non pasteurisé. L'oka est un fromage à pâte semi-ferme qui ressemble au port-salut.

RAMEQUINS AU FROMAGE OKA

Ces ramequins font de jolis cadeaux pour le temps des fêtes. Vous pouvez aussi servir cette recette dans un grand bol si vous la destinez à un buffet ou à un plat de hors-d'œuvre.

120 g (1 tasse) de fromage oka classique sans croûte, en cubes
150 g (1 tasse) de fromage cottage sec ou fermier
125 ml (½ tasse) de crème sure ou de yogourt nature
40 g (⅓ tasse) de fromage bleu émietté

75 ml (⅓ tasse) de xérès sec
2 c. à soupe d'oignon doux, râpé
2 c. à soupe de persil frais, haché
¼ c. à café (¼ c. à thé) de poivre noir frais moulu
Une pincée de clou de girofle moulu
Une pincée de muscade moulue

1. Dans le mélangeur, à basse vitesse, mélanger tous les ingrédients jusqu'à consistance onctueuse. Verser dans les ramequins, couvrir et conserver dans le réfrigérateur. Durée de conservation : de 3 à 7 jours.

**ENVIRON 500 ML
(2 TASSES)**

TRUCS

Vous pouvez remplacer le parmesan par du pecorino, du gouda affiné, du gruyère ou pratiquement n'importe quel fromage à pâte ferme ou demi-ferme.

Prenez du xérès ou du vermouth sec ou doux, selon vos goûts.

TREMPETTE AU PARMESAN

Cette trempette se prépare en un clin d'œil. Rien de plus simple.

120 g (1 tasse) de parmesan, en cubes
150 g (1 tasse) de fromage cottage crémeux
2 c. à soupe de vermouth blanc ou de xérès
1 gousse d'ail écrasée

¼ c. à café (¼ c. à thé) d'origan séché, émietté
¼ c. à café (¼ c. à thé) de poivre noir frais moulu
Une pincée de cayenne

1. Dans le mélangeur, à basse vitesse, râper finement le parmesan. Ajouter tous les autres ingrédients et mélanger à haute vitesse jusqu'à consistance onctueuse.

2. Si l'on prépare cette recette à l'avance, couvrir et conserver dans le réfrigérateur jusqu'à 1 semaine.

TREMPETTE AU FROMAGE ET À L'OIGNON

**ENVIRON 500 ML
(2 TASSES)**

Servez cette trempette avec de la baguette tranchée ou des croûtons.

90 g (¾ tasse) d'emmental en cubes
90 g (¾ tasse) de gruyère en cubes
60 g (¼ tasse) de beurre
1 petit oignon haché
1 gousse d'ail émincée
¼ c. à café (¼ c. à thé) de poivre noir
   frais moulu

75 ml (⅓ tasse) de vin blanc sec
2 c. à café (2 c. à thé) de moutarde de Dijon
50 ml (¼ tasse) de crème sure ou de yogourt
   nature
2 c. à café (2 c. à thé) de graines de carvi
   grillées légèrement

TRUC

Faites griller les graines de carvi environ 2 min dans une petite casserole, à feu moyen-doux, jusqu'à ce qu'elles commencent à crépiter.

1. Dans le mélangeur, à basse vitesse, réduire l'emmental et le gruyère en fins filaments. Réserver dans le bol du mélangeur.

2. Dans une petite poêle, chauffer le beurre à feu moyen. Ajouter l'oignon, l'ail et le poivre. Cuire, en remuant de temps à autre, environ 10 min, jusqu'à ce que les oignons et l'ail soient dorés. Ajouter le vin et la moutarde. Porter à ébullition.

3. Transvider dans le mélangeur et réduire en purée à haute vitesse. Incorporer la crème sure et mélanger. Ajouter ensuite les graines de carvi et bien mélanger.

4. Si l'on prépare cette recette à l'avance, couvrir et conserver dans le réfrigérateur jusqu'à 1 semaine.

8 PORTIONS

TREMPETTES AU FROMAGE VITE FAITES

Si des amis arrivent à l'improviste, voici de quoi vous dépanner en un rien de temps!

Trempette au fromage de base
*1 paquet de fromage à la crème de 250 g
(8 oz), coupé en petits cubes et ramolli
Environ 50 ml (¼ tasse) de lait ou de crème
sure*

*½ c. à café (½ c. à thé) de sel
¼ c. à café (¼ c. à thé) de poivre noir
frais moulu*

1. Dans le mélangeur, à basse vitesse, mélanger tous les ingrédients jusqu'à consistance onctueuse en ajoutant du lait au besoin.

2. Mélanger avec les ingrédients suivants au goût.

3. Si l'on prépare cette recette à l'avance, couvrir et conserver dans le réfrigérateur jusqu'à 3 jours.

Trempette au poisson fumé

*175 g (6 oz) de saumon, de maquereau, de
truite ou de tout autre poisson fumé,
sans peau
4 radis rouges, hachés*

*2 c. à soupe d'oignon rouge, émincé
1 c. à café (1 c. à thé) de jus de citron frais
pressé (ou au goût)*

Trempette aux anchois

*1 boîte d'anchois de 50 g (1 ¾ oz),
égouttées*

*2 c. à soupe de persil frais, haché
1 c. à soupe de câpres, égouttées*

Trempette au fromage bleu

*60 g (½ tasse) de fromage bleu (roquefort,
danois, gorgonzola, etc.), émietté
2 c. à soupe de crème sure ou de yogourt
nature*

*1 oignon vert, haché
Noix hachées pour garnir (facultatif)*

Trempette au cari et aux pommes

2 c. à café (2 c. à thé) de cari en poudre
(p. 82) ou de pâte de cari
1 pomme pelée, évidée et hachée

1 c. à café (1 c. à thé) de miel liquide
1 c. à café (1 c. à thé) de jus de citron frais
pressé

Trempette à l'oignon et à l'ail

1 oignon et 4 gousses d'ail hachés, dorés
légèrement dans 2 c. à soupe d'huile
végétale

2 c. à soupe de ciboulette fraîche, hachée

Trempette à l'ail et aux olives

40 g (⅓ tasse) d'olives dénoyautées
1 gousse d'ail hachée
2 c. à soupe de persil ou de basilic frais, haché

2 c. à café (2 c. à thé) de jus de citron frais
pressé

Trempette au thon

1 boîte de thon de 184 g (6½ oz)
2 c. à soupe d'oignon doux, haché

1 c. à café (1 c. à thé) de jus de citron frais
pressé (ou au goût)
½ c. à café (½ c. à thé) de sauce Worcestershire

Trempette aux fruits secs et aux noix

40 g (¼ tasse) de poires ou de pommes
hachées
30 g (¼ tasse) de noix ou de pacanes
30 g (¼ tasse) de céleri haché

45 g (¼ tasse) de raisins secs dorés
1 c. à café (1 c. à thé) de jus de citron frais
pressé

FROMAGE DE YOGOURT AUX FINES HERBES

Servez cette trempette avec du pain pita chaud ou grillé ou servez-la comme hors-d'œuvre sur des morceaux de toasts coupés en triangles.

1 pot de yogourt nature (style Balkan) de 750 g (1 ½ lb)
15 g (½ tasse) de feuilles de menthe ou de basilic frais (ou 1 c. à soupe de feuilles de thym frais, hachées)

Environ ¼ c. à café (¼ c. à thé) de sel
3 c. à soupe d'huile d'olive extravierge

1. Dans le mélangeur, à basse vitesse, hacher très finement la moitié du yogourt, la menthe et le sel. Ajouter le yogourt restant et bien mélanger.

2. Tapisser une passoire avec de l'étamine ou du papier essuie-tout. Verser le yogourt dans la passoire placée au-dessus d'un bol. Laisser égoutter 1 ou 2 jours dans le réfrigérateur en prenant soin de le remuer deux fois par jour. Jeter le lactosérum.

3. Verser dans un grand bol et rectifier l'assaisonnement en sel au besoin.

4. Si l'on prépare cette recette à l'avance, couvrir et conserver dans le réfrigérateur jusqu'à 3 jours.

5. Pour servir, arroser le dessus avec un peu d'huile d'olive.

TREMPETTE À LA MOUTARDE ET À L'ESTRAGON

Merveilleuse avec des légumes frais ou des croustilles !

125 ml (½ tasse) de mayonnaise maison (p. 58) ou du commerce
125 ml (½ tasse) de crème sure ou de yogourt nature léger ou régulier
2 c. à soupe de persil ou de basilic frais, haché

1 c. à soupe de vinaigre blanc
1 c. à soupe de moutarde à l'estragon
1 c. à café (1 c. à thé) d'estragon séché
¼ c. à café (¼ c. à thé) de sel
¼ c. à café (¼ c. à thé) de poivre noir frais moulu

1. Dans le mélangeur, à basse vitesse, mélanger tous les ingrédients jusqu'à consistance onctueuse.

2. Si l'on prépare cette recette à l'avance, couvrir et conserver dans le réfrigérateur jusqu'à 1 semaine.

TREMPETTE À L'AUBERGINE CITRONNÉE

**ENVIRON 625 ML
(2 ½ TASSES)**

*Cette trempette doit être mélangée jusqu'à ce qu'elle soit parfaitement onctueuse.
Le goût de citron est intense dans cette recette.*

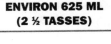

TRUC

Vous pouvez remplacer l'asiago par du provolone, du pecorino ou du parmesan bien affiné.

- *Préchauffer le four à 200 °C (400 °F)*
- *Plaque à rôtir*

2 aubergines italiennes
1 citron
2 gousses d'ail écrasées
75 ml (⅓ tasse) d'huile d'olive extravierge
40 g (⅓ tasse) de fromage asiago râpé

¾ c. à café (¾ c. à thé) de sel
**¼ c. à café (¼ c. à thé) de poivre noir
   frais moulu**
Une pincée de cayenne

1. Mettre les aubergines sur la plaque à rôtir et cuire dans le four préchauffé environ 45 min, jusqu'à ce que la chair soit tendre quand on la pique avec une fourchette. Laisser refroidir, peler et retirer la chair.

2. À l'aide d'un zesteur ou d'un éplucheur, retirer le zeste du citron. Retirer et jeter la partie blanchâtre qui recouvre le citron. Dénoyauter et hacher le citron et le mettre dans le mélangeur avec le zeste. Ajouter tous les autres ingrédients et battre à haute vitesse jusqu'à consistance onctueuse. Ajouter l'aubergine et mélanger à basse vitesse jusqu'à consistance parfaitement onctueuse.

3. Si l'on prépare cette recette à l'avance, couvrir et conserver dans le réfrigérateur jusqu'à 3 jours.

**ENVIRON 300 ML
(1 ¼ TASSE)**

TREMPETTE À L'AVOCAT

Voici une trempette idéale lorsque vous recevez plusieurs invités. Contrairement au guacamole qui doit être fait à l'aide d'une fourchette, cette trempette sera légère et onctueuse.

1 avocat
3 oignons verts (partie blanche seulement), hachés
1 gousse d'ail écrasée
50 ml (¼ tasse) d'huile d'olive extravierge
3 c. à soupe de jus de citron frais pressé

½ c. à café (½ c. à thé) de sel
¼ c. à café (¼ c. à thé) de poivre noir frais moulu
¼ c. à café (¼ c. à thé) de sauce mexicaine verte aux piments forts ou d'une autre sauce aux piments forts

1. Couper l'avocat en deux et dénoyauter. Retirer la chair à l'aide d'une cuillère. Mélanger tous les ingrédients à basse vitesse dans le mélangeur jusqu'à consistance légère et onctueuse.

**ENVIRON 325 ML
(1 ⅓ TASSE)**

TREMPETTE AUX POIVRONS GRILLÉS

Les anchois donnent un goût irremplaçable et pas du tout poissonneux à cette recette que vous servirez avec des crudités ou du pain chaud.

- *Préchauffer le gril*
- *Plaque à pâtisserie*

2 poivrons rouges
125 ml (½ tasse) de mayonnaise maison (p. 58) ou du commerce
50 ml (¼ tasse) de crème sure ou de yogourt nature

2 filets d'anchois, rincés et épongés
1 gousse d'ail écrasée
1 c. à soupe d'estragon frais, haché, ou la moitié d'estragon séché

1. Couper les poivrons en quartiers et épépiner. Faire griller sur la plaque à pâtisserie, pelure vers le haut, jusqu'à ce que celle-ci soit noircie. Laisser refroidir avant de retirer la peau avec les doigts.

2. Dans le mélangeur, à basse vitesse, réduire tous les ingrédients en purée.

3. Si l'on prépare cette recette à l'avance, couvrir et conserver dans le réfrigérateur jusqu'à 3 jours.

TREMPETTE À LA CITROUILLE ET AU CARI

*Cette trempette sera encore meilleure si vous prenez le temps de faire cuire
vous-même la citrouille ou la courge d'hiver. Mais si vous êtes pressé,
la purée de citrouille en conserve fera l'affaire.*

2 c. à soupe d'huile végétale
3 gousses d'ail émincées
1 oignon haché
1 c. à soupe de gingembre frais, émincé
1 c. à café (1 c. à thé) de cumin moulu
½ c. à café (½ c. à thé) de coriandre moulue
¼ c. à café (¼ c. à thé) de sel
¼ c. à café (¼ c. à thé) de curcuma
¼ c. à café (¼ c. à thé) de cayenne

Une pincée de clou de girofle moulu
250 g (1 tasse) de purée de citrouille ou de
    courge d'hiver
90 g (½ tasse) de pois chiches cuits ou en
    conserve, égouttés
125 g (½ tasse) de yogourt nature
2 c. à soupe de jus de citron frais pressé
2 c. à soupe d'eau
7 g (¼ tasse) de coriandre fraîche, hachée

1. Dans une poêle, chauffer l'huile
à feu moyen. Ajouter l'ail, les oignons, le
gingembre, le cumin, la coriandre, le sel,
le curcuma, le cayenne et le clou de
girofle. Remuer environ 6 min, jusqu'à ce
que les oignons soient dorés.

2. Dans le mélangeur, à basse
vitesse, réduire en purée avec tous les
autres ingrédients jusqu'à consistance
onctueuse.

3. Si l'on prépare cette recette à
l'avance, couvrir et conserver dans le
réfrigérateur jusqu'à 3 jours.

TREMPETTE À L'AIL GRILLÉ

Cette trempette est remarquable avec des crudités et du pain pita grillé.

• *Préchauffer le four à 160 °C (325 °F)*

4 têtes d'ail
50 ml (¼ tasse) d'huile d'olive extravierge
180 g (3 tasses) de cubes de pain blanc sans
 croûte
250 ml (1 tasse) d'eau froide
75 ml (⅓ tasse) de crème sure ou de
 yogourt nature

2 c. à café (2 c. à thé) de sauge fraîche,
 émincée, ou la moitié de sauge séchée
¼ c. à café (¼ c. à thé) de sel
¼ c. à café (¼ c. à thé) de poivre noir
 frais moulu

1. Couper le tiers supérieur des têtes d'ail. Placer les têtes, face coupée vers le haut, sur une grande feuille carrée de papier d'aluminium. Arroser avec 2 c. à soupe d'huile d'olive et bien fermer le papier en papillote scellée. Cuire au centre du four préchauffé environ 1 h, jusqu'à ce que les gousses soient très tendres. Laisser refroidir.

2. Dans un grand bol, arroser les cubes de pain avec un peu d'eau froide pour les ramollir. Presser les cubes pour extraire le surplus de liquide.

3. Dans le mélangeur, mélanger le pain, la crème sure, l'huile restante, la sauge, le sel et le poivre. Presser les gousses pour les extraire de leur pelure et les mettre dans le mélangeur. Mélanger à basse vitesse, en raclant les parois du bol au besoin, jusqu'à consistance très onctueuse.

4. Si l'on prépare cette recette à l'avance, couvrir et conserver 1 journée dans le réfrigérateur. Ramener à température ambiante avant de servir.

TREMPETTE AUX CAROTTES ET AUX PANAIS GRILLÉS

ENVIRON 500 ML (2 TASSES)

Cette trempette hors du commun a une légère couleur orangée. Son goût est sucré et savoureux. Servez-la avec du pain pita chaud découpé en triangles.

- *Préchauffer le four à 220 °C (425 °F)*
- *Grande plaque à pâtisserie à bords élevés*

5 carottes pelées
5 panais pelés
10 gousses d'ail épluchées
2 c. à soupe d'huile végétale
125 ml (½ tasse) de mayonnaise maison
    (p. 58) ou du commerce
50 ml (¼ tasse) de crème sure ou de yogourt
    nature

50 ml (¼ tasse) d'eau
1 c. à soupe d'estragon frais, haché, ou
    ½ c. à café (½ c. à thé) d'estragon séché
1 c. à soupe de vinaigre à l'estragon
Une pincée de sucre granulé
Une pincée de sel
Une pincée de poivre noir frais moulu

1. Couper les carottes et les panais sur la longueur en tranches de 1 cm (½ po) d'épaisseur. Dans un grand bol, mélanger les carottes, les panais, l'ail et l'huile. Placer les légumes sur la plaque à pâtisserie et rôtir dans la partie inférieure du four préchauffé environ 20 min, jusqu'à ce que l'ail soit tendre. Retirer l'ail. Retourner les carottes et les panais et cuire de 10 à 15 min de plus, jusqu'à ce qu'ils soient tendres et commencent à brunir.

2. Dans le mélangeur, à basse vitesse, réduire en purée les carottes, les panais, l'ail, la mayonnaise, la crème sure, l'eau, l'estragon, le vinaigre, le sucre, le sel et le poivre. Transvider dans un plat de service et laisser refroidir.

3. Si l'on prépare cette recette à l'avance, couvrir et conserver dans le réfrigérateur jusqu'à 4 jours.

**ENVIRON 500 ML
(2 TASSES)**

TREMPETTE AUX CHAMPIGNONS

Étendez-en une fine couche dans un sandwich aux légumes grillés ou servez-la comme trempette avec des légumes ou des petites flûtes de pain biscotté.

1 paquet de 14 g (½ oz) de champignons shiitake séchés
125 ml (½ tasse) d'eau chaude
2 c. à soupe d'huile d'olive extravierge
4 gousses d'ail émincées
1 oignon haché
240 g (3 tasses) de champignons en tranches
¼ c. à café (¼ c. à thé) de sel
¼ c. à café (¼ c. à thé) de poivre noir frais moulu

2 c. à soupe d'eau-de-vie
125 ml (½ tasse) de mayonnaise maison (p. 58) ou du commerce
7 g (¼ tasse) de persil plat frais, haché
60 g (¼ tasse) de fromage à la crème ramolli
2 c. à café (2 c. à thé) de thym frais, haché
1 c. à café (1 c. à thé) de vinaigre de vin

1. Dans un petit bol, faire tremper les shiitake dans l'eau chaude environ 30 min, jusqu'à ce qu'ils soient très tendres. Égoutter, réserver le liquide, retirer et jeter les pieds (ou les réserver pour faire un bouillon). Hacher finement les chapeaux.

2. Dans une poêle, chauffer l'huile à feu moyen-vif. Ajouter l'ail, les oignons, les champignons, les chapeaux de shiitake, le sel et le poivre. Cuire, en remuant de temps à autre, environ 10 min, jusqu'à ce que le liquide soit évaporé et que la préparation commence à dorer. Ajouter le liquide de trempage réservé et l'eau-de-vie. Porter à ébullition en raclant le fond à l'aide d'une spatule.

3. Transvider dans le bol du mélangeur, ajouter la mayonnaise, le persil, le fromage à la crème, le thym et le vinaigre. Mélanger à basse vitesse jusqu'à consistance onctueuse.

4. Si l'on prépare cette recette à l'avance, couvrir et conserver dans le réfrigérateur jusqu'à 3 jours.

TAPENADE

**ENVIRON 250 ML
(1 TASSE)**

Pourquoi acheter de la tapenade préparée quand on peut la faire soi-même en si peu de temps. Son goût sera meilleur et, de plus, vous pourrez choisir vos olives préférées. Servez-la comme trempette, garniture à pizza ou tartinade pour les sandwiches.

**6 filets d'anchois
1 gousse d'ail écrasée
60 g (½ tasse) d'olives noires, dénoyautées
75 ml (⅓ tasse) d'huile d'olive extravierge
7 g (¼ tasse) de feuilles de basilic frais**

**3 c. à soupe de jus de citron frais pressé
4 c. à café (4 c. à thé) de câpres égouttées
¼ c. à café (¼ c. à thé) de poivre noir
    frais moulu**

1. Rincer les anchois à l'eau froide. Dans le mélangeur, à haute vitesse, mélanger tous les ingrédients de 20 à 30 sec, jusqu'à consistance presque onctueuse.

2. Si l'on prépare cette recette à l'avance, couvrir et conserver dans le réfrigérateur jusqu'à 2 semaines.

TREMPETTE AUX OLIVES ET AUX NOIX

**ENVIRON 500 ML
(2 TASSES)**

Servez cette trempette inhabituelle et savoureuse avec du pain pita chaud découpé en triangles.

**1 gousse d'ail émincée
240 g (2 tasses) d'olives kalamata
    dénoyautées
80 g (⅓ tasse) de noix grillées, hachées
    finement**

**3 c. à soupe d'huile de noix ou d'huile
    d'olive extravierge
2 c. à café (2 c. à thé) d'origan frais, émincé, ou
    ½ c. à café (½ c. à thé) d'origan séché
Une pincée de poivre noir frais moulu
Environ 3 c. à soupe d'eau**

1. Dans le mélangeur, à haute vitesse, réduire en purée l'ail, les olives, la moitié des noix, l'huile, l'origan et le poivre. Pendant que le moteur tourne, ajouter 1 c. à soupe d'eau à la fois, en raclant les parois du bol au besoin. La consistance doit être celle d'une purée légère et onctueuse.

2. Verser dans un bol de service et incorporer les noix restantes en remuant.

3. Si l'on prépare cette recette à l'avance, couvrir et conserver dans le réfrigérateur jusqu'à 2 jours. Ramener à température ambiante avant de servir.

**ENVIRON 500 ML
(2 TASSES)**

TRUC

Essayez cette recette avec des gourganes ou des haricots blancs.

HOUMMOS VITE FAIT

*Le hoummos est une trempette à base de pois chiches très populaire
avec des crudités et du pain pita.*

1 boîte de 540 ml (19 oz) de pois chiches
    égouttés et rincés
1 gousse d'ail écrasée
75 ml (⅓ tasse) de jus de citron frais pressé
75 ml (⅓ tasse) d'huile d'olive extravierge
½ c. à café (½ c. à thé) de sel
¼ c. à café (¼ c. à thé) de cayenne
¼ c. à café (¼ c. à thé) de cumin moulu
75 ml (⅓ tasse) de tahini

Garniture
2 c. à soupe de coriandre ou de persil frais,
    haché
¼ c. à café (¼ c. à thé) de paprika doux
1 c. à soupe d'huile d'olive extravierge
6 olives noires en fines tranches

1. Dans le mélangeur, à haute vitesse, réduire en purée les pois chiches, l'ail, le jus de citron, l'huile, le sel, le cayenne et le cumin. À basse vitesse, ajouter le tahini et bien mélanger en raclant les parois du bol au besoin.

2. Si l'on prépare cette recette à l'avance, couvrir et conserver dans le réfrigérateur jusqu'à 3 jours. Pour servir, garnir avec la coriandre et le paprika. Arroser d'huile d'olive et couvrir avec les olives.

TREMPETTE AU TAHINI

Servez cette recette traditionnelle du Moyen-Orient avec des crudités ou des falafels frits, ou encore sur une salade de laitue croquante avec des concombres, des tomates et des oignons.

150 ml (⅔ tasse) de tahini
1 gousse d'ail écrasée
½ c. à café (½ c. à thé) de sel
½ c. à café (½ c. à thé) de paprika doux
¼ c. à café (¼ c. à thé) de cayenne
¼ c. à café (¼ c. à thé) de cumin moulu

75 ml (⅓ tasse) de jus de citron frais pressé
Environ 125 ml (½ tasse) d'eau

Garniture
2 c. à soupe de persil frais, émincé
¼ c. à café (¼ c. à thé) de paprika

1. Dans le mélangeur, à basse vitesse, mélanger le tahini, l'ail, le sel, le paprika, le cayenne et le cumin. Pendant que le moteur tourne, dans l'ouverture du bouchon, verser lentement le jus de citron et juste assez d'eau pour obtenir la consistance désirée.

2. Si l'on prépare cette recette à l'avance, couvrir et conserver dans le réfrigérateur jusqu'à 1 semaine. Pour servir, garnir avec le persil et le paprika.

BEURRE D'ARACHIDE NATURE

Pour les enfants, utilisez des arachides salées ainsi que le sirop d'érable ou le miel facultatif.

180 g (1½ tasse) d'arachides grillées, salées ou non
1 c. à soupe d'huile d'arachide, de sésame ou végétale

2 c. à café (2 c. à thé) de sirop d'érable ou de miel liquide (facultatif)

1. Dans le mélangeur, à haute vitesse, réduire en purée tous les ingrédients en raclant les parois du bol au besoin.

2. Si l'on prépare cette recette à l'avance, couvrir et conserver dans le réfrigérateur jusqu'à 3 mois.

TRUC

Pour obtenir un beurre d'arachide croquant, réservez 30 g (¼ tasse) d'arachides et ajoutez-les à la toute fin de la recette.

**ENVIRON 375 ML
(1 ½ TASSE)**

TREMPETTE AU POISSON FUMÉ

Cette recette se prépare très rapidement. Vous obtiendrez un succès à coup sûr si vous la servez comme hors-d'œuvre avec des croûtons de pain de seigle ou de blé entier.

375 g (12 oz) de filets de maquereau ou de truite sans peau
125 ml (½ tasse) de crème sure ou de yogourt nature
75 g (½ tasse) de fromage cottage sec
2 c. à soupe de jus de citron frais pressé
¼ c. à café (¼ c. à thé) de paprika doux

¼ c. à café (¼ c. à thé) de sel
¼ c. à café (¼ c. à thé) de poivre noir frais moulu
Une pincée de cayenne
2 c. à soupe de ciboulette ou de persil frais, émincé

1. Défaire le poisson en flocons et le mettre dans le mélangeur avec tous les autres ingrédients, sauf la ciboulette. Réduire en purée onctueuse à basse vitesse. Incorporer la ciboulette.

2. Si l'on prépare cette recette à l'avance, couvrir et conserver 1 journée dans le réfrigérateur.

**ENVIRON 500 ML
(2 TASSES)**

TREMPETTE À LA TRUITE FUMÉE ET AUX GRAINS DE POIVRE

Servez cette trempette consistante avec des endives ou des crudités.

250 ml (1 tasse) de crème sure ou de yogourt nature
60 g (½ tasse) de fromage à la crème ramolli
2 c. à café (2 c. à thé) de jus de citron frais pressé

60 g (2 oz) de truite ou de saumon fumé sans peau
1 c. à café (1 c. à thé) de grains de poivre mélangés, concassés
1 c. à soupe de ciboulette fraîche, émincée

1. Dans le mélangeur, à haute vitesse, réduire en purée la crème sure, le fromage à la crème et le jus de citron en raclant les parois du bol au besoin. Ajouter la truite et bien mélanger.

2. Verser dans un grand bol. Incorporer les grains de poivre et la ciboulette.

3. Si l'on prépare cette recette à l'avance, couvrir et conserver dans le réfrigérateur jusqu'à 3 jours.

TREMPETTE À LA SARDINE

Vous n'avez besoin que de deux boîtes de sardines sans arêtes et de quelques ingrédients que vous avez probablement déjà dans votre garde-manger.

**ENVIRON 500 ML
(2 TASSES)**

TRUC

Pour obtenir une saveur encore plus fumée, prenez des sprats au lieu des sardines. Vous devrez toutefois retirer vous-même les arêtes.

*2 boîtes de sardines sans arêtes de
    125 g (4 ½ oz), égouttées
1 paquet de fromage à la crème de
    250 g (8 oz), coupé en cubes et ramolli
15 g (½ tasse) de feuilles de persil frais
30 g (¼ tasse) d'oignon doux, râpé*

*3 c. à soupe de jus de citron jaune ou vert
    frais pressé
2 c. à soupe d'huile d'olive extravierge
½ c. à café (½ c. à thé) de sel
Quelques gouttes de sauce aux piments forts
Lait*

1. Dans le mélangeur, à basse vitesse, mélanger tous les ingrédients, sauf le lait, en raclant les parois du bol au besoin. Ajouter du lait si nécessaire pour obtenir une consistance onctueuse.

2. Si l'on prépare cette recette à l'avance, couvrir et conserver dans le réfrigérateur jusqu'à 3 jours.

PÂTÉ DE KIPPER

Ce délice à l'anglaise est destiné aux véritables amateurs de poisson fumé. Servez ce pâté comme hors-d'œuvre ou dans un buffet avec des toasts Melba ou des biscuits au pumpernickel.

**ENVIRON 375 ML
(1 ½ TASSE)**

*375 g (12 oz) de filets de kipper
2 c. à soupe de beurre
1 gousse d'ail émincée
2 c. à soupe d'oignon émincé*

*2 c. à soupe de crème à fouetter (35 %)
2 c. à soupe de jus de citron frais pressé
1 c. à soupe d'eau-de-vie
Quelques gouttes de sauce aux piments forts*

1. Pocher les filets de kipper environ 4 min dans une eau mijotant faiblement. Retirer la peau et les arêtes et mettre la chair dans le bol du mélangeur.
2. Dans une petite poêle, faire fondre le beurre à feu moyen. Ajouter l'ail et les

oignons. Cuire 4 min, en remuant, jusqu'à ce qu'ils soient tendres.
3. Transvider dans le bol du mélangeur, ajouter la crème, le jus de citron, l'eau-de-vie et la sauce aux piments. Mélanger à basse vitesse jusqu'à consistance onctueuse.

BRANDADE

1 LITRE (4 TASSES)

TRUCS

N'utilisez pas des pommes de terre riches en amidon. Achetez plutôt des pommes de terre pour cuisson au four telles que la Russet ou des pommes de terre tout usage comme la Yukon Gold.

Tous les ingrédients doivent être à température ambiante avant de les assembler.

Garnir avec des olives hachées ou des fines herbes telles que le basilic ou la ciboulette.

Cette délicieuse mousse de morue salée est servie chaude avec des tranches de baguette et parfois des crudités. On peut l'utiliser pour farcir des tomates bien mûres épépinées et la présenter dans des vol-au-vent passés au four (vous pouvez aussi cuire les tomates au four). Cette brandade fait aussi une excellente garniture pour les omelettes.

500 g (1 lb) de morue salée sans peau et sans arêtes
2 gousses d'ail écrasées
1 grosse pomme de terre bouillie et hachée grossièrement
250 ml (1 tasse) d'huile d'olive extravierge
175 ml (¾ tasse) de lait

3 c. à soupe de jus de citron frais pressé
¼ c. à café (¼ c. à thé) de muscade fraîchement râpée
¼ c. à café (¼ c. à thé) de poivre blanc frais moulu
Sel

1. Faire tremper la morue toute la nuit ou jusqu'à 24 h en changeant l'eau à quelques reprises. Goûter pour s'assurer qu'elle est suffisamment dessalée. Égoutter.

2. Dans une casserole moyenne, couvrir la morue d'eau froide. Chauffer à feu vif jusqu'à ce que l'eau commence à mijoter. Retirer du feu et laisser refroidir. Égoutter et défaire en flocons dans le mélangeur.

3. Ajouter l'ail, la pomme de terre et la moitié de l'huile et du lait. Réduire en purée à basse vitesse environ 1 min. Racler les parois du bol et mélanger 2 min à haute vitesse jusqu'à consistance plutôt épaisse.

4. À basse vitesse, ajouter très lentement le lait restant dans l'ouverture du bouchon. Mélanger environ 3 min, en raclant les parois du bol au besoin. Verser lentement l'huile restante et mélanger de 3 à 4 min en raclant les parois du bol au besoin.

5. À haute vitesse, mélanger 2 min de plus jusqu'à ce que la brandade soit duveteuse et légèrement colorée. À basse vitesse, ajouter le jus de citron, la muscade et le poivre. Saler au goût.

6. Verser dans une casserole propre et cuire à feu doux de 5 à 7 min, sans cesser de remuer, jusqu'à ce que la brandade soit chaude. (Ne pas laisser mijoter.)

BAGNA CAUDA

Cette trempette classique du sud de la France est idéale avec les crudités. Servez-la dans un bol de céramique que vous poserez au-dessus d'un petit lampion pour la garder chaude. Utilisez-la aussi pour napper du porc ou du veau grillé servi froid ou encore du bœuf ou du poulet bouilli.

24 filets d'anchois
4 tranches de pain blanc minces sans croûte
3 gousses d'ail écrasées

½ c. à café (½ c. à thé) de poivre noir
   frais moulu
250 ml (1 tasse) d'huile d'olive extravierge
2 c. à soupe de beurre

1. Faire tremper les anchois 20 min dans l'eau. Rincer à l'eau froide et égoutter.

2. Vaporiser le pain avec de l'eau jusqu'à ce qu'il ramollisse. Presser les tranches pour extraire le surplus de liquide. Déchirer les tranches en morceaux.

3. Mettre les anchois et le pain dans le bol du mélangeur. Ajouter l'ail et le poivre. À basse vitesse, réduire en purée en raclant les parois du bol au besoin. Pendant que le moteur tourne, verser l'huile dans l'ouverture du bouchon et mélanger jusqu'à consistance onctueuse.

4. Dans une petite casserole, faire fondre le beurre à feu doux. Verser la sauce aux anchois dans la casserole et chauffer environ 7 min sans cesser de remuer.

**ENVIRON 425 ML
(1 ¾ TASSE)**

TRUC

Deux boîtes d'anchois de 50 g (1 ¾ oz) donnent environ 24 filets.

TARTINADE AUX ANCHOIS

5 gousses d'ail
24 filets d'anchois
50 ml (¼ tasse) du substitut d'œuf entier
   liquide pasteurisé

½ c. à café (½ c. à thé) de poivre noir
   frais moulu
50 ml (¼ tasse) d'huile d'olive extravierge
2 c. à soupe de persil émincé

1. Dans une petite casserole remplie d'eau, porter à ébullition et pocher l'ail 3 min. Égoutter et mettre les gousses dans le bol du mélangeur.

2. Rincer les anchois à l'eau froide, égoutter et mélanger avec l'ail, l'œuf liquide et le poivre. Réduire en purée à basse vitesse en versant l'huile lentement dans l'ouverture du bouchon. Incorporer le persil.

**ENVIRON 125 ML
(½ TASSE)**

TRUC

À l'heure des tapas, nappez une fine couche de cette tartinade sur du pain grillé découpé en triangles. Couvrez avec des câpres, des poivrons rouges grillés, de l'oignon rouge émincé et des œufs durs hachés finement ou une chiffonnade de basilic frais.

**ENVIRON 500 ML
(2 TASSES)**

PÂTÉ AU POULET

Voici un pâté d'origine anglaise pour les amateurs de poulet. Il est plus léger que vous ne pouvez l'imaginer. Servez-le avec des craquelins ou du pain, en sandwiches à l'heure du thé ou avec de fines tranches de concombre et des brins de cresson frais.

1 botte d'oignons verts
6 tranches de bacon
4 cuisses de poulet désossées et sans peau, hachées
2 c. à soupe de xérès sec

60 g (½ tasse) de fromage à la crème en cubes
2 c. à soupe de crème sure ou de yogourt nature
2 c. à soupe de persil frais, haché

1. Séparer la partie blanche de la partie verte des oignons. Hacher le blanc et couper le vert en fines tranches.

2. Dans une poêle, à feu moyen, cuire le bacon environ 5 min, jusqu'à ce qu'il commence à brunir. Ajouter le blanc des oignons et le poulet. Cuire environ 4 min, en remuant souvent, jusqu'à ce que le poulet ne soit plus rosé à l'intérieur. Ajouter le xérès et remuer 30 sec en raclant le fond de la poêle.

3. Transvider dans le bol du mélangeur. Ajouter le fromage à la crème, la crème sure et le persil. Mélanger à basse vitesse jusqu'à consistance onctueuse. Incorporer le vert des oignons en mélangeant rapidement.

4. Si l'on prépare cette recette à l'avance, couvrir et conserver 1 journée dans le réfrigérateur.

PÂTÉ DE FOIE DE POULET

Mon amie Angela Boyd m'a refilé cette recette. Servez ce pâté avec du bon pain croûté.

- *Préchauffer le four à 160 °C (325 °F)*
- *Moule à pain de 23 x 13 cm (9 x 5 po)*
- *Plaque à rôtir*

1 kg (2 lb) de foies de poulet
80 g (⅓ tasse) de beurre
3 gousses d'ail émincées
3 œufs
45 g (⅓ tasse) de farine tout usage
2 c. à soupe d'eau-de-vie, de xérès ou de porto

1 c. à café (1 c. à thé) de sel
¼ c. à café (¼ c. à thé) de piment de la Jamaïque moulu
¼ c. à café (¼ c. à thé) de gingembre moulu
¼ c. à café (¼ c. à thé) de muscade moulue
¼ c. à café (¼ c. à thé) de poivre noir moulu

1. Séparer les lobes des foies et bien nettoyer. Couper les plus gros lobes en deux.

2. Dans une poêle, faire fondre le beurre à feu moyen. Ajouter l'ail et cuire environ 30 sec sans cesser de remuer. Ajouter les foies et cuire environ 4 min, en remuant, jusqu'à ce qu'ils soient bruns à l'extérieur mais encore rosés à l'intérieur.

3. Transvider dans le bol du mélangeur. Ajouter tous les autres ingrédients et réduire en purée onctueuse à basse vitesse.

4. Verser dans le moule à pain et couvrir de papier d'aluminium. Mettre le moule dans la plaque à rôtir et verser

5 cm (2 po) d'eau bouillante dans la plaque. Cuire 2 h dans le four préchauffé, jusqu'à ce qu'un thermomètre inséré au centre indique 85 °C (180 °F). Enlever le papier d'aluminium et laisser refroidir complètement dans le moule placé sur une grille.

5. Couvrir le pâté de pellicule plastique et mettre un morceau de carton sur le dessus. Mettre un poids sur le dessus (des boîtes de conserve font très bien l'affaire) et garder au moins 4 h et jusqu'à 2 jours dans le réfrigérateur. Ramener à température ambiante avant de servir.

**ENVIRON 625 ML
(2 ½ TASSES)**

TRUC

Recette pour faire du gras de poulet fondu : dans une casserole moyenne, mélanger 500 ml (2 tasses) de gras de poulet haché avec 50 ml (¼ tasse) d'eau. Cuire à feu doux environ 30 min, jusqu'à ce que les résidus brunissent en rendant leur gras. Vous pouvez ajouter 60 g (½ tasse) d'oignon haché au goût.

TARTINADE AUX FOIES DE POULET ET AUX CHAMPIGNONS

Si vous n'avez pas le temps de faire un pâté de foie de poulet traditionnel, essayez cette délicieuse tartinade.

**250 g (8 oz) de foies de poulet
12 champignons blancs
½ oignon blanc, haché
Eau
1 c. à soupe de xérès sec**

**120 g (½ tasse) de beurre ramolli ou de
    gras de poulet fondu
½ c. à café (½ c. à thé) de sel
¼ c. à café (¼ c. à thé) de poivre noir
    frais moulu**

1. Bien nettoyer les foies de poulet.

2. Dans une casserole moyenne, mélanger les foies de poulet, les champignons et les oignons. Ajouter juste assez d'eau pour couvrir. Cuire à feu vif jusqu'à ce que l'eau mijote. Baisser le feu au minimum et laisser mijoter environ 15 min, jusqu'à ce que les foies soient rosés au centre. Égoutter dans une passoire.

3. Transvider dans le bol du mélangeur avec tous les autres ingrédients. Réduire en purée lisse à basse vitesse en raclant les parois du bol au besoin.

4. Si l'on prépare cette recette à l'avance, couvrir et conserver 1 journée dans le réfrigérateur. Ramener à température ambiante avant de servir.

SAUCES POUR SALADES

SAUCE AUX FRAMBOISES

L'huile et les graines de sésame donnent un cachet très particulier à cette sauce.

2 gousses d'ail
50 g (⅓ tasse) de framboises fraîches ou
 congelées
50 ml (¼ tasse) d'huile d'arachide ou
 végétale
50 ml (¼ tasse) de vinaigre de framboise
2 c. à soupe d'huile de sésame

2 c. à soupe de vinaigre balsamique
2 c. à café (2 c. à thé) de moutarde de Dijon
¼ c. à café (¼ c. à thé) de sel
¼ c. à café (¼ c. à thé) de poivre noir
 frais moulu
2 c. à soupe de graines de sésame grillées

1. Dans le mélangeur, à haute vitesse, réduire en purée tous les ingrédients, sauf les graines de sésame. Passer dans un tamis à mailles fines et conserver dans un bol ou un bocal. Ajouter les graines de sésame. Remuer avant de servir.

2. *Préparation à l'avance :* Couvrir et conserver jusqu'à 1 semaine dans le réfrigérateur.

SAUCE AUX GRAINES DE PAVOT

Cette sauce aigre-douce est délicieuse sur des choux-fleurs et de nombreux autres légumes blanchis et refroidis. Elle est aussi appréciée sur la laitue croquante.

1 petite gousse d'ail écrasée
¼ oignon doux, haché
75 ml (⅓ tasse) de miel liquide
50 ml (¼ tasse) de jus de citron frais pressé
2 c. à soupe de vinaigre de cidre ou de
 vinaigre blanc

2 c. à café (2 c. à thé) de moutarde de Dijon
½ c. à café (½ c. à thé) de sel
¼ c. à café (¼ c. à thé) de sauce forte aux
 piments
2 c. à soupe de graines de pavot
250 ml (1 tasse) d'huile d'olive extravierge

1. Dans le mélangeur, à basse vitesse, bien mélanger tous les ingrédients, sauf les graines de pavot et l'huile, jusqu'à ce que l'ail et les oignons soient hachés finement. Ajouter les graines de pavot. Pendant que le moteur tourne, verser l'huile lentement dans l'ouverture du bouchon et bien mélanger.

2. *Préparation à l'avance :* Couvrir et conserver jusqu'à 1 semaine dans le réfrigérateur.

SAUCE À L'AVOCAT

Essayez cette sauce sur des tranches de concombre, de tomate et d'oignon doux.

1 avocat pelé et haché
1 petite gousse d'ail écrasée
125 g (½ tasse) de babeurre ou de yogourt
    nature
2 c. à soupe d'huile d'olive extravierge
2 c. à soupe de jus de citron frais pressé

1 c. à soupe de vinaigre de vin blanc
½ c. à café (½ c. à thé) de sel
¼ c. à café (¼ c. à thé) de poivre noir
    frais moulu
Une pincée de cumin moulu
Un trait de sauce forte aux piments

1. Dans le mélangeur, à basse vitesse, réduire en purée tous les ingrédients.

2. *Préparation à l'avance :* Couvrir et conserver jusqu'à 3 jours dans le réfrigérateur.

TRUC

Pour obtenir une sauce plus légère, ajoutez un peu d'eau.

SAUCE AU CONCOMBRE

Une sauce rafraîchissante pour une salade de laitue accompagnée de tranches de radis.
On peut aussi la servir avec du saumon poché présenté chaud ou froid.

150 g (⅔ tasse) de crème sure ou de
    yogourt nature
2 c. à soupe de jus de citron frais pressé
¼ c. à café (¼ c. à thé) de sel
¼ c. à café (¼ c. à thé) de poivre noir
    frais moulu
¼ c. à café (¼ c. à thé) de sucre granulé

Une pincée de cayenne ou de paprika
1 concombre de champ ou ¼ de concombre
    anglais, pelé, épépiné et haché
2 c. à soupe de coriandre fraîche, hachée
1 c. à soupe de ciboulette ou d'oignons
    verts, hachés

1. Dans le mélangeur, à haute vitesse, mélanger la crème sure, le jus de citron, le sel, le poivre, le sucre et le cayenne jusqu'à épaississement. Ajouter le concombre et mélanger à basse vitesse jusqu'à ce qu'il soit haché très finement. Incorporer la coriandre et la ciboulette.

2. *Préparation à l'avance :* Couvrir et conserver jusqu'à 3 jours dans le réfrigérateur.

TRUC

On peut remplacer la coriandre par 2 c. à café (2 c. à thé) d'aneth frais.

**ENVIRON 175 ML
(¾ TASSE)**

SAUCE AU CRESSON N° 1

*La saveur prononcée du cresson convient bien à la salade
de pommes de terre et aux légumes verts.*

2 jaunes d'œufs cuits dur
50 g (1 tasse) de cresson équeuté
75 ml (⅓ tasse) d'huile d'olive extravierge
2 c. à soupe de vinaigre de xérès ou de
   vinaigre de vin rouge
¼ c. à café (¼ c. à thé) de sel

¼ c. à café (¼ c. à thé) de poivre noir
   frais moulu
½ c. à café (½ c. à thé) de moutarde de Dijon
¼ c. à café (¼ c. à thé) de purée d'anchois
   (facultatif)

1. Dans le mélangeur, à basse vitesse, bien mélanger tous les ingrédients jusqu'à consistance onctueuse.

2. *Préparation à l'avance:* Couvrir et conserver jusqu'à 3 jours dans le réfrigérateur.

**ENVIRON 250 ML
(1 TASSE)**

SAUCE AU CRESSON N° 2

*Savoureuse avec des légumes blanchis refroidis, des concombres et des légumes verts.
Essayez-la également avec une salade de poulet, de veau ou de jambon.*

2 œufs cuits dur, en quartiers
½ gousse d'ail écrasée
75 ml (⅓ tasse) d'huile d'olive extravierge
2 c. à soupe de jus de citron frais pressé

4 c. à café (4 c. à thé) de vinaigre de vin
½ c. à café (½ c. à thé) de sel
Une pincée de poivre noir frais moulu
50 g (1 tasse) de cresson équeuté

1. Dans le mélangeur, à basse vitesse, bien mélanger tous les ingrédients, sauf le cresson, jusqu'à consistance onctueuse. Ajouter le cresson et hacher finement.

2. *Préparation à l'avance:* Couvrir et conserver jusqu'à 3 jours dans le réfrigérateur.

SAUCE À L'AIL

**ENVIRON 250 ML
(1 TASSE)**

Conseillée avec des haricots jaunes ou verts blanchis ou cuits à la vapeur ou sur des pommes de terre bouillies. Cette sauce fait une excellente trempette pour les légumes chauds ou froids. Vous l'aimerez aussi avec des laitues vertes mélangées. Si vous utilisez du jaune d'œuf, la consistance sera plus crémeuse et plus épaisse.

VARIANTE

Sauce à l'ail grillé : *Remplacer 2 gousses d'ail blanchies par 2 gousses grillées. Pour ce faire, couper le tiers supérieur d'une tête d'ail entière. Arroser d'huile d'olive et envelopper dans du papier d'aluminium. Griller au four à 200 °C (400 °F) de 30 à 40 min, jusqu'à ce que les gousses soient tendres. Presser sur les gousses pour les faire sortir de la pelure.*

60 g (¼ tasse) de gousses d'ail non pelées
1 jaune d'œuf ou 2 c. à soupe de substitut d'œuf entier liquide pasteurisé (facultatif)
3 c. à soupe de vinaigre de xérès
Un trait de sauce forte aux piments
¼ c. à café (¼ c. à thé) de sel

¼ c. à café (¼ c. à thé) de poivre noir frais moulu
150 ml (⅔ tasse) d'huile d'olive extravierge
7 g (¼ tasse) de ciboulette ou d'oignons verts, hachés

1. Dans une petite casserole, faire bouillir les gousses d'ail dans l'eau environ 8 min. Égoutter et refroidir sous l'eau froide avant d'éplucher les gousses.

2. Dans le mélangeur, à haute vitesse, réduire en purée tous les ingrédients, sauf l'huile et la ciboulette. Pendant que le moteur tourne, verser l'huile lentement dans l'ouverture du bouchon et bien mélanger jusqu'à consistance onctueuse. Incorporer la ciboulette.

3. *Préparation à l'avance :* Couvrir et conserver jusqu'à 3 jours dans le réfrigérateur.

Cette recette contient du jaune d'œuf cru. Si vous êtes préoccupé par des questions sanitaires relatives à l'utilisation d'œufs crus dans la cuisine, utilisez plutôt du substitut d'œuf entier liquide pasteurisé.

**ENVIRON 250 ML
(1 TASSE)**

VARIANTE

Sauce à l'ail grillé et au babeurre : *Remplacer 2 gousses d'ail blanchies par 2 gousses grillées. Pour ce faire, couper le tiers supérieur d'une tête d'ail entière. Arroser d'huile d'olive et envelopper dans du papier d'aluminium. Griller au four à 200 °C (400 °F) de 30 à 40 min, jusqu'à ce que les gousses soient tendres. Presser sur les gousses pour les faire sortir de la pelure.*

SAUCE À L'AIL ET AU BABEURRE

Utilisez cette sauce comme la sauce à l'ail de la page précédente. Si vous comptez l'utiliser avec des pommes de terre bouillies ou comme trempette avec des crudités, ajouter 2 jaunes d'œufs cuits dur avec l'ail.

**60 g (¼ tasse) de gousses d'ail non pelées
125 ml (½ tasse) de babeurre
50 ml (¼ tasse) d'huile d'olive extravierge
3 c. à soupe de vinaigre de xérès
¼ c. à café (¼ c. à thé) de sel**

**¼ c. à café (¼ c. à thé) de poivre noir frais moulu
7 g (¼ tasse) de ciboulette ou 30 g (¼ tasse) d'oignons verts, hachés**

1. Dans une petite casserole, faire bouillir les gousses d'ail dans l'eau environ 8 min. Égoutter et refroidir sous l'eau froide avant d'éplucher les gousses.

2. Dans le mélangeur, à haute vitesse, réduire en purée tous les ingré-dients, sauf la ciboulette. Incorporer la ciboulette et bien mélanger.

3. *Préparation à l'avance :* Couvrir et conserver jusqu'à 3 jours dans le réfrigérateur.

SAUCE À L'AIL ET AU ROMARIN

*Cette sauce se combine harmonieusement avec les légumes verts que l'on garnira
ensuite de fromage de chèvre et de pignons grillés.*

- *Préchauffer le four à 200 °C (400 °F)*

**4 têtes d'ail
125 ml (½ tasse) d'huile d'olive extravierge
50 ml (¼ tasse) de vinaigre de xérès
1 c. à café (1 c. à thé) de romarin frais,
émincé**

**2 c. à café (2 c. à thé) de moutarde de
Meaux
¼ c. à café (¼ c. à thé) de sel
¼ c. à café (¼ c. à thé) de poivre noir
frais moulu
Une pincée de sucre granulé**

1. Couper le tiers supérieur des têtes d'ail. Placer les têtes, face coupée vers le haut, sur une grande feuille carrée de papier d'aluminium. Arroser avec 2 c. à soupe d'huile d'olive et bien fermer le papier en papillote scellée. Cuire au centre du four préchauffé de 30 à 40 min, jusqu'à ce que les gousses soient très tendres. Laisser refroidir.

2. Presser les gousses pour les sortir de la pelure et les mettre dans le bol du mélangeur avec tous les autres ingrédients. Réduire en purée à haute vitesse.

3. *Préparation à l'avance :* Couvrir et conserver jusqu'à 3 jours dans le réfrigérateur.

SAUCE AUX ARACHIDES DU SUD-EST ASIATIQUE

ENVIRON 125 ML (½ TASSE)

À essayer avec une salade composée de concombres, de germes de haricot de soja et de chou blanchi ou râpé. On peut remplacer le chou par de la laitue iceberg. Pour une salade plus consistante, ajoutez des cubes de tofu frits ou des œufs cuits dur.

2 piments oiseaux chilis thaïlandais ou 1 piment fort, hachés
1 gousse d'ail hachée
60 g (¼ tasse) de beurre d'arachide croquant

Environ 2 c. à soupe d'eau

1. Dans le mélangeur, à basse vitesse, bien mélanger tous les ingrédients en ajoutant de l'eau au besoin pour obtenir la consistance voulue.

2 c. à soupe de jus de tamarin (voir Trucs, à gauche) ou le jus d'un citron vert frais pressé
2 c. à café (2 c. à thé) de sucre granulé
2 c. à café (2 c. à thé) de sauce de poisson

Réduire en purée à haute vitesse jusqu'à ce que la sauce soit très crémeuse.

2. *Préparation à l'avance :* Couvrir et conserver jusqu'à 3 jours dans le réfrigérateur. Ramener à température ambiante avant de servir.

SAUCE CRÉMEUSE À L'ANGLAISE

Si vous avez déjà visité la Grande-Bretagne, vous connaissez certainement cette sauce légèrement sucrée qui est aussi chère aux Anglais que le ketchup pour les Nord-Américains. On peut en trouver dans le commerce, mais il est plus facile et moins coûteux de la faire chez soi.

3 c. à soupe de farine tout usage
425 ml (1 ¾ tasse) de lait
3 c. à soupe de sucre granulé
1 c. à soupe de moutarde de Dijon
¼ c. à café (¼ c. à thé) de sel de céleri
¼ c. à café (¼ c. à thé) de sel
Une pincée de poivre blanc frais moulu

Une pincée de cayenne (facultatif)
60 g (¼ tasse) de beurre ou de margarine fondu ou d'huile végétale
50 ml (¼ tasse) de substitut d'œuf entier liquide pasteurisé
125 ml (½ tasse) de vinaigre de cidre

1. Verser la farine dans le bol du mélangeur. Pendant que le moteur tourne à basse vitesse, verser le lait dans l'ouverture du bouchon et mélanger jusqu'à consistance onctueuse. Ajouter le sucre, la moutarde, le sel de céleri, le sel, le poivre et le cayenne. Bien mélanger, puis incorporer le beurre.

2. Transvider dans une casserole et laisser mijoter à feu moyen-doux en remuant constamment. Cuire jusqu'à consistance épaisse et crémeuse. Retirer du feu et incorporer l'œuf liquide à l'aide d'un fouet.

3. Verser dans le bol du mélangeur. Pendant que le moteur tourne à basse vitesse, verser le vinaigre dans l'ouverture du bouchon et bien mélanger.

4. Cette sauce se conserve jusqu'à 1 mois dans le réfrigérateur.

SAUCE AIGRE-DOUCE POUR LES NOSTALGIQUES

*Cette sauce de notre enfance plaira aux nostalgiques. Servez-la avec des quartiers
de laitue iceberg, des tomates et des concombres. Essayez-la aussi avec de la salade
de pommes de terre ou de chou ou encore pour tartiner les sandwiches.
Les enfants en raffoleront!*

50 ml (¼ tasse) de substitut d'œuf entier
   liquide pasteurisé
175 ml (¾ tasse) de lait concentré sucré
50 ml (¼ tasse) de vinaigre de cidre
50 ml (¼ tasse) d'huile végétale
2 c. à soupe de jus de citron frais pressé

2 c. à café (2 c. à thé) de moutarde de Dijon
¼ c. à café (¼ c. à thé) de sel
¼ c. à café (¼ c. à thé) de sel de céleri
Une pincée de poivre blanc frais moulu
Un trait de sauce forte aux piments

1. Dans le mélangeur, à haute
vitesse, bien mélanger tous les ingrédients jusqu'à consistance épaisse et
onctueuse.

2. Cette sauce se conserve jusqu'à
1 mois dans le réfrigérateur.

SAUCE AU BABEURRE

*Une sauce à faible teneur en calories délicieuse avec
une salade de pâtes ou des œufs durs.*

2 oignons verts, hachés
1 petite gousse d'ail écrasée
125 ml (½ tasse) de babeurre
7 g (¼ tasse) de feuilles de persil frais
2 c. à soupe de jus de citron frais pressé
2 c. à soupe d'huile d'olive extravierge

1 c. à soupe de vinaigre de cidre
1 c. à café (1 c. à thé) de feuilles d'estragon
   frais ou la moitié d'estragon séché
¼ c. à café (¼ c. à thé) de sel
Une pincée de poivre blanc frais moulu

1. Dans le mélangeur, à haute
vitesse, réduire en purée tous les ingrédients.

2. *Préparation à l'avance:* Couvrir et
conserver jusqu'à 3 jours dans le réfrigérateur.

SAUCE AU FROMAGE BLEU

Servez cette sauce avec des laitues amères telles que l'endive, la scarole ou la laitue frisée. Une bonne idée également avec les crudités.

TRUC

Pour allonger la sauce, ajoutez du babeurre ou du lait afin d'obtenir la consistance voulue.

1 petite gousse d'ail écrasée
80 g (⅓ tasse) de fromage bleu, émietté
125 ml (½ tasse) de crème sure ou de yogourt nature
75 ml (⅓ tasse) d'huile d'olive ou d'huile végétale

1 c. à soupe de vinaigre de cidre ou de vinaigre de vin
2 c. à café (2 c. à thé) de moutarde de Dijon ou de raifort préparé
½ c. à café (½ c. à thé) de poivre noir frais moulu
Une pincée de sel

1. Dans le mélangeur, à haute vitesse, réduire en purée tous les ingrédients.

2. *Préparation à l'avance :* Couvrir et conserver jusqu'à 1 semaine dans le réfrigérateur.

SAUCE À SALADE MILLE-ÎLES

Voici ma recette préférée de ce grand classique.

8 olives vertes farcies au piment doux
1 œuf cuit dur (facultatif)
30 g (¼ tasse) de poivron vert, haché
250 ml (1 tasse) de mayonnaise maison (p. 58) ou du commerce
50 ml (¼ tasse) de sauce chili ou de ketchup
2 c. à soupe d'oignons verts, hachés

2 c. à soupe de feuilles de cresson hachées (facultatif)
2 c. à soupe de ciboulette fraîche, hachée
1 c. à soupe de persil frais, haché
1 c. à soupe de vinaigre de cidre
¾ c. à café (¾ c. à thé) de sucre granulé

1. Dans le mélangeur, à haute vitesse, bien mélanger tous les ingrédients jusqu'à consistance onctueuse en raclant les parois du bol au besoin.

2. *Préparation à l'avance :* Couvrir et conserver jusqu'à 1 semaine dans le réfrigérateur.

**ENVIRON 250 ML
(1 TASSE)**

SAUCE CRÉMEUSE AU MIEL ET À LA MOUTARDE

Un délice avec une bonne salade d'épinards.

50 ml (¼ tasse) de vinaigre de riz ou de
   vinaigre de cidre
2 c. à soupe de moutarde au miel maison
   (p. 56) ou du commerce
1 c. à café (1 c. à thé) de thym séché

175 ml (¾ tasse) d'huile d'olive extravierge
¼ c. à café (¼ à thé) de sel
¼ c. à café (¼ à thé) de poivre noir
   frais moulu

1. Dans le mélangeur, à basse vitesse, bien mélanger le vinaigre, la moutarde et le thym. Pendant que le moteur tourne, verser l'huile lentement dans l'ouverture du bouchon et bien mélanger jusqu'à consistance épaisse et onctueuse en raclant les parois du bol au besoin. Incorporer le sel et le poivre.

2. *Préparation à l'avance :* Couvrir et conserver jusqu'à 1 semaine dans le réfrigérateur.

**ENVIRON 375 ML
(1 ½ TASSE)**

SAUCE RUSSE

1 œuf cuit dur, haché
1 tomate mûre, pelée, épépinée et coupée
   en quartiers (ou 1 tomate en conserve
   épépinée et coupée en quartiers)
250 ml (1 tasse) de mayonnaise maison
   (p. 58) ou du commerce

1 c. à soupe de persil frais, haché
1 c. à soupe d'aneth frais, haché
1 c. à soupe de raifort préparé
1 c. à soupe de cornichon à l'aneth, haché
2 c. à café (2 c. à thé) d'oignon émincé

1. Dans le mélangeur, à basse vitesse, bien mélanger tous les ingrédients jusqu'à ce qu'ils soient hachés très finement.

2. *Préparation à l'avance :* Couvrir et conserver jusqu'à 3 jours dans le réfrigérateur.

SAUCE RUSSE AU BABEURRE

1 œuf cuit dur, en quartiers
1 tomate mûre, pelée, épépinée et coupée
    en deux
125 ml (½ tasse) de babeurre
2 c. à soupe d'huile végétale
2 c. à soupe de vinaigre de cidre ou de
    vinaigre de vin

1 c. à soupe de raifort préparé
2 morceaux de cornichon à l'aneth de 2,5 cm
    (1 po) chacun
1 c. à soupe de câpres égouttées
7 g (¼ tasse) de ciboulette fraîche, hachée
7 g (¼ tasse) de persil frais, haché
1 c. à soupe d'aneth frais, haché

1. Dans le mélangeur, à haute vitesse, réduire en purée l'œuf, les tomates, le babeurre, l'huile, le vinaigre et le raifort. Ajouter les cornichons et les câpres et hacher finement. Incorporer la ciboulette, le persil et l'aneth.

2. *Préparation à l'avance :* Couvrir et conserver jusqu'à 3 jours dans le réfrigérateur.

SAUCE À SALADE CÉSAR

Le succès de la salade César dépend de l'équilibre parfait entre les anchois, le parmesan, le jus de citron, l'ail et la sauce. Utilisez du parmigiano reggiano ou du grana padano pour obtenir les meilleurs résultats. Et n'oubliez surtout pas le poivre noir frais moulu.

**ENVIRON 500 ML
(2 TASSES)**

TRUCS

Faites une quantité de sauce suffisante pour 2 grosses laitues romaines. Chaque laitue donnera de 4 à 6 portions comme salade d'accompagnement ou 3 portions pour un repas principal ou un repas du midi.

Une fois réfrigérée, cette sauce deviendra très épaisse. Si votre laitue est plutôt sèche, allongez la sauce avec 1 à 2 c. à soupe d'eau chaude.

4 filets d'anchois
3 gousses d'ail écrasées
50 ml (¼ tasse) de substitut d'œuf entier liquide pasteurisé
50 ml (¼ tasse) de jus de citron frais pressé
2 c. à soupe de vinaigre de vin rouge
½ c. à café (½ c. à thé) de poivre noir frais moulu

Une pincée de sel
½ c. à café (½ c. à thé) de sauce Worcestershire
Un trait de sauce forte aux piments
300 ml (1 ¼ tasse) d'huile d'olive extravierge
120 g (1 tasse) de parmesan frais râpé

1. Dans le mélangeur, à basse vitesse, mélanger les anchois, l'ail, l'œuf liquide, le jus de citron, le vinaigre de vin, le poivre, le sel, la sauce Worcestershire et la sauce aux piments jusqu'à consistance onctueuse et crémeuse.

2. Pendant que le moteur tourne, verser l'huile lentement dans l'ouverture du bouchon et bien mélanger jusqu'à consistance onctueuse. Incorporer le parmesan et bien mélanger.

3. *Préparation à l'avance:* Couvrir et conserver jusqu'à 3 jours dans le réfrigérateur.

CONDIMENTS, SAUCES ET MARINADES

**ENVIRON 1 LITRE
(4 TASSES)**

KETCHUP TRADITIONNEL AUX TOMATES

Une fois que vous aurez essayé cette recette, vous ne voudrez plus jamais acheter de ketchup dans le commerce. Un ingrédient essentiel pour les hamburgers, les sandwiches au fromage fondu et les rondelles d'oignon (p. 172).

*3 gousses d'ail émincées
1 petit oignon haché
1 branche de céleri hachée
1 boîte de tomates de 796 ml (28 oz) en conserve, avec leur jus
1 boîte de pâte de tomates de 156 ml (5 ½ oz)*

*150 ml (⅔ tasse) de vinaigre de cidre
80 g (⅓ tasse) de sucre granulé
1 c. à soupe d'épices pour marinades
1 c. à café (1 c. à thé) de sel de céleri
½ c. à café (½ c. à thé) de sel*

1. Mélanger tous les ingrédients dans une grande casserole. Couvrir et porter à ébullition à feu moyen-vif. Baisser le feu et laisser mijoter environ 45 min, en remuant de temps à autre, jusqu'à réduction de moitié. Laisser refroidir 10 min.

2. Dans le mélangeur, par étapes, mélanger le tout à haute vitesse jusqu'à consistance lisse.

3. Presser la préparation dans une passoire à fines mailles en acier inoxy-dable ou non métallique au-dessus d'une casserole propre. Couvrir et porter à ébullition. Baisser le feu et laisser mijoter à feu moyen-doux environ 10 min.

4. Verser à l'aide d'une louche dans des pots stérilisés et sceller en suivant les indications du manufacturier. Conserver jusqu'à 1 an à température ambiante. Ou verser dans des bocaux stérilisés et conserver jusqu'à 1 mois dans le réfrigérateur.

KETCHUP AUX TOMATILLES

Les tomatilles sont des petits fruits verts semblables aux tomates, mais elles font partie de la famille des groseilles. Avec les tomates vertes, elles donnent un ketchup vert à la fois aigre et épicé qui accompagne admirablement les hot-dogs et même le poisson et le poulet grillés.

1 kg (2 lb) de tomates vertes, pelées et épépinées (voir Truc, p. 67)
1 boîte de 737 g (26 oz) de tomatilles égouttées
3 piments jalapeños épépinés et hachés grossièrement
3 gousses d'ail écrasées
1 poivron vert, épépiné et haché grossièrement

1 piment cubanelle épépiné et haché grossièrement
1 petit oignon haché grossièrement
75 ml (⅓ tasse) de vinaigre de cidre
1 c. à soupe d'origan séché
1 c. à soupe de sucre granulé
1 c. à café (1 c. à thé) de sel

1. Hacher grossièrement les tomates et les mettre dans un faitout à feu moyen-vif. Ajouter les tomatilles en les écrasant un peu, puis tous les autres ingrédients. Baisser le feu et laisser mijoter, en remuant de temps à autre, environ 45 min, jusqu'à réduction de moitié. Laisser refroidir 10 min.

2. Dans le mélangeur, par étapes, mélanger le tout à haute vitesse jusqu'à consistance lisse.

3. Presser la préparation dans une passoire à fines mailles en acier inoxydable ou non métallique au-dessus d'une casserole propre. Couvrir et porter à ébullition. Baisser le feu et laisser mijoter à feu moyen-doux environ 20 min, jusqu'à consistance très épaisse.

4. Verser à l'aide d'une louche dans des pots stérilisés et sceller en suivant les indications du manufacturier. Conserver jusqu'à 1 an à température ambiante. Ou verser dans des bocaux stérilisés et conserver jusqu'à 1 mois dans le réfrigérateur.

**ENVIRON 500 ML
(2 TASSES)**

KETCHUP AUX CHAMPIGNONS

*Le fait de rôtir les champignons permet au surplus de liquide d'être complètement
évaporé. Leur saveur légèrement fumée et boisée est ainsi rehaussée de manière subtile.
Ce ketchup épais et goûteux est idéal pour accompagner un bon hamburger
de bœuf ou un hot-dog de qualité.*

- *Préchauffer le four à 200 °C (400 °F)*
- *Plaque à rôtir ou plat de cuisson de 33 x 23 cm (13 x 9 po)*

**1 kg (2 lb) de champignons de Paris ou
de couche
1 c. à soupe d'huile d'olive
½ c. à café (½ c. à thé) de sel
250 ml (1 tasse) d'eau bouillante
250 ml (1 tasse) de vinaigre de vin blanc ou
de vinaigre de cidre**

**120 g (1 tasse) d'oignons rouges, hachés
½ c. à café (½ c. à thé) de poivre noir
frais moulu
½ c. à café (½ c. à thé) de gingembre moulu
½ c. à café (½ c. à thé) de piment de la
Jamaïque moulu**

1. Essuyer les champignons avec un linge humide et les ranger dans le plat de cuisson. Remuer avec l'huile et le sel. Rôtir dans le four préchauffé 1 h, jusqu'à ce qu'ils ratatinent et que toute leur eau de végétation soit absorbée.

2. Mettre les champignons dans une grande casserole. Verser l'eau bouillante dans le plat de cuisson utilisé pour faire rôtir les champignons et racler le fond à l'aide d'une spatule. Verser sur les champignons. Ajouter tous les autres ingrédients, couvrir et porter à ébullition à feu moyen-vif. Baisser le feu et laisser mijoter, en remuant de temps à autre, environ 30 min, jusqu'à ce que le liquide soit évaporé.

3. Dans le mélangeur, par étapes, mélanger le tout à basse vitesse jusqu'à ce qu'il ne reste plus de gros morceaux. Racler les parois du bol au besoin.

4. Verser le ketchup dans la casserole et cuire 10 min, jusqu'à ce qu'il soit très épais et parfumé. Rectifier l'assaisonnement au besoin.

5. Verser à l'aide d'une louche dans des pots stérilisés et sceller en suivant les indications du manufacturier. Conserver jusqu'à 1 an à température ambiante. Ou verser dans des bocaux stérilisés et conserver jusqu'à 1 mois dans le réfrigérateur.

KETCHUP À LA RHUBARBE

*Les bons ketchups ne sont pas toujours faits avec des tomates. Cette recette
aigre-douce a le goût d'une sauce aux prunes et vous l'aimerez tout particulièrement
avec du porc ou du poulet que l'on mange avec les doigts.*

2 oignons hachés
*500 g (4 tasses) de rhubarbe fraîche ou
    décongelée, hachée*
*240 g (1 tasse) de cassonade ou de sucre
    roux*
240 g (1 tasse) de sucre granulé
250 ml (1 tasse) de vinaigre de cidre

50 ml (¼ tasse) de jus d'orange
2 c. à café (2 c. à thé) de sel
2 c. à café (2 c. à thé) d'épices à marinades
1 c. à café (1 c. à thé) de cannelle moulue
1 c. à café (1 c. à thé) de gingembre moulu
*½ c. à café (½ c. à thé) de piment de la
    Jamaïque moulu (facultatif)*

1. Dans une grande casserole, à feu
moyen-doux, mélanger tous les ingrédients. Couvrir et porter à ébullition à
feu moyen-vif. Baisser le feu et laisser
mijoter, en remuant de temps à autre,
environ 45 min, jusqu'à consistance
épaisse et pulpeuse. Laisser refroidir
10 min.

2. Dans le mélangeur, par étapes,
mélanger le tout à haute vitesse jusqu'à
consistance lisse.

3. Presser le ketchup dans une passoire à mailles fines en acier inoxydable
ou non métallique au-dessus d'une casserole propre. Couvrir et porter à ébullition. Baisser le feu et laisser mijoter à feu
moyen-doux environ 10 min.

4. Verser à l'aide d'une louche dans
des pots stérilisés et sceller en suivant
les indications du manufacturier. Conserver jusqu'à 1 an.

VARIANTE

Sauce barbecue à la rhubarbe :
*Dans une casserole moyenne,
mélanger 250 ml (1 tasse) de ketchup à la rhubarbe, 250 ml
(1 tasse) d'eau, 2 c. à soupe de
vinaigre de cidre, 1 c. à soupe de
cassonade ou de sucre roux, 1 c. à
soupe de sauce Worcestershire,
¾ c. à café (¾ c. à thé) de sel,
½ c. à café (½ c. à thé) de graines de
céleri et une pincée de piment fort
broyé. Couvrir et porter à ébullition.
Baisser et laisser mijoter, en
remuant de temps à autre, environ
25 min, jusqu'à réduction de moitié.
Conserver jusqu'à 1 mois dans le
réfrigérateur. Donne environ
250 ml (1 tasse).*

**ENVIRON 325 ML
(1 ⅓ TASSE)**

MOUTARDE AU VIN BLANC ET À L'ESTRAGON

Voici une moutarde de grande qualité spécialement confectionnée pour accompagner la dinde, les sandwiches au poulet ou les burgers au poisson ou à la dinde.

*175 ml (¾ tasse) de vin blanc
60 g (½ tasse) de graines de moutarde
125 ml (½ tasse) de vinaigre de vin blanc ou de vinaigre à l'estragon
1 c. à soupe de moutarde sèche*

*2 c. à café (2 c. à thé) d'estragon séché, émietté
1 c. à café (1 c. à thé) de sel
1 c. à café (1 c. à thé) de sucre granulé*

1. Dans un petit bol, mélanger le vin et les graines de moutarde. Couvrir et laisser reposer toute la nuit.

2. Dans le mélangeur, à basse vitesse, mélanger tous les ingrédients jusqu'à consistance crémeuse en veillant à ce qu'il reste encore des graines de moutarde visibles.

3. Verser dans des bocaux à fermeture hermétique et conserver 4 jours dans le réfrigérateur avant de servir. Cette moutarde se conserve jusqu'à 3 mois dans le réfrigérateur.

**ENVIRON 325 ML
(1 ⅓ TASSE)**

MOUTARDE FORTE AU MIEL

Les vapeurs de moutarde étant très fortes, ouvrez le pot et laissez-les se dissiper avant de l'utiliser.

*120 g (1 tasse) de moutarde sèche
125 ml (½ tasse) de miel liquide
125 ml (½ tasse) de vinaigre de riz ou de vinaigre de cidre*

*50 ml (¼ tasse) d'eau chaude
1 c. à café (1 c. à thé) de thym séché
½ c. à café (½ c. à thé) de sel*

1. Dans le mélangeur, à haute vitesse, mélanger tous les ingrédients jusqu'à consistance crémeuse en raclant les parois du bol au besoin.

2. Verser dans des bocaux à fermeture hermétique et laisser reposer 3 jours à température ambiante avant de servir. Cette moutarde se conserve jusqu'à 3 mois dans le réfrigérateur.

MOUTARDE AU RAIFORT À L'ANCIENNE

Ce condiment accompagne très bien les sandwiches au bifteck.

60 g (½ tasse) de moutarde sèche
30 g (¼ tasse) de graines de moutarde
125 ml (½ tasse) de vinaigre de cidre

50 ml (¼ tasse) d'eau chaude
2 c. à soupe de raifort préparé
1 c. à café (1 c. à thé) de sel

1. Dans le mélangeur, à haute vitesse, mélanger tous les ingrédients jusqu'à consistance crémeuse en veillant à ce qu'il reste encore des graines de moutarde visibles. Racler les parois du bol au besoin.

2. Verser dans un bocal à fermeture hermétique et laisser reposer 3 jours à température ambiante avant de servir. Cette moutarde se conserve jusqu'à 3 mois dans le réfrigérateur.

MOUTARDE À LA RUSSE

Une moutarde douce et légère qui se marie bien avec le jambon effiloché,
la dinde ou le poulet fumé servis sur du pain bien frais.

120 g (1 tasse) de moutarde sèche
90 g (¾ tasse) de sucre granulé
50 ml (¼ tasse) d'eau bouillante
2 c. à soupe d'huile végétale

3 c. à soupe de vinaigre blanc ou de vinaigre
  de vin blanc
½ c. à café (½ c. à thé) de sel

1. Dans le mélangeur, à haute vitesse, mélanger tous les ingrédients jusqu'à consistance lisse en raclant les parois du bol au besoin.

2. Verser dans des bocaux à fermeture hermétique et laisser reposer 3 jours à température ambiante avant de servir. Cette moutarde se conserve jusqu'à 3 mois dans le réfrigérateur.

MAYONNAISE

ENVIRON 300 ML (1 ¼ TASSE)

Rien ne peut être comparé à une véritable mayonnaise maison. Et le mélangeur permet de réussir facilement ce qui était jadis considéré comme un exploit. N'oubliez pas que tous les ingrédients doivent être à température ambiante.

1 œuf à température ambiante ou 50 ml (¼ tasse) de substitut d'œuf entier liquide pasteurisé
2 c. à café (2 c. à thé) de moutarde de Dijon
2 c. à café (2 c. à thé) de vinaigre de vin blanc ou de vinaigre de cidre

½ c. à café (½ c. à thé) de sel
¼ c. à café (¼ c. à thé) de poivre blanc frais moulu
125 ml (½ tasse) d'huile végétale
125 ml (½ tasse) d'huile d'olive extravierge
1 c. à soupe de jus de citron frais pressé

1. Dans le mélangeur, à basse vitesse, mélanger l'œuf, la moutarde, le vinaigre, le sel et le poivre.

2. Pendant que le moteur tourne à haute vitesse, dans l'ouverture du bouchon, verser 3 c. à soupe d'huile végétale, une goutte à la fois. Ajouter l'huile végétale restant et l'huile d'olive en un mince filet jusqu'à épaississement.

Racler les parois du bol au besoin en pulsant pour incorporer l'huile au fur et à mesure que la mayonnaise épaissit. À basse vitesse, incorporer le jus de citron.

3. *Préparation à l'avance :* Couvrir et conserver jusqu'à 1 semaine dans le réfrigérateur.

TRUC

Si la mayonnaise se sépare, recommencez avec un autre œuf ou 50 ml (¼ tasse) de substitut d'œuf entier liquide pasteurisé, ajoutez environ 3 c. à soupe d'huile goutte à goutte jusqu'à ce que l'émulsion se fasse convenablement. Ajoutez ensuite la mayonnaise séparée en un mince filet.

VARIANTE

Mayonnaise au poivre et au citron : Préparer la mayonnaise tel qu'il est indiqué dans la recette principale. Dans un bol, mélanger la mayonnaise, ¼ c. à café (¼ c. à thé) de zeste de citron, 2 c. à soupe de jus de citron et 2 c. à café (2 c. à thé) de poivre noir frais moulu.

Cette recette contient un œuf cru. Si vous êtes préoccupé par des questions sanitaires relatives à l'utilisation d'œufs crus dans la cuisine, utilisez plutôt du substitut d'œuf entier liquide pasteurisé.

MAYONNAISE AUX FINES HERBES

1 gousse d'ail hachée
250 ml (1 tasse) de mayonnaise maison
(p. 58) ou du commerce
7 g (¼ tasse) de ciboulette fraîche, hachée
7 g (¼ tasse) de persil frais, haché

2 c. à soupe de cerfeuil frais (facultatif)
1 c. à soupe d'échalotes hachées
2 c. à café (2 c. à thé) d'estragon frais
¼ c. à café (¼ c. à thé) de sauce forte aux
piments

1. Dans le mélangeur, à haute vitesse, combiner tous les ingrédients jusqu'à ce qu'ils soient émincés finement.

2. *Préparation à l'avance :* Couvrir et conserver jusqu'à 1 semaine dans le réfrigérateur.

MAYONNAISE RUSSE

Cette mayonnaise crémeuse et légèrement sucrée est une excellente base pour une salade au saumon ou aux œufs ou encore pour napper du poisson poché.

3 jaunes d'œufs ou 75 ml (⅓ tasse) de sub-
stitut d'œuf entier liquide pasteurisé
2 c. à soupe de moutarde russe
1 c. à soupe de jus de citron frais pressé
1 c. à soupe de crème sure ou de yogourt
nature

½ c. à café (½ c. à thé) de sucre granulé
½ c. à café (½ c. à thé) de sel
250 ml (1 tasse) d'huile végétale
30 g (¼ tasse) de câpres égouttées et
hachées

1. Dans le mélangeur, à basse vitesse, mélanger les jaunes d'œufs, la moutarde, le jus de citron, la crème sure, le sucre et le sel. Pendant que le moteur tourne à haute vitesse, dans l'ouverture du bouchon, verser l'huile très lentement en mélangeant jusqu'à consistance épaisse et onctueuse. Racler les parois du bol au besoin. Incorporer les câpres.

2. *Préparation à l'avance :* Couvrir et conserver jusqu'à 1 semaine dans le réfrigérateur.

Cette recette contient du jaune d'œuf cru. Si vous êtes préoccupé par des questions sanitaires relatives à l'utilisation d'œufs crus dans la cuisine, utilisez plutôt du substitut d'œuf entier liquide pasteurisé.

**ENVIRON 250 ML
(1 TASSE)**

TRUC

Pour obtenir une mayonnaise aigre-douce fruitée, mettez 2 c. à soupe de jus de citron vert, ajoutez 2 c. à soupe de chutney aux mangues et omettez le miel.

**ENVIRON 375 ML
(1 ½ TASSE)**

TRUCS

Vous pouvez aussi ajouter 2 c. à café (2 c. à thé) d'estragon frais.

Essayez cette recette avec 2 c. à café (2 c. à thé) de vinaigre de cidre au lieu du jus de citron.

MAYONNAISE AU CARI

1 gousse d'ail écrasée
250 ml (1 tasse) de mayonnaise maison
    (p. 58) ou du commerce
1 c. à soupe de jus de citron vert
    frais pressé
1 c. à café (1 c. à thé) de miel

1 c. à café (1 c. à thé) de pâte de cari
¼ c. à café (¼ c. à thé) de gingembre moulu
Une pincée de cumin moulu
Une pincée de clou de girofle moulu
Une pincée de poivre noir frais moulu

1. Dans le mélangeur, à basse vitesse, mélanger tous les ingrédients jusqu'à ce que l'ail soit émincé.

2. *Préparation à l'avance :* Couvrir et conserver jusqu'à 1 semaine dans le réfrigérateur.

SAUCE TARTARE

*Pour donner un goût fumé à cette sauce,
remplacez le paprika par du paprika espagnol fumé.*

250 ml (1 tasse) de mayonnaise maison
    (p. 58) ou du commerce
1 c. à soupe d'échalotes ou d'oignons
    rouges, hachés
1 c. à soupe de persil frais, haché
1 c. à soupe de cornichons sucrés, hachés
1 c. à soupe de cornichons à l'aneth, hachés
1 c. à soupe de câpres égouttées et hachées

1 c. à soupe de jus de citron frais pressé
¾ c. à café (¾ c. à thé) d'estragon séché
1 c. à café (1 c. à thé) de moutarde de Dijon
¼ c. à café (¼ c. à thé) de poivre noir
    frais moulu
¼ c. à café (¼ c. à thé) de paprika doux
    (facultatif)
Une pincée de cayenne

1. Dans le mélangeur, à basse vitesse, mélanger tous les ingrédients jusqu'à ce qu'ils soient émincés très finement.

2. *Préparation à l'avance :* Couvrir et conserver jusqu'à 1 semaine dans le réfrigérateur.

SAUCE GRIBICHE

**ENVIRON 375 ML
(1 ½ TASSE)**

La sauce gribiche est une mayonnaise faite avec des œufs cuits dur que l'on sert habi-tuellement avec de la viande, du poulet ou du poisson froid. Elle va aussi très bien sur des cœurs de laitue et des olives comme entrée ou repas du midi.

2 œufs cuits dur
75 ml (⅓ tasse) de vinaigre de vin blanc ou de vinaigre de cidre
1 c. à café (1 c. à thé) de moutarde de Dijon
¼ c. à café (¼ c. à thé) de sel
¼ c. à café (¼ c. à thé) de poivre noir frais moulu

Un trait de sauce forte aux piments
250 ml (1 tasse) d'huile d'olive extravierge
1 c. à soupe de câpres rincées et égouttées
1 c. à soupe de persil frais
2 c. à café (2 c. à thé) de ciboulette hachée
1 c. à café (1 c. à thé) d'estragon frais ou ¼ c. à café (¼ c. à thé) d'estragon séché

1. Dans le mélangeur, à basse vitesse, mélanger les œufs, le vinaigre, la moutarde, le sel, le poivre et la sauce aux piments jusqu'à consistance lisse

2. Pendant que le moteur tourne à haute vitesse, dans l'ouverture du bouchon, verser l'huile très lentement en mélangeant jusqu'à ce qu'elle soit complètement incorporée.

3. À basse vitesse, incorporer les ingrédients restants jusqu'à ce qu'ils soient hachés finement.

4. *Préparation à l'avance :* Couvrir et conserver jusqu'à 1 semaine dans le réfrigérateur.

HUILE DE BASILIC FRAIS

**ENVIRON 500 ML
(2 TASSES)**

Essayez cette recette avec de la ciboulette, de l'estragon, de la sauge ou toute autre herbe à feuilles.

15 g (1 tasse) de feuilles de basilic frais bien tassées

500 ml (2 tasses) d'huile d'olive extravierge

1. Dans le mélangeur, à haute vitesse, réduire en purée le basilic et l'huile.

2. Passer dans un filtre à café ou une étamine et conserver dans un contenant à fermeture hermétique jusqu'à 1 semaine dans le réfrigérateur.

**ENVIRON 250 ML
(1 TASSE)**

TRUC

La sauce hollandaise est essentielle aux œufs à la bénédictine. Mettez une tranche de jambon ou de bacon de dos sur une moitié de muffin anglais, couvrir avec un œuf poché et napper de sauce hollandaise.

SAUCE HOLLANDAISE

Qui ne connaît pas les asperges blanchies nappées de sauce hollandaise faite à la maison ? Essayez-la aussi sur du chou-fleur ou du brocoli cuit à la vapeur pour convertir ceux qui croient encore que ces légumes sont sans intérêt. Le mélangeur permet de faire cette sauce en un clin d'œil.

**120 g (½ tasse) de beurre non salé
3 jaunes d'œufs ou 75 ml (⅓ tasse) de
   substitut d'œuf entier liquide pasteurisé
2 c. à soupe de jus de citron frais pressé**

**¼ c. à café (¼ c. à thé) de sel
Une pincée de cayenne
Une pincée de poivre noir frais moulu**

1. Dans une petite casserole, chauffer le beurre jusqu'à ce qu'il bouillonne sans brunir.

2. Dans le mélangeur, à haute vitesse, mélanger tous les ingrédients, sauf le beurre, jusqu'à consistance onctueuse. Pendant que le moteur tourne, verser le beurre fondu lentement dans l'ouverture du bouchon et mélanger environ 30 sec, jusqu'à ce qu'il soit bien incorporé. Mélanger environ 5 sec de plus, jusqu'à consistance onctueuse.

3. Pour garder chaud, verser dans un bol résistant à la chaleur placé dans un grand bol d'eau chaude mais non bouillante.

Cette recette contient du jaune d'œuf cru. Si vous êtes préoccupé par des questions sanitaires relatives à l'utilisation d'œufs crus dans la cuisine, utilisez plutôt du substitut d'œuf entier liquide pasteurisé.

AÏOLI

Utilisez l'aïoli avec le poisson, la viande bouillie, les pommes de terre et les betteraves bouillies et même comme trempette avec des crudités. Si vous adorez l'ail, ajoutez jusqu'à 4 gousses de plus que ce qui est recommandé dans la recette de base.

TRUCS

Tous les ingrédients doivent être à température ambiante.

Remplacez le sel par 1 filet d'anchois rincé et égoutté.

1 tranche de pain blanc sans croûte, en cubes
Eau pour tremper
4 gousses d'ail écrasées
1 œuf entier
1 jaune d'œuf
¼ c. à café (¼ c. à thé) de sel

Une pincée de poivre noir frais moulu
250 ml (1 tasse) d'huile d'olive extravierge
2 c. à café (2 c. à thé) de jus de citron frais pressé
Environ 1 c. à soupe d'eau froide

1. Dans un bol peu profond, faire tremper le pain dans l'eau puis le presser pour extraire le liquide.

2. Dans le mélangeur, à basse vitesse, mélanger le pain, l'ail, l'œuf, le jaune d'œuf, le sel et le poivre en raclant les parois du bol au besoin.

3. Pendant que le moteur tourne, verser l'huile lentement dans l'ouverture du bouchon et bien mélanger jusqu'à ce qu'elle soit bien incorporée et que la sauce soit épaisse.

4. À basse vitesse, ajouter le jus de citron. Allonger avec l'eau froide au besoin pour obtenir la consistance voulue.

5. *Préparation à l'avance :* Couvrir et conserver jusqu'à 1 semaine dans le réfrigérateur.

Cette recette contient un œuf cru. Si vous êtes préoccupé par des questions sanitaires relatives à l'utilisation d'œufs crus dans la cuisine, utilisez plutôt du substitut d'œuf entier liquide pasteurisé.

PESTO

**ENVIRON 250 ML
(1 TASSE)**

Pour griller les pignons, mettez-les à feu moyen dans une petite poêle. Remuez constamment environ 4 min, jusqu'à ce qu'ils soient légèrement colorés.

On peut congeler le pesto après l'étape 1. Versez-le dans un contenant hermétique que vous pourrez conserver jusqu'à 6 mois dans le congélateur.

Mélangez ce pesto avec des pâtes en prenant soin d'ajouter 2 c. à soupe de beurre ramolli et 1 à 2 c. à soupe d'eau de cuisson des pâtes. Le pesto sert aussi comme sauce de base pour de multiples usages. Faites-en suffisamment pour 6 portions ou 750 g (1 ½ lb) de pâtes.

Vous pouvez remplacer la moitié du parmesan par la même quantité de pecorino râpé.

2 gousses d'ail écrasées
*60 g (2 tasses) de feuilles de basilic frais
     bien tassées*
125 ml (½ tasse) d'huile d'olive extravierge

2 c. à soupe de pignons légèrement grillés
1 c. à café (1 c. à thé) de sel
80 g (⅓ tasse) de parmesan frais râpé

1. Dans le mélangeur, à haute vitesse, mélanger tous les ingrédients, sauf le parmesan, en raclant les parois du bol au besoin. Incorporer le fromage.

2. *Préparation à l'avance :* Couvrir et conserver jusqu'à 3 jours dans le réfrigérateur.

Blinis de sarrasin, p. 14
Blinis de farine blanche, p. 15

Trempette à l'ail et aux olives, p. 19
Trempette aux fruits secs et aux noix, p. 19
Trempette aux poivrons grillés, p. 22

Tapenade, p. 27
Trempette à la truite fumée et aux grains de poivre, p. 30

Tartinade aux foies de poulet et aux champignons, p. 36

PESTO DE ROQUETTE AUX NOIX

Vive le goût amer de la roquette et du fromage pecorino salé et piquant !

1 gousse d'ail écrasée
160 g (2 tasses) de feuilles de roquette
fraîche bien tassées
60 g (½ tasse) de pignons légèrement grillés
(voir Trucs, p. 64)

75 ml (⅓ tasse) d'huile d'olive
extravierge
60 g (½ tasse) de pecorino ou autre
fromage de lait de brebis à pâte dure

1. Dans le mélangeur, à basse vitesse, mélanger l'ail, la roquette et les pignons en raclant les parois du bol au besoin. Pendant que le moteur tourne, dans l'ouverture du bouchon, verser l'huile très lentement en mélangeant jus-qu'à ce qu'elle soit complètement incor-porée et que le pesto ait une consistance fine. Incorporer le pecorino.

2. *Préparation à l'avance :* Couvrir et conserver jusqu'à 3 jours dans le réfrigé-rateur.

**ENVIRON 375 ML
(1 ½ TASSE)**

TRUC

Mélangez ce pesto avec 4 portions de pâtes chaudes. Ajoutez un peu d'eau de cuisson des pâtes et 2 c. à soupe de beurre au goût. Vous pouvez aussi remplacer le beurre par la même quan-tité de crème ou de yogourt nature.

PISTOU AUX ANCHOIS

Cette sauce à l'ail est merveilleuse sur des pommes de terre bouillies,
du poisson grillé ou une salade de pâtes.

6 filets d'anchois
5 gousses d'ail écrasées
15 g (½ tasse) de feuilles de basilic frais
bien tassées

7 g (¼ tasse) de feuilles de persil frais bien
tassées
50 ml (¼ tasse) d'huile d'olive extravierge
¼ c. à café (¼ c. à thé) de poivre noir
frais moulu

1. Dans le mélangeur, à basse vitesse, mélanger tous les ingrédients jusqu'à ce qu'ils soient hachés très fine-ment.

2. *Préparation à l'avance :* Couvrir et conserver jusqu'à 3 jours dans le réfrigé-rateur.

**ENVIRON 250 ML
(1 TASSE)**

**ENVIRON 250 ML
(1 TASSE)**

SAUCE AUX FINES HERBES ET AUX GRAINES DE CITROUILLE

*Cette sauce est semblable au pesto et peut être utilisée de la même façon.
Elle est particulièrement recommandée avec des viandes ou des poissons grillés.*

*40 g (⅓ tasse) de graines de citrouille crues
   et écalées
1 petit poivron vert ou rouge
1 gousse d'ail émincée
30 g (1 tasse) de feuilles de coriandre fraîche
15 g (½ tasse) de feuilles de persil frais*

*3 c. à soupe de jus de citron vert frais
   pressé
3 c. à soupe d'huile de graines de citrouille
   ou d'huile d'olive extravierge
2 c. à soupe d'eau
¼ c. à café (¼ c. à thé) de sel*

    1. Dans une poêle, à feu moyen, griller les graines de citrouille environ 5 min, en remuant souvent la poêle, jusqu'à ce qu'elles commencent à éclater et à dorer.

    2. Dans le mélangeur, à haute vitesse, réduire en purée tous les ingré-dients en raclant les parois du bol au besoin.

    3. *Préparation à l'avance :* Couvrir et conserver jusqu'à 3 jours dans le réfrigérateur.

**ENVIRON 250 ML
(1 TASSE)**

SAUCE TOMATE FRAÎCHE SANS CUISSON

*Lorsque vous avez la chance de mettre la main sur des tomates rouges
ou noires parfaitement mûres, profitez-en pour confectionner cette sauce très simple
que vous apprêterez avec des pâtes chaudes. Ajoutez du bocconcini ou
du parmesan frais râpé si le cœur vous en dit.*

*500 g (1 lb) de tomates très mûres, pelées
   et épépinées (voir Trucs, p. 67)
7 g (¼ tasse) de feuilles de basilic frais bien
   tassées ou ½ c. à café (½ c. à thé)
   d'origan séché*

*3 c. à soupe d'huile d'olive extravierge
½ c. à café (½ c. à thé) de sel
Une pincée de poivre noir frais moulu*

    1. Dans le mélangeur, à basse vitesse, mélanger tous les ingrédients jusqu'à ce qu'ils soient réduits en petits morceaux.

SAUCE TOMATE FRAÎCHE

ENVIRON 1 LITRE
(4 TASSES) OU
6 À 8 PORTIONS

Faites cette sauce à la fin de l'été. Si vous voulez en garder pour l'hiver, congelez-la ou conservez-la en suivant le truc ci-contre.

1,5 kg (3 lb) de tomates très mûres, pelées et épépinées (voir Trucs, à droite)
50 ml (¼ tasse) d'huile d'olive extravierge
3 gousses d'ail émincées

1 c. à café (1 c. à thé) de sel
¼ c. à café (¼ c. à thé) de poivre noir frais moulu
1 feuille de laurier (facultatif)

1. Placer une passoire au-dessus d'un bol et épépiner les tomates. Recueillir le jus dans le bol et jeter les graines.

2. Transvider les tomates et leur jus dans le bol du mélangeur et réduire en purée à haute vitesse. Procéder par étapes si le bol n'est pas assez grand pour tout faire en une seule fois.

3. Dans une grande casserole, chauffer l'huile à feu moyen. Ajouter l'ail, le sel et le poivre. Cuire, en remuant, de 1 à 2 min, jusqu'à ce que l'ail soit odorant sans être coloré. Ajouter les tomates et la feuille de laurier. Baisser le feu et laisser mijoter à découvert environ 20 min, en remuant de temps à autre, jusqu'à réduction à 1 litre (4 tasses). Retirer la feuille de laurier.

4. *Préparation à l'avance :* Transvider la sauce dans des sacs à congélation ou des contenants à fermeture hermétique. Congeler jusqu'à 6 mois ou conserver tel qu'il est indiqué dans la colonne de droite.

5. Pour servir, réchauffer à feu moyen jusqu'à ce que la sauce soit chaude et bouillonnante.

VARIANTES

Sauce tomate marinara : *Avec l'ail, ajouter 1 petit oignon haché finement, 3 filets d'anchois hachés et ¼ c. à café (¼ c. à thé) de flocons de piment fort. Avec les tomates, ajouter 1 c. à café (1 c. à thé) d'origan séché.*

Sauce tomate au basilic : *Dans le mélangeur, ajouter 7 g (¼ tasse) de feuilles de basilic frais. Avant de servir, ajouter 2 à 3 feuilles de basilic déchiquetées par portion et cuire 30 sec.*

Sauce tomate aux graines de fenouil : *Choisir l'une des sauces de cette page et ajouter 1 c. à café (1 c. à thé) de graines de fenouil légèrement écrasées à l'huile environ 30 sec avant d'ajouter l'ail.*

TRUCS

Cette recette peut être doublée ou triplée.

Pour conserver : verser la sauce dans un bocal de 1 litre (4 tasses). Incorporer ½ c. à café (½ c. à thé) d'acide citrique et sceller avec un couvercle à deux morceaux. Plonger le bocal dans un bain d'eau bouillante pendant 20 min. S'assurer que le couvercle est bien scellé et ranger dans un endroit frais. La sauce se conservera pendant 1 an et, une fois que le bocal est ouvert, il faut la consommer au cours des 3 jours suivants.

Pour peler et épépiner les tomates, les blanchir dans l'eau bouillante 15 sec, jusqu'à ce que la pelure commencer à se détacher. Retirer à l'aide d'une écumoire et plonger dans l'eau glacée. Peler à l'aide d'un couteau bien affûté et enlever les graines avec une petite cuillère.

ENVIRON 500 ML
(2 TASSES)

SAUCE AUX TOMATES GRILLÉES

Le fait de griller les tomates leur donne un goût sucré et très intense.
Utilisez des tomates rouges, jaunes ou orange parfaitement mûres.

- Préchauffer le four à 200 °C (400 °F)
- Plat de cuisson

1 kg (2 lb) de tomates très mûres
2 gousses d'ail émincées
1 c. à café (1 c. à thé) de sel

¼ c. à café (¼ c. à thé) de poivre noir
frais moulu
Une pincée de sucre granulé
75 ml (⅓ tasse) d'huile d'olive extravierge

1. Couper les tomates en deux et les ranger dans un plat de cuisson, face coupée vers le haut. Couvrir d'ail et bien faire pénétrer les morceaux dans la chair. Saler, poivrer et sucrer, puis arroser d'huile. Cuire dans le four préchauffé de 1½ à 2 h, jusqu'à ce que les tomates soient tendres et ratatinées sans être trop sèches.

2. Transvider dans le bol du mélangeur et réduire en purée à haute vitesse.

3. *Préparation à l'avance :* Couvrir et conserver jusqu'à 3 jours dans le réfrigérateur.

ENVIRON 375 ML
(1 ½ TASSE)

SAUCE À PIZZA AUX TOMATES ET AU FENOUIL

Nappez la pâte à pizza avec cette sauce. Couvrez de pecorino râpé, de romano ou de mozzarella fraîche et mettez quelques filets d'anchois au goût.

1 bulbe de fenouil
2 tomates hachées
2 gousses d'ail hachées
7 g (¼ tasse) de feuilles de basilic frais ou
½ c. à café (½ c. à thé) d'origan séché

60 ml (¼ tasse) d'huile d'olive extravierge
½ c. à café (½ c. à thé) de sel
¼ c. à café (¼ c. à thé) de poivre noir
frais moulu

1. Retirer les tiges et les feuilles du fenouil. Couper le bulbe en quartiers et blanchir dans une grande casserole d'eau bouillante salée environ 8 min, jusqu'à ce qu'ils soient tendres. Égoutter.

2. Dans le mélangeur, à basse vitesse, réduire en purée tous les ingrédients jusqu'à consistance lisse.

3. *Préparation à l'avance :* Couvrir et conserver jusqu'à 3 jours au réfrigérateur.

SAUCE TOMATE ESPAGNOLE

Le mélange de paprika espagnol parfumé et de tomates mûres est irrésistible.
Essayez cette sauce avec des crevettes sautées rapidement dans l'huile d'olive, puis
terminez la cuisson avec un peu de sauce et de persil frais haché.

ENVIRON 500 ML
(2 TASSES)

2 c. à soupe d'huile d'olive extravierge
2 gousses d'ail émincées
1 oignon haché
1 feuille de laurier
1 ½ c. à café (1 ½ c. à thé) de paprika
espagnol fumé ou doux

1 c. à café (1 c. à thé) de vinaigre de xérès
750 g (1 ½ lb) de tomates très mûres, hachées
¾ c. à café (¾ c. à thé) de sel
Une pincée de sucre granulé

TRUC

Si vous n'avez pas
de tomates mûres,
utilisez une boîte de
tomates pelées de
796 ml (28 oz).

1. Dans une grande casserole, chauffer l'huile à feu moyen. Ajouter l'ail et les oignons. Cuire, en remuant, environ 5 min, jusqu'à ce que les oignons soient tendres et translucides. Incorporer la feuille de laurier et le paprika, puis le vinaigre et bien remuer. Ajouter les tomates, le sel et le sucre. Laisser mijoter 20 min, jusqu'à épaississement. Retirer la feuille de laurier.

2. Transvider dans le bol du mélangeur et mélanger à basse vitesse jusqu'à consistance lisse. Vider dans une passoire, au-dessus d'un grand bol, pour enlever les pelures et les graines.

3. *Préparation à l'avance:* Couvrir et conserver jusqu'à 3 jours au réfrigérateur.

SAUCE TOMATE PIMENTÉE

ENVIRON 375 ML
(1 ½ TASSE)

Essayez cette sauce à saveur de gaspacho sur du poisson grillé ou poché chaud ou sur
du poulet grillé. Elle convient aussi au veau, au poisson et au poulet froids, ainsi qu'aux
légumes verts pour un souper d'été léger ou une entrée originale.

3 tomates pelées et épépinées
½ oignon blanc ou doux, haché
1 poivron vert, haché
1 branche de céleri hachée
7 g (¼ tasse) de persil frais

2 c. à soupe d'huile d'olive extravierge
1 c. à soupe de vinaigre de vin rouge
½ c. à café (½ c. à thé) de sel
¼ c. à café (¼ c. à thé) de poivre noir
Un trait de sauce forte aux piments

1. Dans le mélangeur, à basse vitesse, mélanger tous les ingrédients jusqu'à consistance presque lisse.

2. *Préparation à l'avance:* Couvrir et conserver jusqu'à 3 jours dans le réfrigérateur.

**ENVIRON 125 ML
(½ TASSE)**

SAUCE TOMATE INDONÉSIENNE ÉPICÉE

Cette sauce semblable à un ketchup est traditionnellement servie avec des aliments frits. Essayez-la aussi avec des hamburgers ou des frites.

25 g (¼ tasse) de piments rouges forts, séchés, en morceaux
75 ml (⅓ tasse) d'eau chaude
2 gousses d'ail hachées
120 g (1 tasse) de tomates en conserve épépinées, égouttées et coupées en dés
1 ½ c. à café (1 ½ c. à thé) de sucre granulé

1 ½ c. à café (1 ½ c. à thé) de vinaigre de riz
1 c. à café (1 c. à thé) de sel
2 c. à soupe d'huile d'arachide
3 clous de girofle entiers
½ c. à café (½ c. à thé) de graines de fenouil
¼ c. à café (¼ c. à thé) de cumin moulu

1. Dans le mélangeur, faire tremper les piments dans l'eau chaude environ 1 h, jusqu'à ce qu'ils soient tendres. Ajouter l'ail, les tomates, le sucre, le vinaigre de riz et le sel. Mélanger jusqu'à consistance lisse.

2. Dans une poêle, chauffer l'huile à feu moyen. Ajouter les clous de girofle, les graines de fenouil et le cumin. Cuire environ 30 sec, en secouant la poêle, jus-

qu'à ce que les graines commencent à éclater. Ajouter le mélange de piments forts. Baisser le feu et cuire, en remuant souvent, environ 15 min, jusqu'à ce que la moitié du liquide soit évaporé et que la sauce ait la consistance d'un ketchup. Laisser refroidir.

3. Conserver jusqu'à 2 semaines dans le réfrigérateur.

SAUCE AUX CHAMPIGNONS POUR LE BŒUF

Servez cette sauce avec du bifteck grillé ou du rôti de bœuf.
Et pourquoi pas avec des côtelettes de porc ou d'agneau.

2 c. à soupe de beurre ou d'huile d'olive
extravierge
3 anchois hachés
1 petit oignon haché
1 gousse d'ail hachée
160 g (2 tasses) de champignons coupés
en deux
¾ c. à café (¾ c. à thé) de thym frais, haché,
ou ¼ c. à café (¼ c. à thé) de thym séché

2 c. à soupe de farine tout usage125 ml
(½ tasse) de vin rouge sec
125 ml (½ tasse) de bouillon de bœuf
¼ c. à café (¼ c. à thé) de sel
¼ c. à café (¼ c. à thé) de poivre noir
frais moulu
2 c. à soupe de persil frais, émincé

1. Dans une casserole moyenne, faire fondre le beurre (ou chauffer l'huile) à feu moyen-vif. Cuire les anchois, les oignons et l'ail de 4 à 5 min, en remuant, jusqu'à ce que les oignons soient dorés. Baisser le feu et ajouter les champignons et le thym. Cuire de 4 à 5 min, en remuant souvent, jusqu'à ce que les champignons soient tendres et légèrement colorés. Incorporer la farine et cuire environ 1 min en remuant.

2. Transvider dans le bol du mélangeur, ajouter le vin, le bouillon, le sel et le poivre. Mélanger à basse vitesse, en raclant les parois du bol au besoin, jusqu'à ce que les champignons soient hachés finement.

3. Transvider dans la casserole. Laisser mijoter à feu moyen-doux de 4 à 5 min, jusqu'à consistance très épaisse. Incorporer le persil.

4. *Préparation à l'avance :* Couvrir et conserver jusqu'à 3 jours dans le réfrigérateur.

**ENVIRON 500 ML
(2 TASSES)**

SAUCE AUX CHAMPIGNONS POUR LA VOLAILLE

*Servez cette sauce riche avec du poulet poché ou rôti.
Elle s'allie aussi très bien avec les côtelettes de veau et la longe de porc.*

2 c. à soupe de beurre
1 petit oignon haché
1 gousse d'ail émincée
160 g (2 tasses) de champignons coupés
    en deux
1 c. à café (1 c. à thé) d'estragon frais,
    émincé, ou ½ c. à café (½ c. à thé)
    d'estragon séché
2 c. à soupe de farine tout usage

125 ml (½ tasse) de vermouth blanc sec ou
    de vin blanc sec
125 ml (½ tasse) de bouillon de volaille
½ c. à café (½ c. à thé) de sel
¼ c. à café (¼ c. à thé) de poivre blanc
    frais moulu
50 ml (¼ tasse) de crème à fouetter (35 %)
Une pincée de muscade moulue
2 c. à soupe de persil frais, émincé

1. Dans une casserole moyenne, faire fondre le beurre à feu moyen-vif. Ajouter les oignons et l'ail et cuire de 4 à 5 min, en remuant, jusqu'à ce que les oignons soient dorés. Baisser le feu et ajouter les champignons et l'estragon. Cuire de 4 à 5 min, en remuant souvent, jusqu'à ce que les champignons soient tendres et légèrement colorés. Incorporer la farine et cuire environ 1 min en remuant.

2. Transvider dans le bol du mélangeur, ajouter le vermouth, le bouillon, le sel et le poivre. Mélanger à basse vitesse, en raclant les parois du bol au besoin, jusqu'à ce que les champignons soient hachés finement.

3. Transvider dans la casserole. Laisser mijoter à feu moyen-doux de 4 à 5 min, jusqu'à consistance très épaisse. Ajouter la crème et la muscade et laisser mijoter 2 min. Incorporer le persil.

4. *Préparation à l'avance :* Couvrir et conserver jusqu'à 3 jours dans le réfrigérateur.

SAUCE AUX CONCOMBRES

*Une sauce toute désignée pour le poulet ou le saumon pochés servis froids
sur un lit de cresson ou d'endive.*

**175 ml (¾ tasse) de crème sure ou de
 yogourt nature
¼ c. à café (¼ c. à thé) de sel
¼ c. à café (¼ c. à thé) de paprika doux
Une pincée de sucre granulé
Un trait de sauce forte aux piments**

**3 c. à soupe d'huile d'olive extravierge
2 c. à soupe de vinaigre de xérès
190 g (1 ¼ tasse) de concombre pelé,
 épépiné et haché
30 g (¼ tasse) d'oignons rouges, hachés
1 c. à soupe d'aneth ou de persil frais, émincé**

1. Dans le mélangeur, à haute vitesse, fouetter la crème sure, le sel, le paprika, le sucre et la sauce aux piments. Pendant que le moteur tourne, verser l'huile lentement dans l'ouverture du bouchon et bien mélanger. Verser le vinaigre et mélanger jusqu'à consistance épaisse et onctueuse. Ajouter les concombres et les oignons. Mélanger à basse vitesse jusqu'à ce qu'ils soient hachés finement. Incorporer l'aneth.

2. *Préparation à l'avance:* Couvrir et conserver jusqu'à 3 jours dans le réfrigérateur.

SAUCE AU YOGOURT ET AUX CONCOMBRES

*Cette sauce fort populaire en Grèce et au Moyen-Orient est servie simplement avec du pain
ou des pitas chauds, ou comme sauce pour les viandes grillées. Utilisez du yogourt faible en
matières grasses si vous préférez, mais le yogourt des Balkans donne de meilleurs résultats.*

**2 gousses d'ail écrasées
1 concombre de champ pelé, épépiné et haché
500 g (2 tasses) de yogourt nature
1 c. à soupe de jus de citron frais pressé
7 g (¼ tasse) de feuilles de menthe fraîche ou
 1 c. à café (1 c. à thé) de menthe séchée**

**½ c. à café (½ c. à thé) de sel
Huile d'olive extravierge
¼ c. à café (¼ c. à thé) de cayenne ou de
 paprika**

1. Dans le mélangeur, à basse vitesse, mélanger tous les ingrédients, sauf l'huile et le cayenne. Verser dans un bol, ajouter l'huile et saupoudrer de cayenne.

2. *Préparation à l'avance:* Couvrir et conserver jusqu'à 3 jours dans le réfrigérateur.

SAUCE AUX ARACHIDES ET AUX PIMENTS

*Délicieuse avec une salade de légumes en tranches (carottes, concombres,
céleri blanchi), de germes de haricot de soja et de haricots verts. À essayer aussi
avec des fruits en tranches (caramboles, poires, ananas, etc.).*

*60 g (¼ tasse) de crevettes séchées
80 g (⅓ tasse) de beurre d'arachide
50 ml (¼ tasse) de jus de citron vert frais
 pressé
50 ml (¼ tasse) de vinaigre de riz ou de
 vinaigre de cidre
1 c. à soupe de piments oiseaux thaïlandais*

*1 c. à soupe de sauce soja
2 c. à soupe de sucre granulé
2 c. à soupe d'eau
¼ c. à café (¼ c. à thé) de sel
¼ c. à café (¼ c. à thé) de poivre blanc
 frais moulu*

1. Faire tremper les crevettes
séchées 30 min dans l'eau froide. Égoutter. Dans une poêle sèche, à feu moyen,
cuire les crevettes de 4 à 5 min, jusqu'à
ce qu'elles soient bien grillées.

2. Transvider dans le bol du mélangeur, ajouter tous les autres ingrédients
et réduire en purée à haute vitesse.

3. *Préparation à l'avance:* Couvrir et
conserver jusqu'à 1 semaine dans le
réfrigérateur.

SAUCE CHILI AU VINAIGRE

Une sauce thaïlandaise tout usage vraiment très piquante.

*250 ml (1 tasse) de vinaigre de riz
3 c. à soupe de sauce de poisson
3 c. à soupe d'eau
4 c. à café (4 c. à thé) de sucre granulé
½ c. à café (½ c. à thé) de sel*

*5 gousses d'ail hachées
250 g (8 oz) de piments chilis thaïs verts et
 rouges mélangés
2 c. à soupe de coriandre fraîche, hachée
1 c. à soupe de gingembre frais, haché*

1. Dans une petite casserole, à feu
vif, porter à ébullition le vinaigre, la
sauce de poisson, l'eau, le sucre et le sel.
Cuire jusqu'à dissolution du sucre. Laisser refroidir légèrement.

2. Transvider dans le bol du mélangeur, ajouter tous les autres ingrédients
et mélanger à basse vitesse jusqu'à ce
qu'ils soient hachés finement.

3. Conserver jusqu'à 1 mois dans le
réfrigérateur.

SAUCE FORTE AUX PIMENTS SCOTCH BONNET

*Il y a autant de sauces à base de piments Scotch Bonnet ou habaneros qu'il y a
de cuisiniers aux Antilles. En voici une absolument fantastique inspirée d'une recette
que m'a refilée un ami de Trinidad. Portez des gants de caoutchouc
pour égrener les piments forts.*

TRUC

Le vinaigre de sucre
de canne est vendu
dans les épiceries
antillaises, chinoises,
asiatiques, indiennes
et pakistanaises, et
philippines.

1 c. à soupe d'huile végétale
50 g (½ tasse) de piments Scotch Bonnet
   rouges, verts et jaunes, coupés en deux
   et égrenés
3 gousses d'ail hachées
1 petit oignon blanc, haché
125 ml (½ tasse) de vinaigre de sucre de
   canne ou de vinaigre de cidre

3 c. à soupe de sucre granulé
1 c. à café (1 c. à thé) de sel
¼ c. à café (¼ c. à thé) de muscade moulue
¼ c. à café (¼ c. à thé) de clou de girofle
   moulu
50 ml (¼ tasse) de moutarde jaune ou de
   Dijon

1. Dans une poêle, chauffer l'huile à feu moyen. Ajouter les piments et cuire environ 2 min, en remuant, jusqu'à ce qu'ils commencent à devenir tendres. Ajouter l'ail et les oignons, et cuire en remuant de 4 à 5 min, jusqu'à ce que les oignons soient tendres. Ajouter le vinaigre, le sucre, le sel, la muscade et le clou de girofle. Porter à ébullition et cuire, en remuant, jusqu'à dissolution du sucre. Retirer du feu et laisser refroidir.

2. Transvider dans le bol du mélangeur, ajouter la moutarde et mélanger à basse vitesse, en raclant les parois du bol au besoin, jusqu'à ce que tous les ingrédients soient hachés finement.

3. Transvider dans des bocaux stérilisés et conserver jusqu'à 6 mois dans le réfrigérateur.

HARISSA

*Ce condiment piquant est omniprésent dans la cuisine nord-africaine. Pour l'adoucir,
égrener les piments forts avant de les faire tremper.*

*50 g (½ tasse) de petits piments chilis
rouges, séchés*
Eau chaude
2 c. à soupe de graines de coriandre
1 c. à soupe de graines de cumin

1 c. à soupe de graines de carvi
50 ml (¼ tasse) de jus de citron frais pressé
1 ½ c. à café (1 ½ c. à thé) de sel
125 ml (½ tasse) d'huile d'olive extravierge

1. Dans un bol, couvrir les piments avec l'eau chaude. Laisser tremper environ 1 h, jusqu'à ce qu'ils soient tendres.

2. Pendant ce temps, dans une poêle, à feu moyen-doux, griller les graines de coriandre, en secouant la poêle, environ 3 min, jusqu'à ce qu'elles noircissent légèrement. Réserver. Dans la même poêle, griller les graines de cumin et de carvi en remuant la poêle de 1 à 2 min, jusqu'à ce qu'elles crépitent.

3. Dans le mélangeur, à haute vitesse, moudre les graines de coriandre, de cumin et de carvi pour obtenir une fine poudre.

4. Égoutter les piments et les mettre dans le bol du mélangeur avec le jus de citron et le sel. Mélanger à haute vitesse jusqu'à consistance presque lisse. Pendant que le moteur tourne, dans l'ouverture du bouchon, verser l'huile très lentement et mélanger jusqu'à ce qu'elle soit bien incorporée.

5. Transvider dans des bocaux stérilisés et conserver jusqu'à 3 mois dans le réfrigérateur.

SAUCE CHILI THAÏLANDAISE

Voici une sauce idéale pour les viandes et les poissons grillés ou rôtis.
Attention : elle est très forte !

125 g (4 oz) de piments chilis thaïlandais
   verts ou autres piments verts forts
125 g (4 oz) de piments chilis thaïlandais
   rouges ou autres piments rouges forts
1 c. à soupe d'huile végétale
4 gousses d'ail hachées
60 g (½ tasse) d'oignons rouges, hachés
1 c. à soupe de racines ou 4 c. à café (4 c. à
   thé) de tiges de coriandre fraîche, hachées

2 c. à café (2 c. à thé) de sucre de palme
   broyé ou de cassonade légère
1 c. à café (1 c. à thé) de poivre blanc
   frais moulu
3 c. à soupe de jus de citron vert frais
   pressé
2 c. à soupe de sauce de poisson
Coriandre fraîche, hachée finement

1. Si on utilise de gros piments forts, les couper en morceaux. Si on utilise des piments thaïlandais, les laisser entiers.

2. Dans une poêle antiadhésive, chauffer l'huile à feu moyen. Ajouter les piments, l'ail, les oignons et les racines de coriandre. Cuire environ 7 min, en remuant, jusqu'à ce que les légumes soient tendres. Incorporer le sucre et le poivre. Cuire 1 min. Retirer du feu et laisser refroidir.

3. Transvider dans le bol du mélangeur et mélanger avec le jus de citron vert et la sauce de poisson. Mélanger à basse vitesse, en raclant les parois du bol au besoin, jusqu'à obtention d'une purée grossière.

4. Conserver jusqu'à 1 mois dans le réfrigérateur.

5. Pour servir, mélanger 3 c. à soupe de sauce avec 1 c. à café (1 c. à thé) de coriandre fraîche hachée finement.

SAUCE CHILI AU PIMENT CHIPOTLE

*Cette sauce piquante au goût fumé est très bonne avec les hamburgers, le poisson
et les tortillas. Mélangez-la plus longtemps si vous préférez une sauce plus onctueuse
et moins si vous avez envie d'une salsa croquante.*

*3 piments jalapeños épépinés et hachés
grossièrement*
*1 ½ poivron vert, épépiné et haché
grossièrement*
*1 piment cubanelle, épépiné et haché
grossièrement*
1 oignon haché grossièrement
1 gousse d'ail émincée
½ boîte de pâte de tomates de 156 ml (5½ oz)

*1 boîte de tomates en dés de 796 ml
(28 oz), avec leur jus*
*½ boîte de piments chipotle en sauce adobe
de 200 g (6½ oz)*
125 ml (½ tasse) de vinaigre de cidre
1 c. à soupe d'origan séché, émietté
1 c. à soupe de sucre granulé
2 c. à café (2 c. à thé) de sel
7 g (¼ tasse) de coriandre fraîche, hachée

1. Dans une grande casserole, à feu moyen-vif, mélanger tous les ingrédients, sauf la coriandre. Couvrir et porter à ébullition. Baisser le feu et laisser mijoter environ 45 min, en remuant de temps à autre, jusqu'à réduction de moitié. Laisser refroidir 10 min.

2. Dans le mélangeur, par étapes, mélanger jusqu'à consistance mi-onctueuse afin qu'il ne reste plus de gros morceaux.

3. Transvider la sauce dans une casserole propre et incorporer la coriandre. Couvrir et porter à ébullition. Baisser le feu et laisser mijoter 10 min à feu moyen-doux.

4. Verser à l'aide d'une louche dans des pots stérilisés et sceller en suivant les indications du manufacturier. Conserver jusqu'à 1 an à température ambiante. Réfrigérer après utilisation et utiliser dans le mois suivant l'ouverture.

SAUCE CHILI MALAISE AIGRE-DOUCE

ENVIRON 250 ML (1 TASSE)

Cette sauce extrêmement simple est merveilleuse avec du porc, du poulet ou du poisson frit. Pour l'adoucir, épépiner d'abord les piments forts.

2 petites gousses d'ail hachées
80 g (⅓ tasse) de sucre granulé
75 ml (⅓ tasse) de vinaigre de riz

3 c. à soupe de jus de citron frais pressé
1 ½ c. à café (1 ½ c. à thé) de sel
15 piments forts au goût, hachés

1. Dans le mélangeur, à basse vitesse, mélanger tous les ingrédients, sauf les piments, jusqu'à dissolution du sucre. Ajouter les piments et hacher finement.

2. Verser dans un pot stérilisé et conserver jusqu'à 1 semaine dans le réfrigérateur.

PEBRE

ENVIRON 625 ML (2 ½ TASSES)

Cette sauce chilienne épicée, aussi utilisée comme marinade, ressemble au chimichurri argentin. Rien de meilleur avec les viandes cuites au barbecue, spécialement le chorizo.

2 oignons verts, hachés finement
2 piments jalapeños, épépinés et hachés
30 g (1 tasse) de coriandre fraîche bien tassée
30 g (1 tasse) de persil frais bien tassé
125 ml (½ tasse) d'eau
2 gousses d'ail émincées
50 ml (¼ tasse) d'huile de maïs ou d'huile d'olive

2 c. à soupe de vinaigre de xérès ou de vinaigre de vin rouge
2 c. à soupe de jus de citron vert frais pressé
¼ c. à café (¼ c. à thé) de sel
2 tomates en petits dés

1. Dans le mélangeur, hacher finement les oignons verts, les piments, la coriandre et le persil avec l'eau. Incorporer tous les autres ingrédients, sauf les tomates.

2. *Préparation à l'avance :* Couvrir et conserver jusqu'à 3 jours dans le réfrigérateur.

3. Avant de servir, incorporer les tomates et remuer.

TRUC

Pour faire du chimichurri, remplacer la coriandre par du persil.

**ENVIRON 750 ML
(3 TASSES)**

MARINADE MEXICAINE AUX PIMENTS ROUGES GRILLÉS

Essayez-la à tout prix avec de l'agneau, du chapon, du poulet ou du porc.

TRUCS

Remplacez les piments chipotle séchés par ceux qui sont vendus en sauce adobe et ajoutez-les avec les épices à l'étape 2.

Faites suffisamment de marinade pour 3 kg (6 lb) de porc, 3 poulets entiers, 2 chapons ou 4 kg (8 lb) de poulet en morceaux, 2 épaules ou 1 gros jarret d'agneau. Badigeonnez la viande avec la marinade, couvrez et réfrigérez toute la nuit. Ramenez à température ambiante, puis rôtir au four à 180 °C (350 °F). Trente minutes avant la fin de la cuisson, mélangez 125 ml (½ tasse) de la marinade restante avec 7 g (¼ tasse) de coriandre fraîche hachée et le jus d'un citron vert. (Ou griller la viande ou la volaille jusqu'à ce que la cuisson soit presque complète, puis la badigeonner de marinade 15 min avant la fin de la cuisson.)

5 piments doux du Nouveau-Mexique ou piments chilis pasillas, épépinés
3 piments chilis anchos, épépinés
2 piments chipotle séchés, épépinés
500 ml (2 tasses) d'eau bouillante
2 gousses d'ail
½ oignon doux ou espagnol, haché
2 c. à soupe de jus de citron vert frais pressé

2 c. à café (2 c. à thé) d'origan grec, mexicain ou italien
2 c. à café (2 c. à thé) de coriandre moulue
1 c. à café (1 c. à thé) de sel
1 c. à café (1 c. à thé) de cumin moulu
¾ c. à café (¾ c. à thé) de cannelle moulue
½ c. à café (½ c. à thé) de poivre noir frais moulu

1. Briser les piments en morceaux et les mettre dans le mélangeur avec l'eau bouillante. Couvrir et laisser reposer 30 min pour les ramollir.

2. Réduire les piments en purée à haute vitesse. Ajouter tous les autres ingrédients et réduire en purée à haute vitesse.

3. *Préparation à l'avance :* Couvrir et conserver jusqu'à 3 jours dans le réfrigérateur.

CONDIMENTS, SAUCES ET MARINADES

ROUILLE AUX PIMENTS ROUGES

1 ou 2 piments rouges séchés, épépinés
50 ml (¼ tasse) d'eau bouillante
1 tranche de pain blanc sans croûte
3 gousses d'ail écrasées

1 poivron rouge grillé, pelé
¼ c. à café (¼ c. à thé) de sel
50 ml (¼ tasse) d'huile d'olive extravierge

1. Tremper les piments séchés 15 min dans l'eau bouillante. Égoutter et réserver 2 c. à soupe de l'eau de trempage.

2. Pendant ce temps, défaire le pain en cubes. Dans un bol, asperger les cubes avec de l'eau jusqu'à ce qu'ils soient imbibés, puis les presser pour extraire le liquide.

3. Dans le mélangeur, à basse vitesse, mélanger tous les ingrédients, sauf l'huile, jusqu'à consistance onctueuse. Pendant que le moteur tourne, dans l'ouverture du bouchon, verser l'huile en mince filet et mélanger pour bien l'incorporer.

4. *Préparation à l'avance :* Couvrir et conserver jusqu'à 1 semaine dans le réfrigérateur.

ROUILLE AU SAFRAN

La rouille au safran peut être servie comme la rouille aux piments rouges.
Tous les ingrédients doivent être à température ambiante.

½ c. à café (½ c. à thé) de filaments de
    safran émiettés
1 c. à soupe d'eau chaude
3 gousses d'ail écrasées
1 œuf entier

1 jaune d'œuf
¼ c. à café (¼ c. à thé) de cayenne
¼ c. à café (¼ c. à thé) de sel
250 ml (1 tasse) d'huile d'olive extravierge
2 c. à soupe de jus de citron frais pressé

1. Dans un petit bol, faire tremper le safran dans l'eau chaude. Laisser refroidir.

2. Dans le mélangeur, à basse vitesse, mélanger l'ail, l'œuf, le jaune d'œuf, le cayenne et le sel jusqu'à consistance onctueuse. Pendant que le moteur tourne, dans l'ouverture du bouchon, verser l'huile en mince filet et mélanger pour bien l'incorporer.

Ajouter, en mélangeant, le safran et le jus de citron.

3. *Préparation à l'avance :* Couvrir et conserver jusqu'à 3 jours au réfrigérateur.

Cette recette contient un œuf cru. Si vous êtes préoccupé par des questions sanitaires relatives à l'utilisation d'œufs crus dans la cuisine, utilisez plutôt du substitut d'œuf entier liquide pasteurisé. L'œuf et le jaune d'œuf peuvent être remplacés par 75 ml (⅓ tasse) de substitut.

POUDRE DE CARI MALAISE

Voici ma recette préférée de poudre de cari.

3 c. à soupe de graines de coriandre
7 c. à café (7 c. à thé) de graines de fenouil
2 c. à soupe de curcuma moulu
1 c. à soupe de cayenne moulu
4 c. à café (4 c. à thé) de graines de cumin
2 c. à café (2 c. à thé) de graines d'anis
1 ½ c. à café (1 ½ c. à thé) de clous de girofle entiers
1 c. à café (1 c. à thé) de graines de fenugrec

1 c. à café (1 c. à thé) de grains de poivre blanc
½ c. à café (½ c. à thé) de grains de poivre noir
3 morceaux de cannelle de Chine (casse) de 5 cm (2 po), en petits morceaux
½ noix de muscade entière, coupée ou écrasée en petits morceaux
6 gousses entières de cardamome verte
3 gousses entières de cardamome noire, graines seulement

1. Dans une poêle sèche à fond épais bien essuyée et exempte de tout résidu graisseux, griller les épices séparément, en remuant souvent la poêle, jusqu'à ce qu'elles dégagent un bon arôme (le temps variera pour chacune; voir Truc, à gauche). Laisser refroidir dans une assiette.

2. Dans le mélangeur, à haute vitesse, réduire les épices mélangées en fine poudre. Passer dans un tamis à fines mailles, puis repasser au mélangeur tout ce qui est resté dans le tamis. Mélanger le tout et laisser refroidir complètement.

3. Transvider dans une bouteille et conserver jusqu'à 6 mois à température ambiante.

PÂTE ARMÉNIENNE AUX PIMENTS

Faites cette sauce légèrement épicée pendant l'automne, quand les piments et les poivrons sont abondants au marché. Utilisez-la comme une sauce tomate dans les ragoûts, les pot-au-feu, les sauces et les soupes. Sa saveur est intense à cause de la concentration créée par le mode de cuisson.

**ENVIRON 1,5 LITRE
(3 TASSES)**

TRUC

L'acide citrique aide à conserver le goût frais de cette sauce.

- *Préchauffer le four à 180 °C (350 °F)*
- *Plat de cuisson de 33 x 23 cm (13 x 9 po)*

2,5 kg (5 lb) de poivrons rouges
10 gros piments rouges forts, au goût
Eau bouillante
125 ml (½ tasse) de jus de citron frais pressé

4 c. à café (4 c. à thé) de sel
Une pincée d'acide citrique
Environ 50 ml (¼ tasse) d'huile d'olive

1. Épépiner et bien nettoyer l'intérieur des poivrons et des piments. Mettre dans une grande casserole et couvrir avec 2 cm (¾ po) d'eau bouillante. Bouillir à feu élevé 5 min.

2. Réduire en purée à haute vitesse dans le mélangeur en procédant par étapes.

3. Verser dans le plat de cuisson et cuire dans le four préchauffé de 2 h 30 à 3 h, en raclant les parois du bol au besoin, jusqu'à ce que la consistance soit celle d'une pâte de tomates. Laisser refroidir. Incorporer le jus de citron, le sel et l'acide citrique.

4. Transvider dans des bocaux stérilisés et couvrir avec une fine couche d'huile d'olive. Remplacer l'huile chaque fois que l'on utilise de la purée, ce qui favorisera sa conservation. Cette purée se conserve jusqu'à 3 mois dans le réfrigérateur.

Il est vraiment facile de préparer des pâtes de cari de nos jours. Et nul besoin d'utiliser un mortier et un pilon pour préparer les épices. Le mélangeur nous aide à broyer des graines de piments chilis et de la citronnelle. Il existe un nombre infini de pâtes de cari dans le Sud et le Sud-Est asiatique. Aux pages 84 à 86, je vous présente trois purées thaïlandaises de base qui vous seront fort utiles pour préparer de nombreux mets thaïlandais. Ces recettes donnent de grandes quantités, mais vous pouvez congeler les purées en quantités prémesurées (voir Trucs, p. 84) pendant environ 6 mois. Coupez les recettes en deux si vous le souhaitez, mais il est plus facile de cuisiner les purées en grandes quantités.

Consultez les recettes suivantes qui mettent en valeur les pâtes de cari : Poulet tikka (p. 150), Poisson au cari à la mode de Goa (p. 161) et Crevettes indiennes (p. 166).

ENVIRON 250 ML (1 TASSE)

TRUCS

Le galanga est facile à trouver dans les épiceries orientales.

Griller les graines de coriandre à feu moyen-vif de 3 à 4 min et les graines de cumin et de fenouil de 1 à 2 min dans une poêle sèche à fond épais parfaitement propre.

Pour congeler, mettre 1 c. à soupe de pâte de cari dans un morceau de pellicule plastique. Procéder ainsi jusqu'à épuisement de la pâte. Sceller le sac hermétiquement et congeler.

PÂTE DE CARI VERTE THAÏLANDAISE

Si vous aimez la cuisine thaïlandaise, faites vos propres pâtes de cari. Celle-ci est très bonne avec toutes les recettes qui requièrent l'utilisation de pâte de cari verte thaïlandaise. Les caris de poulet et de légumes en profiteront agréablement.

20 piments chilis verts thaïlandais
6 gousses d'ail écrasées
2 gros brins de coriandre fraîche (incluant les racines), hachés
2 feuilles de laurier fraîches, hachées finement, ou ½ c. à café (½ c. à thé) séchées
80 g (⅓ tasse) d'échalotes hachées
50 g (¼ tasse) de citronnelle hachée très finement (parties blanches et vert pâle seulement)
2 c. à soupe d'huile végétale
4 c. à café (4 c. à thé) de galanga frais ou 1 c. à soupe de galanga séché mélangé avec une quantité égale d'eau

2 c. à café (2 c. à thé) de pâte de crevette
2 c. à café (2 c. à thé) de graines de coriandre grillées, moulues
2 c. à café (2 c. à thé) de graines de cumin grillées, moulues
2 c. à café (2 c. à thé) de graines de fenouil grillées, moulues
1 ½ c. à café (1 ½ c. à thé) de sel
1 c. à café (1 c. à thé) de zeste de citron vert ou de lime kafir, râpé
½ c. à café (½ c. à thé) de poivre noir frais moulu
¼ c. à café (¼ c. à thé) de clou de girofle moulu
Environ 2 c. à soupe d'eau

1. Dans le mélangeur, à haute vitesse, mélanger tous les ingrédients, sauf l'eau, jusqu'à obtention d'une pâte légère. Racler les parois du bol et ajouter de l'eau au besoin.

2. Conserver dans le réfrigérateur jusqu'à 2 semaines ou congeler en portions prémesurées jusqu'à 6 mois (voir Trucs, à gauche).

PÂTE DE CARI ROUGE THAÏLANDAISE

Utilisez cette sauce dans les recettes thaïlandaises qui réclament de la pâte de cari rouge thaïlandaise telles que la sauce satay et les caris de viande.

6 clous de girofle entiers

3 feuilles de laurier séchées

½ noix de muscade entière

4 c. à café (4 c. à thé) de graines de coriandre

4 c. à café (4 c. à thé) de graines de cumin

½ c. à café (½ c. à thé) de graines d'anis

¼ c. à café (¼ c. à thé) de grains de poivre noir

¼ c. à café (¼ c. à thé) de grains de poivre blanc

15 petits ou moyens piments chilis rouges, séchés

10 piments chilis rouges thaïlandais, frais

8 gousses d'ail écrasées

60 g (½ tasse) d'échalotes hachées

50 g (¼ tasse) de citronnelle hachée très finement (parties blanches et vert pâle seulement)

7 g (¼ tasse) de racines de coriandre fraîche, hachées

2 c. à soupe d'huile végétale

4 c. à café (4 c. à thé) de galanga frais ou 1 c. à soupe de galanga séché mélangé avec une quantité égale d'eau

1 ½ c. à café (1 ½ c. à thé) de zeste de citron vert ou de lime kafir, râpé

2 c. à café (2 c. à thé) de pâte de crevette

Environ 2 c. à soupe d'eau

1. Dans une poêle sèche à fond épais bien essuyée et exempte de tout résidu graisseux, griller séparément les clous de girofle, les feuilles de laurier, la muscade, la coriandre, le cumin, l'anis, le poivre noir et le poivre blanc, en remuant souvent la poêle, jusqu'à ce qu'ils dégagent un bon arôme et qu'ils noircissent légèrement (voir Truc, à droite).

2. Dans le mélangeur, à haute vitesse, mélanger les épices grillées et les piments chilis séchés pour obtenir une fine poudre. Ajouter tous les autres ingrédients, sauf l'eau, et mélanger jusqu'à obtention d'une pâte légère. Racler les parois du bol et ajouter de l'eau au besoin.

3. Conserver dans le réfrigérateur jusqu'à 2 semaines ou congeler en portions prémesurées jusqu'à 6 mois (voir Trucs, p. 84).

TRUC

Chaque épice demande un temps différent pour griller convenablement. Certaines n'auront besoin que de 30 sec, d'autres de 4 min. Surveillez les épices attentivement, sinon elles deviendront trop amères. Les épices sont prêtes lorsqu'elles dégagent un bon arôme et prennent une couleur plus prononcée.

**ENVIRON 325 ML
(1 ⅓ TASSE)**

PÂTE DE CARI MASSAMAN THAÏLANDAISE

*Cette pâte de cari du sud de la Thaïlande convient parfaitement
aux caris de légumes, de crevettes et de poissons.*

10 gros piments chilis rouges thaïlandais ou
   chinois séchés (ou 8 piments chilis rouges
   séchés du Nouveau-Mexique)
6 clous de girofle entiers
4 gousses de cardamome
2 petits bâtonnets d'écorce de casse ou
   1 bâton de cannelle
¼ de noix de muscade entière
4 c. à café (4 c. à thé) de graines de
   coriandre
1 c. à soupe de graines de cumin
1 c. à soupe de graines de fenouil
3 c. à soupe d'arachides gillées à sec

4 gousses d'ail écrasées
1 oignon rouge haché
2 c. à soupe de citronnelle hachée très finement (parties blanches et vert pâle seulement)
2 c. à soupe d'huile d'arachide ou d'huile
   végétale
1 c. à soupe de galanga frais ou 2 c. à café
   (2 c. à thé) de galanga séché mélangé
   avec une quantité égale d'eau
2 c. à café (2 c. à thé) de gingembre frais,
   haché
Environ 2 c. à soupe d'eau

1. Dans une poêle sèche à fond épais bien essuyée et exempte de tout résidu graisseux, griller séparément les piments chilis, les clous de girofle, la cardamome, la casse, la muscade, la coriandre, le cumin et le fenouil, en remuant souvent la poêle, jusqu'à ce qu'ils dégagent un bon arôme et qu'ils noircissent légèrement (voir Truc, p. 85).

2. Dans le mélangeur, à haute vitesse, mélanger les épices grillées et les arachides pour obtenir une fine poudre. Ajouter tous les autres ingrédients, sauf l'eau, et mélanger jusqu'à obtention d'une pâte légère. Racler les parois du bol et ajouter de l'eau au besoin.

3. Conserver dans le réfrigérateur jusqu'à 2 semaines ou congeler en portions prémesurées jusqu'à 6 mois (voir Trucs, p. 84).

SOUPES

TRUC

Garnissez la soupe avec des fines herbes hachées et un peu de crème sure, de crème fraîche ou de crème 35%. Une autre bonne idée: ajoutez un tourbillon de purée de tomate ou de coulis de poivron grillé.

SOUPE AUX LÉGUMES DE BASE

Vous pouvez faire un excellent potage avec la plupart des légumes.
Il vous suffit de suivre les directives de base suivantes.

300 à 400 g (2 tasses) de légumes blanchis

1 litre (4 tasses) de bouillon de poulet ou de légumes
Sel et poivre noir frais moulu

1. Dans le bol du mélangeur, à haute vitesse, réduire en purée les légumes avec 250 ml (1 tasse) de bouillon.

2. Transvider dans une grande casserole avec le bouillon restant. Saler et poivrer au goût. Porter à ébullition à feu moyen-vif. Baisser le feu et laisser mijo-ter 2 min. Verser dans les bols à l'aide d'une louche.

VARIANTE

Pour obtenir une soupe crémeuse, ajouter de 50 à 125 ml (¼ à ½ tasse) de crème à fouetter (35%) une fois que la soupe a atteint le point d'ébullition. Chauffer pour faire mijoter légèrement.

SOUPE AUX POIS ET AU CÉLERI

Les pois congelés sont très utiles pour faire des soupes nourrissantes à longueur d'année. Cette soupe a un goût délicat et une consistance riche.

625 ml (2 ½ tasses) de bouillon de poulet
4 branches de céleri hachées
1 oignon haché
¼ c. à café (¼ c. à thé) de sel
300 g (2 ½ tasses) de pois frais ou congelés

2 c. à soupe de beurre ou de crème à fouetter (35 %)
¼ c. à café (¼ c. à thé) de poivre blanc
4 c. à café (4 c. à thé) de feuilles de céleri hachées

1. Dans une grande casserole, porter le bouillon à ébullition à feu vif. Ajouter le céleri, les oignons et le sel. Couvrir, baisser le feu et laisser mijoter environ 10 min, jusqu'à ce que les légumes soient tendres. Enlever le couvercle, ajouter les pois et cuire environ 2 min, jusqu'à ce qu'ils soient tendres. Ajouter le beurre et le poivre, augmenter la chaleur et porter à ébullition.

2. Dans le mélangeur, réduire en purée à haute vitesse en procédant par étape afin de ne pas surcharger le bol.

3. Verser dans des bols chauds et garnir de feuilles de céleri.

SOUPE AUX TOPINAMBOURS

Le topinambour a un goût semblable à celui de l'artichaut. Il est nécessaire d'ajouter des ingrédients goûteux pour obtenir une soupe intéressante. Ce légume se marie bien avec le beurre et la crème. Le topinambour n'est pas facile à peler, mais vous serez récompensé pour vos efforts.

2 c. à soupe de beurre
1 oignon blanc, haché
500 g (1 lb) de topinambours pelés et
   coupés en tranches
500 ml (2 tasses) de bouillon de poulet
250 ml (1 tasse) d'eau
½ c. à café (½ c. à thé) de sel

¼ c. à café (¼ c. à thé) de poivre noir
frais moulu
Une pincée de macis moulu ou de muscade
2 c. à café (2 c. à thé) de jus de citron frais
   pressé
125 ml (½ tasse) de crème à fouetter
   (35 %)

1. Dans une grande casserole, faire fondre le beurre à feu moyen-vif. Ajouter les oignons et cuire, en remuant, de 3 à 4 min, jusqu'à ce qu'ils soient tendres. Ajouter les topinambours et cuire, en remuant, environ 2 min, jusqu'à ce qu'ils commencent à dorer. Ajouter le bouillon, l'eau, le sel, le poivre et le macis. Porter à ébullition. Couvrir, baisser le feu et laisser mijoter environ 30 min, jusqu'à ce que les topinambours soient très tendres.

2. Dans le mélangeur, réduire en purée à haute vitesse en procédant par étapes afin de ne pas surcharger le bol.

3. Transvider la soupe dans la casserole. Ajouter le jus de citron et laisser mijoter à feu moyen. Ajouter la crème et laisser mijoter pour bien réchauffer. Verser dans les bols à l'aide d'une louche.

Cette soupe se sert aussi froide : remplacez le beurre par une même quantité d'huile d'olive. Ajoutez le jus de citron dans le bol du mélangeur. Conservez la soupe en purée dans le réfrigérateur jusqu'à ce qu'elle soit bien froide, puis ajoutez la crème 35 % juste avant de la servir.

Garnissez cette soupe avec de la ciboulette ou du persil frais haché au goût.

VARIANTE

Soupe froide à l'avocat et au basilic : Remplacer la crème par 75 ml (⅓ tasse) d'huile d'olive extravierge, augmenter le jus de citron à 4 c. à café (4 c. à thé) et garnir avec 12 feuilles de basilic coupées en filaments.

SOUPE FROIDE À L'AVOCAT

L'avocat donne une consistance riche et crémeuse à cette soupe estivale par excellence.

Garniture

1 tomate pelée et coupée en dés
1 c. à soupe de ciboulette hachée
2 c. à café (2 c. à thé) de jus de citron vert ou jaune frais pressé
¼ c. à café (¼ c. à thé) de cayenne
Une pincée de sel

Soupe

500 ml (2 tasses) de bouillon de poulet froid dégraissé
60 g (½ tasse) d'oignons doux, hachés
¼ c. à café (¼ c. à thé) de cumin moulu
¼ c. à café (¼ c. à thé) de sel
Une pincée de poivre blanc frais moulu
Un trait de sauce forte aux piments
2 avocats pelés, coupés en deux et dénoyautés
125 ml (½ tasse) de crème à fouetter (35 %), de crème 18 % ou de crème sure

1. *Préparation de la garniture :* Dans un petit bol, mélanger les tomates, la ciboulette, le jus de citron, le cayenne et le sel. Couvrir et conserver au moins 2 h dans le réfrigérateur. Se conserve jusqu'à 2 jours au froid.

2. *Préparation de la soupe :* Dans le mélangeur, à haute vitesse, réduire en purée le bouillon, les oignons, le cumin, le sel, le poivre et la sauce forte. Ajouter les avocats et réduire en purée à haute vitesse. Incorporer la crème à basse vitesse.

3. Verser dans les bols à l'aide d'une louche et servir avec la garniture aux tomates.

SOUPE AUX HARICOTS NOIRS

Cette soupe riche et consistante peut être garnie de tortillas émiettés, de fromage râpé, de tomates cerises en dés, de jalapeños marinés ou d'avocat haché.

320 g (2 tasses) de haricots noirs secs
1 c. à soupe d'huile végétale
4 gousses d'ail émincées
1 piment jalapeño épépiné et émincé
1 feuille de laurier
60 g (½ tasse) de carottes pelées et hachées
60 g (½ tasse) de céleri haché
60 g (½ tasse) d'oignons hachés
1 c. à soupe d'origan séché
½ c. à café (½ c. à thé) de sel

½ c. à café (½ c. à thé) de poivre noir frais moulu
2 c. à café (2 c. à thé) de cumin moulu
1 litre (4 tasses) de bouillon de poulet
1 litre (4 tasses) d'eau
125 ml (½ tasse) de crème sure ou de yogourt nature
1 c. à café (1 c. à thé) de sel
125 ml (½ tasse) de salsa
2 oignons verts en fines tranches

1. Mettre les haricots dans un grand bol et couvrir avec au moins 5 cm (2 po) d'eau. Laisser tremper toute la nuit, puis égoutter et jeter le liquide.

2. Dans une grande casserole, chauffer l'huile à feu moyen-vif. Ajouter l'ail, les jalapeños, la feuille de laurier, les carottes, le céleri, les oignons, l'origan, le sel et le poivre. Cuire, en remuant, environ 8 min, jusqu'à ce que les légumes soient tendres. Ajouter le cumin et cuire 2 min. Incorporer le bouillon, l'eau et les haricots. Porter à ébullition. Couvrir, baisser le feu et laisser mijoter environ 1 h, jusqu'à ce que les haricots soient très tendres. Laisser refroidir.

3. À l'aide d'une écumoire, retirer environ 440 g (2 tasses) de haricots cuits et d'autres solides de la soupe. Transvider dans le mélangeur et réduire en purée à haute vitesse avec 250 ml (1 tasse) d'eau chaude. Mélanger avec la soupe. Laisser mijoter doucement environ 5 min pour bien réchauffer.

4. Dans un petit bol, mélanger la crème sure et le sel.

5. Verser dans les bols à l'aide d'une louche, napper de crème sure et de salsa, puis garnir d'oignons verts.

TRUCS

Méthode de trempage rapide pour les haricots : dans une grande casserole, porter les haricots et l'eau à ébullition pendant 3 min. Retirer du feu, couvrir et laisser tremper 1 h. Égoutter et jeter le liquide.

Les haricots secs ont une saveur plus riche et une consistance plus ferme que les haricots en conserve. Mais si vous êtes pressé, prenez deux boîtes de haricots noirs de 540 ml (19 oz) rincés et égouttés. Laisser mijoter 20 min ou jusqu'à ce que les légumes soient tendres.

4 À 6 PORTIONS

VARIANTE

Bortsch froid : Préparer la recette
jusqu'à l'étape 4 et refroidir. Incorporer 150 g (1 tasse) de concombres
en dés, ne mettez pas de graines de
carvi et garnissez avec de la crème
sure ou du yogourt nature recouvert
avec 4 c. à café (4 c. à thé) d'aneth
frais haché.

BORTSCH

*Les feuilles de betterave sont délicieuses en plus d'être une source très élevée
de potassium.*

1,12 litre (4 ½ tasses) d'eau
125 ml (½ tasse) de vin blanc sec
1 petit oignon haché
1 c. à café (1 c. à thé) de sel
750 g (1 ½ lb) de betteraves pelées et
    coupées en quartiers

200 g (3 tasses) de feuilles de betteraves
    déchiquetées
125 ml (½ tasse) de crème sure ou de
    yogourt nature
1 c. à café (1 c. à thé) de graines de carvi
    légèrement grillées

1. Dans une grande casserole, porter
à ébullition l'eau, le vin, les oignons et le
sel. Ajouter les betteraves et cuire environ 45 min, jusqu'à ce qu'elles soient
tendres.

2. Dans le mélangeur, réduire en
purée à haute vitesse en procédant par
étapes afin de ne pas surcharger le bol.

3. Transvider dans la casserole et
laisser mijoter pour bien réchauffer.

4. Pendant ce temps, dans une autre
grande casserole d'eau bouillante salée,
faire bouillir les feuilles de betteraves
environ 4 min, jusqu'à ce qu'elles soient
tendres. Égoutter et mélanger avec la
soupe.

5. Verser dans les bols à l'aide d'une
louche, napper de crème sure et saupoudrer de carvi.

CRÈME DE CAROTTE

Transformez une simple soupe en délice gastronomique. Achetez les meilleures carottes que vous pouvez trouver. Les concombres cuits ajoutent une touche délicate à ce plat.

4 oignons verts
2 c. à soupe de beurre
480 g (4 tasses) de carottes pelées et coupées en tranches
¼ c. à café (¼ c. à thé) de poivre blanc frais moulu
2 concombres de champ ou 1 gros concombre anglais, pelés, épépinés et hachés

60 g (⅓ tasse) de riz blanc à grains longs
375 ml (1 ½ tasse) d'eau
½ c. à café (½ c. à thé) de sel
500 ml (2 tasses) de bouillon de poulet
75 ml (⅓ tasse) de crème à fouetter (35 %)
2 c. à soupe de cerfeuil ou de persil frais, haché

1. Hacher la partie blanche des oignons verts. Couper 2 c. à soupe de la partie verte en très fines tranches et réserver séparément. Réserver la partie verte restante pour un autre usage s'il y a lieu.

2. Dans une grande casserole, faire fondre le beurre à feu moyen-vif. Ajouter les carottes, le blanc des oignons verts et le poivre. Cuire, en remuant de temps à autre, environ 10 min, jusqu'à ce que les carottes soient tendres sans avoir bruni.

3. Incorporer les concombres, le riz, l'eau et le sel. Augmenter le feu et porter à ébullition. Couvrir, baisser le feu et laisser mijoter environ 40 min, jusqu'à ce

que le riz soit extrêmement tendre et prêt à se défaire.

4. Dans le mélangeur, réduire en purée à haute vitesse avec 125 ml (½ tasse) de bouillon en procédant par étapes afin de ne pas surcharger le bol.

5. Transvider dans la casserole, incorporer le bouillon restant et porter à ébullition à feu moyen-vif. Baisser le feu et laisser mijoter 5 min. Incorporer la crème et laisser mijoter à feu moyen-doux. Incorporer la partie verte des oignons.

6. Verser dans les bols à l'aide d'une louche et garnir de cerfeuil.

4 PORTIONS

SOUPE AU CHOU-FLEUR ET AU FROMAGE

Le chou-fleur et le fromage sont un mélange tout à fait divin.

1 tête de chou-fleur hachée grossièrement
1 oignon blanc en quartiers
80 g (⅓ tasse) de gruyère, de gouda affiné
   ou de cheddar extrafort, en cubes
2 c. à soupe de beurre
50 ml (¼ tasse) de crème à fouetter (35 %)
   ou de crème sure

Une pincée de muscade moulue
Une pincée de cayenne
Une pincée de poivre blanc frais moulu
625 ml (2½ tasses) de bouillon de poulet ou
   de légumes
2 c. à soupe de ciboulette ou de persil frais,
   haché

1. Dans une grande casserole d'eau bouillante salée, cuire les choux-fleurs et les oignons environ 10 min, jusqu'à ce qu'ils soient très tendres. Égoutter et réserver 125 ml (½ tasse) de l'eau de cuisson.

2. Dans le mélangeur, à haute vitesse, réduire en purée tous les ingrédients, sauf le bouillon et la ciboulette.

3. Transvider dans la casserole, ajouter le bouillon et porter à ébullition à feu moyen-vif. Baisser le feu et laisser mijoter, en remuant, environ 2 min.

4. Verser dans les bols à l'aide d'une louche et garnir de ciboulette.

SOUPE AU CHOU-FLEUR ÉPICÉE AU CARI

La saveur subtile du chou-fleur est enrichie par la complexité de la poudre de cari, surtout si vous choisissez la poudre de cari malaise (p. 82). Les jaunes d'œufs donnent aussi une belle texture à cette soupe.

1 tête de chou-fleur hachée grossièrement
2 c. à soupe de beurre
2 gousses d'ail émincées
1 oignon haché
2 c. à café (2 c. à thé) de gingembre frais, râpé
10 g (⅓ tasse) de coriandre fraîche, hachée
4 c. à café (4 c. à thé) de cari en poudre ou de pâte de cari

¼ c. à café (¼ c. à thé) de curcuma
½ c. à café (½ c. à thé) de sel
Une pincée de sucre granulé
625 ml (2 ½ tasses) de bouillon de poulet ou de légumes
2 jaunes d'œufs
125 ml (½ tasse) de yogourt nature
1 c. à café (1 c. à thé) de jus de citron frais pressé

1. Dans une grande casserole d'eau bouillante salée, cuire les choux-fleurs environ 10 min, jusqu'à ce qu'ils soient très tendres. Égoutter et réserver 125 ml (½ tasse) de l'eau de cuisson. Transvider les choux-fleurs dans le bol du mélangeur et réserver.

2. Dans la même casserole, faire fondre le beurre à feu moyen. Ajouter l'ail, les oignons et le gingembre. Cuire, en remuant, environ 6 min, jusqu'à ce que les oignons soient tendres. Incorporer la moitié de la coriandre, le cari, le curcuma, le sel et le sucre. Cuire, en remuant, environ 1 min. Ajouter le bouillon et porter à ébullition. Couvrir, baisser le feu et laisser mijoter 10 min.

3. Dans le mélangeur, à haute vitesse, réduire en purée en procédant par étapes afin de ne pas surcharger le bol.

4. Transvider dans la casserole, ajouter l'eau de cuisson réservée et porter à ébullition à feu moyen-vif. Baisser le feu et laisser mijoter, en remuant, environ 2 min.

5. Pendant ce temps, dans un petit bol, fouetter les jaunes d'œufs, le yogourt et le jus de citron. Incorporer 250 ml (1 tasse) de soupe à l'aide d'un fouet. Verser dans la soupe et laisser mijoter, en remuant sans cesse, environ 3 min, jusqu'à ce que la soupe soit très chaude sans être bouillante et suffisamment épaisse pour enrober une cuillère.

6. Verser dans les bols à l'aide d'une louche et garnir avec la coriandre restante.

4 À 6 PORTIONS

T R U C

Si possible, achetez du céleri biologique pour obtenir plus de saveur.

SOUPE AU CÉLERI

Voici la meilleure version que j'ai pu trouver de cette recette aimée de tous. Garnissez-la avec de la ciboulette ou du cerfeuil haché ou avec la partie verte d'un oignon vert.

**60 g (¼ tasse) de beurre ou d'huile d'olive
    extravierge
2 bottes d'oignons verts, hachées
1 pied de céleri haché
1 pomme de terre pelée et coupée en cubes**

**500 ml (2 tasses) de bouillon de poulet
500 ml (2 tasses) d'eau
1 c. à café (1 c. à thé) de sel
Poivre noir frais moulu**

1. Dans une grande casserole, faire fondre le beurre à feu moyen. Ajouter les oignons verts, le céleri et les pommes de terre. Cuire, en remuant souvent, environ 10 min, jusqu'à ce que le céleri soit tendre. Ajouter le bouillon, l'eau et le sel. Porter à ébullition. Couvrir, baisser le feu et laisser

mijoter de 12 à 15 min, jusqu'à ce que les pommes de terre commencent à se défaire.

2. Dans le mélangeur, à haute vitesse, réduire en purée en procédant par étapes afin de ne pas surcharger le bol.

3. Verser dans les bols à l'aide d'une louche et poivrer au goût.

4 PORTIONS

T R U C

Pour servir cette soupe chaude, met-tez la purée dans la casserole et portez à ébullition.

SOUPE FROIDE AU CÉLERI-RAVE

Le céleri-rave permet de faire une soupe froide riche et satisfaisante. Vers la fin de l'été, alors qu'il est à son meilleur, il offre l'odeur du céleri et la consistance d'une purée de pommes de terre onctueuse. Cette soupe est d'un beau vert pâle.

**180 g (1 ½ tasse) de céleri-rave pelé et
    coupé en cubes
300 g (2 tasses) de concombres pelés,
    épépinés et hachés
Environ 250 ml (1 tasse) d'eau froide**

**15 g (½ tasse) de persil frais
50 ml (¼ tasse) d'huile d'olive extravierge
2 c. à soupe de basilic frais, haché
¾ c. à café (¾ c. à thé) de sel
¼ c. à café (¼ c. à thé) de poivre noir moulu**

1. Dans une casserole d'eau bouillante salée, faire bouillir le céleri-rave environ 20 min, jusqu'à ce qu'il soit tendre. Égoutter et refroidir à l'eau froide. Bien égoutter.

2. Transvider dans le mélangeur et ajouter les concombres, l'eau, le persil,

l'huile, le basilic, le sel et le poivre. Réduire en purée à haute vitesse en allongeant avec un peu d'eau au besoin.

3. Transvider dans un grand bol, couvrir et refroidir de 2 h à 1 journée dans le réfrigérateur. Verser dans les bols à l'aide d'une louche.

Sauce aux framboises, p. 38

Sauce aux arachides du Sud-Est asiatique, p. 44
Sauce à salade Mille-Îles, p. 47

Harissa, p. 76
Sauce chili thaïlandaise, p. 77
Rouille au safran, p. 81

SOUPE HIVERNALE AU CÉLERI-RAVE

Cette soupe très riche est bienvenue pendant l'hiver quand on a passé toute la journée dehors.

2 c. à soupe de beurre ou d'huile d'olive
    extravierge
3 oignons hachés
2 céleris-raves pelés et coupés en petits dés
500 ml (2 tasses) de bouillon de poulet
250 ml (1 tasse) d'eau
½ c. à café (½ c. à thé) de sel
¼ c. à café (¼ c. à thé) de poivre blanc
    frais moulu

Une pincée de muscade
125 ml (½ tasse) de crème à fouetter
    (35 %)
2 c. à soupe de persil frais, émincé
2 c. à soupe de feuilles de céleri
40 g (1 tasse) de croûtons frits ou grillés au
    four (voir Trucs, à droite)

1. Dans une grande casserole, faire fondre le beurre à feu moyen. Ajouter les oignons et cuire, en remuant, environ 3 min, jusqu'à ce qu'ils soient translucides. Ajouter le céleri-rave, le bouillon, l'eau, le sel, le poivre et la muscade. Porter à ébullition. Couvrir, baisser le feu et laisser mijoter environ 40 min, jusqu'à ce que le céleri-rave soit tendre et commence à se défaire sous la fourchette.

2. Transvider dans le mélangeur et réduire en purée à haute vitesse en procédant par étapes afin de ne pas surcharger le bol.

3. Transvider dans la casserole et incorporer la crème à l'aide d'un fouet. Laisser mijoter à feu moyen-élevé en remuant sans cesse. Incorporer le persil et les feuilles de céleri.

4. Verser dans les bols à l'aide d'une louche et garnir de croûtons.

TRUCS

Pour faire les croûtons : mélanger 50 g (1 ¼ tasse) de cubes de pain, 1 c. à soupe de beurre fondu ou d'huile d'olive extravierge ainsi qu'une généreuse pincée de sel et de poivre. Mettre les cubes sur une plaque à pâtisserie et griller au four ou au four grille-pain à 200 °C (400 °F) de 8 à 10 min, jusqu'à ce que les croûtons soient croustillants et dorés.

Pour frire les croûtons : dans une poêle, faire fondre 4 c. à café (4 c. à thé) de beurre ou d'huile d'olive extravierge à feu moyen. Ajouter 75 g (1 ¼ tasse) de cubes de pain et ajouter une généreuse pincée de sel et de poivre. Cuire, en remuant souvent, environ 6 min.

CHAUDRÉE DE MAÏS

*Le mélangeur permet de donner une consistance crémeuse à cette soupe
sans qu'il soit nécessaire d'ajouter de produits laitiers.*

2 c. à soupe de beurre, d'huile d'olive ou
   d'huile végétale
½ oignon doux, haché
½ piment poblano haché (ou 1 jalapeño
   épépiné et haché)
720 g (4 tasses) de grains de maïs frais
   ou congelés
½ c. à café (½ c. à thé) de zeste de citron
   vert, râpé

1 tomate pelée (voir Trucs, p. 67) et hachée
1,5 litre (6 tasses) de bouillon de poulet
10 g (⅓ tasse) de coriandre fraîche, hachée
2 c. à soupe de jus de citron vert frais
   pressé
½ c. à café (½ c. à thé) de sel
¼ c. à café (¼ c. à thé) de poivre noir
   frais moulu

1. Dans une grande casserole, faire fondre le beurre à feu moyen. Ajouter les oignons, les piments, le maïs et le zeste. Cuire, en remuant, environ 8 min, jusqu'à ce que les oignons soient tendres. Ajouter les tomates, le bouillon, la coriandre, le jus de citron vert, le sel et le poivre. Porter à ébullition. Couvrir, baisser le feu et laisser mijoter 15 min.

2. Transvider la moitié de la soupe dans le mélangeur et réduire en purée à haute vitesse en procédant par étapes afin de ne pas surcharger le bol.

3. Verser la purée dans la casserole et laisser mijoter pour bien réchauffer. Verser dans les bols à l'aide d'une louche.

SOUPE FROIDE AU CONCOMBRE

Peu de soupes sont aussi rafraîchissantes et faciles à préparer pendant l'été. Servez-la avec un morceau de baguette grillé frotté avec la moitié d'une gousse d'ail.

TRUC

Si la pelure des concombres est épaisse, pelez-la entièrement ou à moitié.

2 gros concombres de champ ou 1 gros
   concombre anglais
500 ml (2 tasses) de yogourt nature
1 c. à soupe de jus de citron frais pressé
1 c. à café (1 c. à thé) de sel
¼ c. à café (¼ c. à thé) de coriandre moulue

Une pincée de sucre granulé
Environ 50 ml (¼ tasse) d'eau froide
2 c. à café (2 c. à thé) d'aneth frais ou de
   feuilles de fenouil, hachés
Environ ¼ c. à café (¼ c. à thé) de poivre
   noir frais moulu

1. Couper les extrémités des concombres et les peler si désiré (voir Truc, à droite). Couper en deux et épépiner. Couper 12 fines tranches et réserver. Hacher le concombre restant.

2. Dans le mélangeur, à basse vitesse, mélanger le concombre haché, le yogourt, le jus de citron, le sel, la coriandre et le sucre jusqu'à ce que le concombre soit presque lisse. Allonger avec un peu d'eau au besoin.

3. Verser dans les bols à l'aide d'une louche, garnir avec les tranches de concombre et l'aneth. Poivrer au goût.

SOUPE AUX HARICOTS DE LIMA ET AU CONCOMBRE

Cette soupe vert pâle allie le concombre frais et le concombre cuit. Elle est tellement bonne que vous voudrez la servir lors de vos fêtes les plus élégantes.

2 petits concombres à mariner en fines tranches
1 c. à café (1 c. à thé) de sel
2 c. à soupe d'huile d'olive extravierge
450 g (3 tasses) de concombres pelés, épépinés et hachés
1 petit oignon doux, haché
500 ml (2 tasses) de bouillon de légumes ou de poulet

30 g (1 tasse) de coriandre fraîche, hachée
220 g (1 tasse) de haricots de Lima miniatures, cuits
175 ml (¾ tasse) de crème 10 % ou 18 %
¼ c. à café (¼ c. à thé) de poivre noir frais moulu
½ c. à café (½ c. à thé) de gaines de carvi grillées légèrement (voir Truc, p. 92)

1. Dans un petit bol, mélanger les concombres à mariner avec la moitié du sel. Laisser reposer 15 min.

2. Dans une grande casserole, chauffer l'huile à feu moyen-doux. Ajouter les concombres hachés et les oignons. Cuire, en remuant de temps à autre, environ 7 min, jusqu'à ce qu'ils ramollissent sans brunir. Ajouter le bouillon, la coriandre et le sel restant. Monter le feu et porter à ébullition. Ajouter les haricots de Lima. Couvrir, baisser le feu et laisser mijoter à feu doux jusqu'à ce que les haricots soient tendres.

3. Pendant ce temps, avec les mains, presser les concombres à mariner pour extraire le liquide.

4. Transvider la soupe dans le mélangeur et réduire en purée à haute vitesse.

5. Transvider la purée dans la casserole, incorporer la crème et laisser mijoter pour bien réchauffer.

6. Verser dans les bols à l'aide d'une louche, garnir avec les tranches de concombre à mariner, poivrer au goût et saupoudrer de graines de carvi.

SOUPE AU FENOUIL

Les bulbes de fenouil ont un goût subtil de réglisse. Cette soupe accentue leur délicatesse grâce à l'ajout de quelques ingrédients bien choisis et au fait de les faire sauter dans le beurre jusqu'à ce qu'ils soient dorés et caramélisés.

2 bulbes de fenouil
60 g (¼ tasse) de beurre
1 oignon en quartiers
2 c. à soupe de farine tout usage
1 litre (4 tasses) de bouillon de poulet
1 c. à café (1 c. à thé) de sel

¼ c. à café (¼ c. à thé) de poivre blanc frais moulu
2 c. à soupe de crème sure ou de crème à fouetter (35 %)
2 c. à soupe de jus de citron frais pressé

1. Couper la partie supérieure des bulbes de fenouil et réserver 2 c. à soupe de feuilles. Couper les bulbes sur la longueur en 8 morceaux.

2. Dans une grande casserole, faire fondre le beurre à feu moyen-doux. Ajouter le fenouil et les oignons. Cuire, en retournant les morceaux de temps à autre, environ 20 min, jusqu'à ce qu'ils soient dorés. Saupoudrer de farine et cuire, en remuant, environ 2 min. Incorporer graduellement le bouillon, le sel et le poivre. Couvrir, baisser le feu et laisser mijoter environ 20 min, jusqu'à ce que le fenouil et les oignons soient tendres.

3. Transvider la soupe dans le mélangeur et réduire en purée à haute vitesse en procédant par étapes afin de ne pas surcharger le bol.

4. Transvider la purée dans la casserole, incorporer la crème sure et le jus de citron. Laisser mijoter pour bien réchauffer.

5. Verser dans les bols à l'aide d'une louche et garnir avec les feuilles de fenouil réservées.

SOUPE À L'AIL

Servez cette soupe avec des croûtons frits ou cuits au four (voir Trucs, p. 97).

2 c. à soupe d'huile d'olive extravierge ou de beurre
16 gousses d'ail
1 oignon blanc, haché
½ c. à café (½ c. à thé) de poivre noir frais moulu

1 pomme de terre pelée et coupée en dés
500 ml (2 tasses) de bouillon de poulet
500 ml (2 tasses) d'eau
1 c. à café (1 c. à thé) de sel
7 g (¼ tasse) de persil frais, haché

1. Dans une grande casserole, chauffer l'huile à feu moyen. Ajouter l'ail, les oignons et le poivre. Cuire, en remuant souvent, environ 6 min, jusqu'à ce que les oignons soient tendres et l'ail légèrement doré. Ajouter les pommes de terre, le bouillon, l'eau et le sel. Porter à ébullition. Couvrir, baisser le feu et laisser mijoter environ 20 min, jusqu'à ce que les pommes de terre soient tendres.

2. Transvider la soupe dans le mélangeur et réduire en purée à haute vitesse en procédant par étapes afin de ne pas surcharger le bol.

3. Verser la purée dans la casserole et laisser mijoter pour bien réchauffer. Incorporer le persil. Verser dans les bols à l'aide d'une louche.

SOUPE ESPAGNOLE À L'AIL

Une soupe simple et satisfaisante qui demande peu de temps de cuisson. Achetez un pain blanc, au levain de préférence, et n'oubliez pas le paprika doux ou fumé espagnol.

3 c. à soupe d'huile d'olive extravierge
16 gousses d'ail
1,5 litre (6 tasses) d'eau bouillante

1 c. à café (1 c. à thé) de sel
12 fines tranches de pain blanc
½ c. à café (½ c. à thé) de paprika espagnol

1. Dans une grande casserole, chauffer l'huile à feu moyen. Ajouter l'ail et cuire, en remuant souvent, environ 5 min, jusqu'à ce que l'ail soit doré. Ajouter l'eau et le sel. Porter à ébullition. Couvrir, baisser le feu et laisser mijoter 30 min.

2. Transvider la soupe dans le mélangeur et réduire en purée à haute vitesse en procédant par étapes afin de ne pas surcharger le bol.

3. Pendant ce temps, mettre 2 tranches de pain dans chacun des bols individuels.

4. Verser la purée dans la casserole et laisser mijoter pour bien réchauffer. Verser dans les bols à l'aide d'une louche et saupoudrer de paprika.

SOUPE AU CHOU VERT FRISÉ ET AU PAIN

Cette soupe inspirée de la cuisine italienne utilise le pain à cause de son goût et de sa capacité de l'épaissir. Si vous trouvez du chou noir frisé, n'hésitez pas à en acheter.

1 litre (4 tasses) de bouillon de poulet ou de légumes
500 ml (2 tasses) d'eau
4 gousses d'ail écrasées
1 botte de chou vert frisé, équeuté et coupé en lanières
240 g (2 tasses) de tomates en conserve avec leur jus
3 c. à soupe d'huile d'olive extravierge
¼ c. à café (¼ c. à thé) de sel

¼ c. à café (¼ c. à thé) de poivre noir frais moulu
180 g (3 tasses) de pain italien vieux d'une journée, sans croûte et coupé en cubes
500 ml (2 tasses) d'eau froide
30 g (1 tasse) de persil plat frais, haché
60 g (½ tasse) de parmesan frais râpé
1 c. à soupe de feuilles de marjolaine fraîche, hachées

1. Dans une grande casserole, porter l'eau et le bouillon à ébullition à feu vif. Ajouter l'ail, le chou, les tomates et leur jus, 1 c. à soupe d'huile, le sel et le poivre. Couvrir, baisser le feu et laisser mijoter, en remuant de temps à autre, environ 20 min, jusqu'à ce que le chou soit tendre.

2. Transvider la moitié de la soupe dans le mélangeur et réduire en purée à haute vitesse en procédant par étapes afin de ne pas surcharger le bol.

3. Verser la purée dans la casserole et laisser mijoter à feu moyen-doux.

4. Dans un grand bol, arroser les cubes de pain avec l'eau froide. Remuer pour bien les imprégner. Presser le pain pour extraire le liquide. Mettre les cubes dans la soupe avec la moitié du persil. Laisser mijoter environ 10 min, jusqu'à ce que le pain se défasse.

5. Incorporer le parmesan, le persil restant, la marjolaine et l'huile restante. Verser dans les bols à l'aide d'une louche.

CRÈME DE CHOU-RAVE

*Le chou-rave est un légume mal connu pourtant très facile à cuisiner.
Cette soupe peut être servie chaude ou froide.*

2 c. à soupe de beurre
1 botte de chou-rave, pelé et coupé en petits morceaux
1 oignon haché
1 pomme de terre pelée et coupée en dés
¼ c. à café (¼ c. à thé) de sel
¼ c. à café (¼ c. à thé) de poivre blanc frais moulu

2 c. à soupe de farine tout usage
1 litre (4 tasses) de bouillon de poulet ou de légumes
250 ml (1 tasse) de crème 10 %
2 c. à soupe de ciboulette émincée
2 c. à soupe d'aneth frais, haché

1. Dans une grande casserole, faire fondre le beurre à feu moyen. Ajouter le chou-rave, les oignons, les pommes de terre, le sel et le poivre. Cuire, en remuant de temps à autre, environ 5 min, jusqu'à ce que les oignons soient tendres. Ajouter la farine et cuire environ 1 min sans cesser de remuer. Incorporer lentement le bouillon. Porter à ébullition. Couvrir, baisser le feu et laisser mijoter environ 25 min, jusqu'à ce que les légumes soient tendres.

2. Transvider la soupe dans le mélangeur et réduire en purée à haute vitesse en procédant par étapes afin de ne pas surcharger le bol. (*Préparation à l'avance :* Refroidir, couvrir et réfrigérer jusqu'à 2 jours.)

3. *Pour servir chaud :* Verser la purée dans la casserole, puis incorporer la crème et la ciboulette. Chauffer à feu moyen.

4. *Pour servir froid :* Laisser refroidir légèrement, puis réfrigérer, sans couvrir, jusqu'à ce que la soupe soit bien froide. Incorporer la crème et la ciboulette.

5. Verser dans les bols à l'aide d'une louche et garnir d'aneth.

SOUPE AUX POIREAUX ET À LA BETTE À CARDE

Si vous ne trouvez pas de fromage sbrinz, utilisez un autre fromage à pâte dure tel
que le parmesan. Le kasseri grec sera aussi parfait pour cette recette.
Cette recette fabuleuse vous transportera assurément au septième ciel.

2 c. à soupe de beurre
2 poireaux (parties blanche et vert pâle
   seulement) hachés
2 gousses d'ail émincées
1,5 litre (6 tasses) de bouillon de poulet
75 ml (⅓ tasse) de vin blanc sec ou de
   vermouth blanc sec

1 pomme de terre en dés
½ c. à café (½ c. à thé) de sel
¼ c. à café (¼ c. à thé) de poivre blanc
   frais moulu
Une pincée de muscade moulue
300 g (6 tasses) de feuilles de bettes à cardes
60 g (½ tasse) de fromage suisse sbrinz

1. Dans une grande casserole, faire fondre le beurre à feu moyen. Ajouter les poireaux et l'ail. Cuire, en remuant, environ 8 min, jusqu'à ce qu'ils soient tendres sans dorer. Ajouter le bouillon, le vin, les pommes de terre, le sel, le poivre et la muscade. Porter à ébullition. Couvrir, baisser le feu et laisser mijoter environ 20 min, jusqu'à ce que les pommes de terre soient complètement cuites. Ajouter les bettes à cardes et laisser bouillir 4 min pour attendrir.

2. Transvider la soupe dans le mélangeur et réduire en purée à haute vitesse en procédant par étapes afin de ne pas surcharger le bol.

3. Verser la purée dans la casserole et porter à ébullition à feu moyen-doux. Incorporer le fromage. Verser dans les bols à l'aide d'une louche.

SOUPE AU CRESSON

*Accueillez le printemps à votre table avec cette soupe à faible teneur
en matières grasses.*

*1 botte d'oignons verts
750 ml (3 tasses) de bouillon de poulet
500 g (1 lb) de pommes de terre pelées et
    hachées
¾ c. à café (¾ c. à thé) de sel
¼ c. à café (¼ c. à thé) de poivre noir
    frais moulu*

*1 botte de cresson hachée
15 g (½ tasse) de persil frais haché
250 ml (1 tasse) de lait
2 c. à café (2 c. à thé) de fécule de maïs
    (facultatif)*

1. Séparer la partie blanche de la partie verte des oignons. Hacher séparément.

2. Dans une grande casserole, porter à ébullition le bouillon, le blanc des oignons, les pommes de terre, le sel et le poivre. Laisser bouillir à feu moyen-vif. Couvrir, baisser le feu et laisser mijoter de 20 à 25 min, jusqu'à ce que les pommes de terre soient tendres. Ajouter le vert des oignons, le cresson et le persil. Laisser mijoter 1 min.

3. Transvider la soupe dans le mélangeur et réduire en purée à haute vitesse en procédant par étapes afin de ne pas surcharger le bol.

4. Réserver 2 c. à soupe de lait. Verser la purée dans la casserole, ajouter le lait restant et porter à ébullition à feu moyen-doux. Baisser le feu et laisser mijoter 3 min.

5. Si l'on souhaite épaissir la soupe, mélanger la fécule de maïs avec le lait réservé jusqu'à consistance lisse. Incorporer à la soupe et laisser mijoter environ 2 min, jusqu'à consistance soyeuse et lisse.

SOUPE FROIDE À LA LAITUE

Merveilleusement rafraîchissante, cette soupe est recommandée pendant l'été. Pour un goût plus doux, prenez de la laitue romaine ou Boston. Pour une saveur plus robuste et un peu plus amère, utilisez de la scarole ou de l'endive frisée.

1 concombre de champ ou ½ concombre anglais
1 c. à café (1 c. à thé) de sel
1 botte d'oignons verts
Eau froide
2 c. à soupe d'huile d'olive extravierge
1 litre (4 tasses) de bouillon de légumes et de poulet

360 g (1 ½ tasse) de pommes de terre blanches, pelées et coupées en cubes
¼ c. à café (¼ c. à thé) de poivre blanc frais moulu
Environ 400 g (8 tasses) de laitue hachée
125 ml (½ tasse) de crème sure ou de yogourt nature

1. Couper les concombres en deux sur la longueur. Épépiner et couper en tranches. Mélanger avec le sel et laisser reposer 30 min dans un bol. Presser les concombres par poignées pour extraire le maximum de liquide. Réfrigérer.

2. Pendant ce temps, couper le blanc des oignons en tranches. Hacher 2 c. à soupe de la partie verte des oignons. Couvrir d'eau froide et réfrigérer. Réserver la partie verte restante pour un autre usage.

3. Dans une grande casserole, chauffer l'huile à feu moyen. Ajouter le blanc des oignons et cuire, en remuant, environ 2 min. Ajouter le bouillon, les pommes de terre et le poivre. Porter à ébullition. Couvrir, baisser le feu et laisser mijoter environ 20 min, jusqu'à ce que les pommes de terre soient très tendres. Ajouter la laitue et attendrir 3 min.

4. Transvider la soupe dans le mélangeur et réduire en purée à haute vitesse en procédant par étapes afin de ne pas surcharger le bol.

5. Verser la purée dans un grand bol, incorporer la crème et refroidir au moins 4 h ou jusqu'à 2 jours.

6. Verser dans les bols à l'aide d'une louche et garnir avec les concombres et le vert des oignons réservé et égoutté.

4 PORTIONS

SOUPE ANGLAISE AUX CHAMPIGNONS

Voici une excellente façon d'initier les enfants au goût des champignons. Comme ils détestent souvent la consistance des champignons en tranches, il faut user de ruse pour leur faire découvrir ce merveilleux ingrédient.

320 g (4 tasses) de champignons blancs en quartiers
500 ml (2 tasses) d'eau
2 c. à soupe de beurre
1 oignon haché

2 c. à soupe de farine tout usage
500 ml (2 tasses) de lait
½ c. à café (½ c. à thé) de sel
75 ml (⅓ tasse) de crème à fouetter (35 %)
¼ c. à café (¼ c. à thé) de muscade moulue

1. Dans le mélangeur, à basse vitesse, mélanger les champignons et l'eau, en raclant les parois du bol au besoin, jusqu'à ce qu'ils soient hachés très finement.

2. Dans une grande casserole, faire fondre le beurre à feu moyen. Ajouter les oignons et cuire, en remuant souvent, environ 10 min. Saupoudrer de farine et cuire de 3 à 4 min, jusqu'à ce qu'elle soit dorée. Ajouter lentement les champignons en remuant afin d'empêcher la formation de grumeaux. Incorporer le lait et le sel; porter à ébullition. Couvrir, baisser le feu et laisser mijoter 10 min. Incorporer la crème et laisser mijoter à feu moyen.

3. Verser dans les bols à l'aide d'une louche et saupoudrer de muscade.

CRÈME DE CHAMPIGNONS

Cette recette est plus raffinée que la précédente. Utilisez des cèpes, des shiitake, des morilles ou d'autres champignons séchés à votre goût.

30 g (1 oz) de champignons séchés
250 ml (1 tasse) d'eau chaude
320 g (4 tasses) de champignons de Paris
   ou de champignons blancs, en quartiers
250 ml (1 tasse) de lait
2 c. à soupe de beurre
1 oignon haché
1 poireau (parties blanche et vert pâle)
   haché

¼ c. à café (¼ c. à thé) de muscade moulue
2 c. à soupe de farine tout usage
500 ml (2 tasses) de bouillon de poulet
½ c. à café (½ c. à thé) de sel
¼ c. à café (¼ c. à thé) de thym moulu
2 c. à soupe de xérès sec
75 ml (⅓ tasse) de crème à fouetter (35 %)
2 c. à soupe de persil frais, émincé

1. Laisser tremper les champignons séchés dans l'eau chaude environ 30 min pour les attendrir. Égoutter et réserver l'eau de trempage en la passant dans un tamis à fines mailles pour éliminer les résidus.

2. Dans le mélangeur, à basse vitesse, mélanger les champignons de Paris, les champignons séchés, l'eau de trempage et le lait, en raclant les parois du bol au besoin, jusqu'à ce qu'ils soient hachés très finement.

3. Dans une grande casserole, faire fondre le beurre à feu moyen. Ajouter les oignons, les poireaux et la muscade. Cuire, en remuant souvent, environ 10 min. Saupoudrer de farine et cuire de 3 à 4 min, jusqu'à ce qu'elle soit dorée. Ajouter lentement les champignons en remuant afin d'empêcher la formation de grumeaux. Incorporer le bouillon, le sel et le thym. Porter à ébullition. Couvrir, baisser le feu et laisser mijoter 15 min. Incorporer le xérès et laisser mijoter à découvert 2 min. Incorporer la crème et laisser mijoter pour bien réchauffer.

4. Verser dans les bols à l'aide d'une louche et garnir de persil.

TRUC

Ce plat est encore meilleur avec du bacon séché suisse ou allemand ou avec du prosciutto. Hacher 4 fines tranches et faites-les revenir environ 3 min dans 1 c. à soupe de beurre ou d'huile. Quand le bacon est croustillant, le laisser égoutter sur du papier essuie-tout avant d'en saupoudrer la soupe.

VARIANTE

Crème anglaise à l'oignon : Omettre le beurre et l'ail et remplacer par 120 g (1 tasse) de cheddar bien affiné. Dans une grande casserole, à feu moyen, cuire 6 tranches de bacon jusqu'à ce qu'elles soient croustillantes. À l'aide d'une pince, retirer le bacon et le hacher. Cuire les oignons et la muscade dans le gras de bacon et poursuivre avec les étapes 1 à 3, en ajoutant le fromage à l'étape 3 et en remuant jusqu'à ce qu'il soit fondu. Garnir de bacon.

SOUPE SUISSE À L'OIGNON

Une soupe fort satisfaisante qui requiert très peu d'ingrédients. Ma grand-mère suisse avait l'habitude de préparer cette soupe même si elle n'avait pas de mélangeur à l'époque. Cet appareil permet d'obtenir une consistance plus riche et plus onctueuse.

2 c. à soupe de beurre
3 gros oignons hachés
1 gousse d'ail émincée
Une pincée de muscade ou de macis
4 c. à café (4 c. à thé) de farine tout usage
75 ml (⅓ tasse) de vin blanc sec
1 litre (4 tasses) de bouillon de poulet ou
    de veau

½ c. à café (½ c. à thé) de sel
¼ c. à café (¼ c. à thé) de poivre blanc ou
    noir frais moulu
50 ml (¼ tasse) de crème à fouetter (35 %)
60 g (½ tasse) de fromage suisse sbrinz ou
    parmesan râpé

1. Dans une grande casserole, faire fondre le beurre à feu moyen. Ajouter les oignons, l'ail et la muscade. Cuire, en remuant souvent, environ 10 min, jusqu'à ce que les oignons soient tendres sans être dorés. Saupoudrer de farine et cuire environ 2 min en remuant constamment. Incorporer le vin et remuer jusqu'à ce qu'il soit presque complètement évaporé. Ajouter lentement le bouillon, remuer et porter à ébullition. Saler et poivrer. Couvrir, baisser le feu et laisser mijoter 15 min.

2. Transvider la soupe dans le mélangeur et réduire en purée à basse vitesse en procédant par étapes afin de ne pas surcharger le bol.

3. Verser la soupe dans la casserole, incorporer la crème et laisser mijoter pour bien réchauffer.

4. Verser dans les bols à l'aide d'une louche et garnir de fromage râpé.

CRÈME DE PERSIL

Le persil est considéré la plupart du temps comme un ingrédient d'accompagnement. Mais il faut lui redonner la place qu'il mérite et le traiter aussi comme un ingrédient fabuleux en soi à cause de son parfum unique. On le marie ici avec le cresson. Cette soupe peut être servie chaude ou froide.

TRUC

Pour servir froid : transvider dans un grand bol après l'étape 3 et laisser refroidir de 2 à 4 h dans le réfrigérateur.

750 ml (3 tasses) de bouillon de poulet
1 oignon blanc, haché
90 g (3 tasses) de feuilles de persil frais
100 g (2 tasses) de cresson haché
1 c. à café (1 c. à thé) de sel
375 ml (1½ tasse) de crème à fouetter (35 %)

2 jaunes d'œufs
Une pincée de poivre blanc frais moulu
Une pincée de cayenne
75 g (½ tasse) de concombre pelé, épépiné et coupé en petits dés

1. Dans une grande casserole, porter le bouillon à ébullition à feu vif. Ajouter les oignons, 60 g (2 tasses) de persil, le cresson et le sel. Couvrir, baisser le feu et laisser mijoter 20 min à feu doux.

2. Égoutter dans une passoire placée au-dessus du bol du mélangeur et jeter les solides recueillis. Ajouter le persil restant, la crème, les jaunes d'œufs, le poivre et le cayenne. Hacher finement à basse vitesse.

3. Transvider la soupe dans la casserole à feu moyen-doux. Cuire, sans cesser de remuer, environ 3 min sans laisser bouillir. La soupe doit être suffisamment épaisse pour napper une cuillère.

4. Verser dans les bols à l'aide d'une louche et garnir de concombres.

TRUCS

Le persil plat donnera meilleur goût à cette soupe que le persil frisé.

Servez la soupe avec un trait d'huile d'olive si désiré.

SOUPE AU PERSIL ET AUX POMMES DE TERRE

Cette soupe riche en ail utilise le persil comme ingrédient vedette plutôt que comme garniture, ce qui lui donne un goût de fraîcheur inusité.

2 c. à soupe d'huile d'olive extravierge
8 gousses d'ail émincées
1 oignon haché
30 g (1 tasse) de persil frais, haché
¼ c. à café (¼ c. à thé) de sel

¼ c. à café (¼ c. à thé) de poivre noir frais moulu
2 pommes de terre pour cuisson au four, pelées et coupées en dés
1 litre (4 tasses) de bouillon de poulet ou de légumes

1. Dans une grande casserole, chauffer l'huile à feu moyen. Ajouter l'ail, les oignons, 20 g (⅔ tasse) de persil, le sel et le poivre. Cuire, en remuant, environ 5 min pour attendrir les oignons. Ajouter les pommes de terre et le bouillon. Porter à ébullition. Couvrir, baisser le feu et laisser mijoter environ 30 min, jusqu'à ce que les pommes de terre soient tendres.

2. Transvider la soupe dans le mélangeur et réduire en purée à haute vitesse en procédant par étapes afin de ne pas surcharger le bol.

3. Verser la purée dans la casserole, incorporer le persil restant et laisser mijoter pour bien réchauffer. Verser dans les bols à l'aide d'une louche.

SOUPE AU PANAIS PARFUMÉE AU GINGEMBRE

Les panais ressemblent à des carottes blanches. À l'automne, remplacez-les par des racines de persil et garnissez la soupe avec du persil frais émincé. Les carottes peuvent aussi remplacer les panais.

60 g (¼ tasse) de beurre
3 échalotes hachées finement
500 g (1 lb) de panais pelés et coupés en dés
3 c. à soupe de riz blanc à grains longs
1 litre (4 tasses) de bouillon de poulet ou de légumes

1 c. à soupe de gingembre frais, émincé
3 c. à soupe de ciboulette fraîche, hachée finement
¼ c. à café (¼ c. à thé) de sel
¼ c. à café (¼ c. à thé) de poivre noir frais moulu

1. Dans une grande casserole, faire fondre le beurre à feu moyen. Ajouter les échalotes, les panais et le riz. Faire sauter environ 20 min, jusqu'à ce que les panais deviennent tendres sans brunir. Incorporer le bouillon et le gingembre. Porter à ébullition. Baisser le feu et laisser mijoter environ 15 min, jusqu'à ce que le riz soit tendre.

2. Transvider la soupe dans le mélangeur et réduire en purée à haute vitesse en procédant par étapes afin de ne pas surcharger le bol.

3. Verser la purée dans la casserole, ajouter la ciboulette, le sel et le poivre. Laisser mijoter pour bien réchauffer. Verser dans les bols à l'aide d'une louche.

4 PORTIONS

VARIANTE

Soupe froide aux pois du printemps : Ajouter une pincée de sel additionnelle et remplacer le beurre par 2 c. à soupe de crème à fouetter (35 %). Mettre la soupe dans le réfrigérateur ainsi que la partie blanche des oignons verts et les petits pois réservés. Garnir avec 2 c. à soupe de menthe fraîche hachée.

SOUPE AUX POIS DU PRINTEMPS

L'arrivée des petits pois est un événement que l'on attend impatiemment tous les printemps. Leur douceur et leur fraîcheur sont inégalables et on peut les apprêter de mille et une façons. Essayez cette soupe quand vous voyez les petits pois, les oignons verts et la laitue faire leur apparition au marché ou dans votre potager. Pendant le reste de l'année, remplacez les petits pois frais par des mange-tout (pois gourmands), des pois «Sugar Snap» ou des petits pois congelés.

4 oignons verts
¾ c. à café (¾ c. à thé) de sel
625 ml (2½ tasses) d'eau
300 g (2½ tasses) de petits pois frais

100 g (2 tasses) de laitue hachée grossièrement
15 g (½ tasse) de feuilles de menthe fraîche
Une pincée de sucre granulé
2 c. à soupe de beurre

1. Séparer la partie blanche de la partie verte des oignons verts. Hacher la partie verte.

2. Dans une grande casserole, mettre le sel dans l'eau et porter à ébullition à feu vif. Ajouter la partie blanche des oignons verts et laisser bouillir 1 min pour attendrir. Retirer à l'aide d'une pince et hacher en bouchées de la grosseur d'un petit pois. Réserver.

3. Ajouter les petits pois, la laitue, la menthe, le sucre et la partie verte des oignons verts. Baisser le feu et laisser

mijoter de 3 à 5 min, jusqu'à ce que les petits pois soient tendres.

4. Verser dans un tamis posé au-dessus du bol du mélangeur. Retirer 30 g (¼ tasse) de petits pois et réserver. Ajouter le contenu du tamis dans le bol du mélangeur, ajouter le beurre et réduire en purée à haute vitesse. (On peut aussi remettre la purée dans la casserole et la porter à ébullition.)

5. Verser dans des bols chauds et garnir avec la partie blanche des oignons et les petits pois réservés.

SOUPE AUX PETITS POIS ET À LA ROQUETTE

Les petits pois et la roquette sont sur le marché au même moment, ce qui en fait des partenaires de prédilection. Vous pouvez aussi acheter les pois congelés. Servez cette soupe chaude ou froide.

750 ml (3 tasses) d'eau
1 oignon blanc, haché
2 gousses d'ail
¾ c. à café (¾ c. à thé) de sel

Une pincée de sucre granulé
240 g (2 tasses) de petits pois frais
1 botte de roquette
2 c. à soupe d'huile d'olive extravierge

1. Dans une grande casserole, porter l'eau à ébullition à feu vif. Ajouter les oignons, l'ail, le sel et le sucre. Couvrir, baisser le feu et laisser mijoter environ 10 min, jusqu'à ce que les oignons soient tendres. Retirer le couvercle, ajouter les petits pois et laisser mijoter de 3 à 5 min pour les attendrir.

2. Réserver 4 feuilles de roquette. Ajouter la roquette restante dans la casserole et cuire 5 sec.

3. Transvider la soupe dans le mélangeur et réduire en purée à haute vitesse en procédant par étapes afin de ne pas surcharger le bol. (Si désiré, remettre la purée dans la casserole et porter à ébullition.)

4. Couper les feuilles de roquette réservées en fines lanières (chiffonnade).

5. Verser dans les bols, ajouter un trait d'huile d'olive et garnir avec la chiffonnade de roquette.

TRUC

Pour servir froid : ajoutez 1 c. à café (1 c. à thé) de sel additionnelle. Après avoir réduit les ingrédients en purée, laissez refroidir au moins 4 h et jusqu'à 2 jours dans le réfrigérateur.

VARIANTE

Soupe aux petits pois et au cresson : *Remplacer la roquette par une botte de cresson et réserver 7 g (¼ tasse) de feuilles tendres pour la garniture. Cuire le cresson 30 sec à l'étape 2.*

4 À 6 PORTIONS

SOUPE À LA CORIANDRE ET AUX POIS MANGE-TOUT

Cette soupe raffinée et simple offre un merveilleux parfum de menthe et de noix de coco.

4 c. à café (4 c. à thé) d'huile végétale ou
   d'huile de noix de coco
1 oignon blanc, haché
1 pomme de terre pelée et coupée en cubes
30 g (1 tasse) de coriandre fraîche, hachée
¾ c. à café (¾ c. à thé) de menthe séchée
¼ c. à café (¼ c. à thé) de poivre blanc
   frais moulu

750 ml (3 tasses) d'eau
500 g (4 tasses) de pois mange-tout
   (pois gourmands) effilés et hachés
1 c. à café (1 c. à thé) de sel
125 ml (½ tasse) de lait de coco épais
2 c. à soupe de menthe ou de coriandre
   fraîche, hachée

1. Dans une grande casserole, chauffer l'huile à feu moyen. Ajouter les oignons et cuire, en remuant souvent, environ 5 min pour les attendrir. Ajouter les pommes de terre, la coriandre, la menthe séchée et le poivre. Cuire, en remuant, environ 2 min, jusqu'à ce que la coriandre soit ramollie et odorante. Ajouter l'eau et porter à ébullition. Couvrir, baisser le feu et laisser mijoter 10 min. Ajouter les pois mange-tout et le sel. Laisser mijoter 10 min à couvert, jusqu'à ce que les pommes de terre et les pois soient très tendres.

2. Transvider la soupe dans le mélangeur et réduire en purée à haute vitesse en procédant par étapes afin de ne pas surcharger le bol.

3. Verser la purée dans la casserole, incorporer le lait de coco et porter à ébullition à feu moyen en remuant.

4. Verser dans les bols et garnir de menthe fraîche.

SOUPE AUX POIRES ET AUX PANAIS

Il est impératif de prendre des poires très mûres pour mettre en valeur le goût particulier des panais. Des ingrédients salés tels que des amandes tranchées grillées, les croûtons à l'ail et le bacon croustillant sont d'heureux compléments à cette soupe plutôt sucrée.

TRUC

Vous pouvez remplacer le lait de soja par du lait ou de la crème légère (5 %).

1 c. à soupe d'huile végétale
1 gousse d'ail émincée
500 g (3 tasses) de panais pelés et hachés
90 g (¾ tasse) d'oignons hachés
90 g (¾ tasse) de carottes pelées et hachées
1 c. à café (1 c. à thé) de thym séché
¼ c. à café (¼ c. à thé) de sel

¼ c. à café (¼ c. à thé) de poivre noir
    frais moulu
2 c. à soupe de farine tout usage
3 poires très mûres, pelées, évidées et hachées
1 litre (4 tasses) de bouillon de poulet ou de
    légumes
250 ml (1 tasse) de lait de soja nature
Persil frais, haché

1. Dans une grande casserole, chauffer l'huile à feu moyen. Ajouter l'ail, les panais, les oignons, les carottes, le thym, le sel et le poivre. Cuire, en remuant, environ 8 min, jusqu'à ce que les légumes soient tendres et commencent à brunir. Incorporer la farine et cuire, en remuant, environ 2 min. Ajouter les poires et le bouillon ; porter à ébullition. Couvrir, baisser le feu et laisser mijoter environ 15 min, jusqu'à ce que les légumes soient très tendres. Ajouter le lait de soja.

2. Transvider la soupe dans le mélangeur et réduire en purée à haute vitesse en procédant par étapes afin de ne pas surcharger le bol.

3. Verser la purée dans une casserole propre et laisser mijoter pour bien réchauffer.

4. Verser dans les bols à l'aide d'une louche et garnir de persil.

SOUPE AUX TOMATES ET AUX POIVRONS

La saveur unique du bacon fumé imprègne généreusement cette soupe.

5 tranches de bacon
2 gousses d'ail hachées
1 oignon haché
1 feuille de laurier
2 poivrons rouges, hachés
1 c. à soupe de vinaigre de xérès ou de
  vinaigre de vin rouge
240 g (2 tasses) de tomates en conserve
  égouttées et épépinées

500 ml (2 tasses) de bouillon de bœuf ou de
  poulet
500 ml (2 tasses) d'eau
½ c. à café (½ c. à thé) de sel
¼ c. à café (¼ c. à thé) de thym séché
¼ c. à café (¼ c. à thé) de poivre noir
  frais moulu
2 oignons verts en fines tranches
7 g (¼ tasse) de persil frais, émincé

1. Dans une grande casserole, frire le bacon à feu moyen jusqu'à ce qu'il soit croustillant. Retirer du feu. À l'aide d'une pince, mettre le bacon dans une assiette et laisser le gras dans la casserole. Hacher le bacon et réserver.

2. Remettre la casserole à feu moyen. Ajouter l'ail, les oignons et la feuille de laurier. Cuire, en remuant souvent, environ 6 min, jusqu'à ce que les oignons soient tendres. Ajouter les poivrons et le vinaigre et cuire 2 min. Ajouter les tomates, le bouillon, l'eau, le sel,

le thym et le poivre. Porter à ébullition, puis ajouter le bacon. Couvrir, baisser le feu. Laisser mijoter 30 min. Retirer la feuille de laurier.

3. Transvider la soupe dans le mélangeur et réduire en purée à haute vitesse en procédant par étapes afin de ne pas surcharger le bol.

4. Verser la purée dans la casserole et laisser mijoter pour bien réchauffer. Incorporer les oignons verts et le persil. Verser dans les bols à l'aide d'une louche.

VICHYSSOISE

*Même si de nos jours on a l'habitude d'ajouter du bouillon à la vichyssoise,
la recette traditionnelle n'en use pas afin que la saveur des poireaux et des pommes
de terre soit parfaitement mise en valeur. Servez cette soupe chaude ou froide.*

3 c. à soupe de beurre
500 g (1 lb) de pommes de terre
**500 g (1 lb) de poireaux (parties blanche et
vert pâle seulement)**
875 ml (3 ½ tasses) d'eau
1 c. à café (1 c. à thé) de sel

**¼ c. à café (¼ c. à thé) de poivre noir
frais moulu**
**125 ml (½ tasse) de crème à fouetter
(35 %) ou de crème 18 %**
3 c. à soupe de ciboulette hachée

1. Dans une grande casserole, faire
fondre le beurre à feu moyen-doux. Ajouter les pommes de terre et les poireaux.
Cuire, en remuant souvent, environ
12 min, jusqu'à ce que les poireaux
soient tendres sans brunir. Ajouter l'eau,
le sel et le poivre. Porter à ébullition.
Couvrir, baisser le feu et laisser mijoter
environ 20 min, jusqu'à ce que les
pommes de terre soient très tendres.

2. Transvider la soupe dans le
mélangeur et réduire en purée à haute
vitesse en procédant par étapes afin de
ne pas surcharger le bol.
3. Verser la purée dans la casserole,
ajouter la crème et laisser mijoter pour
bien réchauffer.
4. Verser dans les bols à l'aide d'une
louche et garnir de ciboulette.

CRÈME D'ÉPINARDS

VARIANTE

*Crème d'épinards au fro-
mage :* Fouetter 2 jaunes d'œufs
avec la crème 35 % et le jus de
citron. Incorporer dans la purée à
feu moyen-doux. Cuire, sans cesser
de remuer et sans laisser bouillir,
environ 3 min, jusqu'à ce que la
soupe soit assez épaisse pour napper
une cuillère. Incorporer 40 g
(⅓ tasse) de parmesan ou de sbrinz
suisse râpé.

2 c. à soupe de beurre
3 gousses d'ail hachées
1 oignon blanc, haché
1 c. à soupe de farine tout usage
1 c. à café (1 c. à thé) de sel
¼ c. à café (¼ c. à thé) de poivre blanc
    frais moulu

1 litre (4 tasses) de bouillon de poulet ou de
    légumes, ou d'eau
1 botte ou 1 paquet d'épinards de 300 g
    (10 oz)
50 ml (¼ tasse) de crème à fouetter (35 %)
2 c. à café (2 c. à thé) de jus de citron frais
    pressé
Une pincée de muscade moulue

1. Dans une grande casserole, faire fondre le beurre à feu moyen. Ajouter l'ail et les oignons. Cuire, en remuant de temps à autre, environ 8 min pour les attendrir sans les faire brunir. Incorporer la farine, le sel et le poivre, et cuire environ 2 min en remuant sans cesse. Verser lentement le bouillon en remuant à l'aide d'un fouet. Porter à ébullition. Ajouter les épinards et cuire environ 4 min pour les attendrir.

2. Transvider la soupe dans le mélangeur et réduire en purée à haute vitesse en procédant par étapes afin de ne pas surcharger le bol.

3. Verser la purée dans la casserole, ajouter la crème, le jus de citron et la muscade. Laisser mijoter pour bien réchauffer. Verser dans les bols à l'aide d'une louche.

SOUPE FROIDE AUX ÉPINARDS ET AU PERSIL

*Pour obtenir une soupe plus consistante, doublez la quantité d'épinards
et ajoutez une pincée de sel.*

1 litre (4 tasses) d'eau
3 gousses d'ail
1 oignon blanc, haché
1 branche de céleri en tranches
1 pomme de terre pelée et coupée en dés
1 c. à café (1 c. à thé) de sel
30 g (1 tasse) de persil frais, haché

1 botte ou 1 paquet d'épinards de 300 g
   (10 oz)
Une pincée de cayenne
125 ml (½ tasse) de crème sure, de crème à
   fouetter (35 %) ou de crème 18 %
2 c. à soupe de ciboulette ou de persil frais,
   émincé

1. Dans une grande casserole, porter l'eau à ébullition. Ajouter l'ail, les oignons, le céleri, les pommes de terre et le sel. Couvrir, baisser le feu et laisser mijoter environ 15 min, jusqu'à ce que les pommes de terre soient très tendres. Ajouter les épinards, le persil et le cayenne. Laisser bouillir environ 3 min pour attendrir les épinards.

2. Transvider la soupe dans le mélangeur et réduire en purée à haute vitesse en procédant par étapes, afin de ne pas surcharger le bol. Transvider dans un bol, couvrir et réfrigérer au moins 4 h ou jusqu'à 2 jours.

3. Verser dans les bols et garnir de crème et de ciboulette.

VARIANTE

Soupe froide à la bette à carde : *Remplacer le céleri par 100 g (2 tasses) de tiges de bettes à cardes et les épinards et le persil par 300 g (6 tasses) de feuilles de bettes à cardes.*

SOUPE AUX ÉPINARDS ET AUX ŒUFS

Cette recette est inspirée de l'avgolemono grec. Servez cette soupe chaude ou froide.

1 litre (4 tasses) de bouillon de poulet
50 g (¼ tasse) de riz blanc à grains longs
Une pincée de sel
Une pincée de poivre noir frais moulu

3 œufs
150 g (3 tasses) d'épinards frais, hachés
50 ml (¼ tasse) de jus de citron frais pressé

1. Dans une grande casserole, à feu moyen, faire mijoter le bouillon, le riz, le sel et le poivre. Couvrir, baisser le feu et laisser mijoter environ 15 min, jusqu'à ce que le riz soit tendre.

2. Dans le mélangeur, à haute vitesse, mélanger les œufs et les épinards jusqu'à épaississement. Ajouter le jus de citron et bien mélanger. Verser environ 250 ml (1 tasse) de soupe chaude dans le bol du mélangeur et réduire en purée. Verser dans la casserole. Cuire à feu doux, en fouettant sans cesse, environ 1 min, jusqu'à ce que la soupe soit assez épaisse pour napper une cuillère. Verser dans les bols.

4 PORTIONS

T R U C

Pour servir froid : après l'étape 2, laisser refroidir légèrement. Mettre ensuite dans le réfrigérateur, sans couvrir, jusqu'à ce que la soupe soit complètement froide.

SOUPE AUX NAVETS BLANCS

Le navet blanc est trop peu connu. Ce légume-racine à la saveur délicate mérite de retrouver ses lettres de noblesse. Vous pouvez aussi faire cette soupe avec du rutabaga coupé en morceaux.

400 g (2 tasses) de navets blancs, pelés et
coupés en quartiers
750 ml (3 tasses) de bouillon de poulet ou
de légumes
50 ml (¼ tasse) de crème à fouetter (35 %)
2 c. à soupe de beurre

½ c. à café (½ c. à thé) de sel
¼ c. à café (¼ c. à thé) de macis moulu
¼ c. à café (¼ c. à thé) de poivre blanc
frais moulu
2 jaunes d'œufs

1. Dans une grande casserole, faire bouillir les navets dans le bouillon de 12 à 15 min, jusqu'à ce qu'ils soient tendres.

2. Vider dans le bol du mélangeur, ajouter la crème, le beurre, le sel, le macis et le poivre. Réduire en purée à haute vitesse. Incorporer les jaunes d'œufs.

3. Verser la purée dans la casserole et cuire à feu moyen-doux environ 3 min, sans laisser bouillir, jusqu'à épaississement. Verser dans les bols à l'aide d'une louche.

4 PORTIONS

T R U C

Pour une belle présentation, garnir avec des oignons verts, de la ciboulette ou du persil frais.

SOUPE À LA CITROUILLE OU À LA COURGE

Cette soupe très simple met en vedette la courge d'hiver. Faites-la en automne ou en hiver quand les courges abondent au marché. Achetez les courges d'hiver de votre choix; les variétés sont très nombreuses. La crème au citron fait une garniture très originale dans cette recette.

TRUC

Si vous adorez le citron, ajoutez ¼ c. à café (¼ c. à thé) de zeste de citron râpé à l'étape 1.

75 ml (⅓ tasse) de crème à fouetter (35 %)
2 c. à soupe de jus de citron frais pressé
2 c. à soupe de beurre
2 branches de céleri avec leurs feuilles (prélevées au centre du pied de préférence), hachées
1 oignon haché
1 pomme de terre moyenne, pelée et coupée en dés
1 gousse d'ail écrasée

500 g (3 tasses) de courge d'hiver ou de citrouille pelée et coupée en dés
½ c. à café (½ c. à thé) de sel
¼ c. à café (¼ c. à thé) de poivre blanc frais moulu
Une pincée de cayenne
750 ml (3 tasses) de bouillon de poulet
250 ml (1 tasse) de lait
Muscade râpée

1. Dans un petit bol, mélanger la crème et le jus de citron. Réserver à température ambiante.

2. Dans une grande casserole, faire fondre le beurre à feu moyen. Ajouter le céleri, les oignons, les pommes de terre et l'ail. Cuire, en remuant, environ 5 min, jusqu'à ce que les oignons soient tendres. Incorporer les courges, le sel, le poivre et le cayenne. Cuire 1 min en remuant. Verser le bouillon, couvrir et

laisser mijoter à feu doux de 5 à 20 min, jusqu'à ce que les courges soient très tendres.

3. Transvider dans le bol du mélangeur et réduire en purée à haute vitesse.

4. Verser la purée dans la casserole, ajouter le lait et laisser mijoter pour bien réchauffer.

5. Verser dans les bols à l'aide d'une louche. Garnir de crème au citron et saupoudrer de muscade fraîchement râpée.

6 PORTIONS

SOUPE AUX COURGES ET AUX POIRES

Remplacez la courge musquée par votre courge d'hiver préférée dans cette soupe réconfortante, épicée et légèrement sucrée grâce à l'ajout de poires.

2 c. à soupe de beurre
1 à 2 piments forts, épépinés et hachés
1 oignon rouge, haché
2 c. à soupe de gingembre frais, en tranches
700 g (4 tasses) de courges musquées, pelées et coupées en cubes
1 litre (4 tasses) de bouillon de poulet

280 g (1 ¼ tasse) de poires pelées, évidées et coupées en cubes
¾ c. à café (¾ c. à thé) de vinaigre de cidre ou de vinaigre de riz
½ c. à café (½ c. à thé) de sel
¼ c. à café (¼ c. à thé) de poivre blanc frais moulu
Une pincée de muscade moulue
Une pincée de cannelle moulue

1. Dans une grande casserole, faire fondre le beurre à feu moyen-vif. Ajouter les piments, les oignons et le gingembre. Cuire, en remuant, environ 3 min, jusqu'à ce que les oignons soient tendres. Ajouter les courges et cuire, en remuant, environ 8 min, jusqu'à ce qu'elles soient tendres. Ajouter tous les autres ingré-dients et porter à ébullition. Couvrir, baisser le feu et laisser mijoter 20 min.

2. Transvider dans le bol du mélangeur et réduire en purée à haute vitesse.

3. Verser la purée dans la casserole et laisser mijoter pour bien réchauffer. Verser dans les bols à l'aide d'une louche.

SOUPE AUX TOMATES ET AU FENOUIL

Cette soupe est aromatisée avec un trait d'huile de basilic, ce qui lui confère l'élégance d'une soupe digne des plus grands restaurants gastronomiques.

3 gousses d'ail émincées
1 oignon haché
1 feuille de laurier
240 g (2 tasses) de tomates en conserve avec leur jus
500 ml (2 tasses) de bouillon de poulet
320 g (2 tasses) de bulbe de fenouil haché
250 ml (1 tasse) d'eau

125 ml (½ tasse) de vin blanc sec
2 c. à soupe de pâte de tomates
¼ c. à café (¼ c. à thé) de sel
¼ c. à café (¼ c. à thé) de piments forts en flocons (facultatif)
Une pincée de sucre granulé
2 c. à soupe d'huile de basilic frais (p. 61)

1. Dans une grande casserole, à feu vif, porter à ébullition tous les ingrédients, sauf l'huile de basilic. Baisser le feu et laisser mijoter, mi-couvert, pendant 45 min. Jeter la feuille de laurier.

2. Transvider dans le bol du mélangeur et réduire en purée à haute vitesse.

3. Passer dans un tamis à fines mailles posée au-dessus d'une casserole et laisser mijoter pour bien réchauffer.

4. Verser dans les bols à l'aide d'une louche et arroser d'huile de basilic.

TRUC

Pour faire des croûtons à l'ail, grillez des tranches de baguette au four à 200 °C (400 °F) jusqu'à ce qu'elles soient dorées et croustillantes. Frottez une demi-gousse d'ail sur chaque tranche et arroser d'huile d'olive extravierge ou beurrer légèrement.

SOUPE AUX TOMATES ET AU FROMAGE DE CHÈVRE

Vous aurez besoin de tomates rouges parfaitement mûres pour réussir cette recette. Si vous n'en avez pas, prenez une boîte de 756 ml (28 oz) de tomates italiennes ou espagnoles égouttées. Servez cette soupe avec des croûtons à l'ail faits avec de la baguette en tranches (voir Truc, à gauche).

750 g (1 ½ lb) de tomates très mûres, pelées (voir Truc, p. 67)
2 c. à soupe d'huile d'olive extravierge ou de beurre
2 gousses d'ail émincées
1 oignon espagnol, haché
250 ml (1 tasse) d'eau
1 c. à café (1 c. à thé) de thym frais, haché, ou ¼ c. à café (¼ c. à thé) de thym séché, émietté

¾ c. à café (¾ c. à thé) de sel
¼ c. à café (¼ c. à thé) de poivre noir frais moulu
3 c. à soupe de crème à fouetter (35 %)
125 g (4 oz) de fromage de chèvre frais, émietté
2 c. à soupe de coriandre ou de persil frais, haché

1. Poser une passoire au-dessus d'un grand bol et presser les tomates pour les épépiner. Recueillir leur jus dans le bol et jeter les graines. Hacher grossièrement les tomates.

2. Dans une grande casserole, chauffer l'huile à feu moyen. Ajouter l'ail et les oignons. Cuire, en remuant, environ 8 min, jusqu'à ce qu'ils soient tendres. Ajouter les tomates et leur jus, l'eau, le thym, le sel et le poivre. Porter à ébulli-

tion. Couvrir, baisser le feu et laisser mijoter 20 min à feu doux.

3. Transvider dans le bol du mélangeur et réduire en purée à haute vitesse.

4. Transvider la purée dans la casserole, ajouter la crème et laisser mijoter pour bien réchauffer.

5. Verser dans les bols à l'aide d'une louche, garnir de fromage de chèvre et de coriandre.

GASPACHO AUX TOMATES

Pendant la saison chaude, cette soupe est sur toutes les tables en Espagne. Choisissez des tomates de première qualité et de l'huile d'olive extravierge espagnole de préférence. Les Espagnols mettent une énorme quantité d'huile dans leur soupe, mais la quantité suggérée ici semble bien suffisante.

60 g (1 tasse) de cubes de pain blanc sans croûte
3 c. à soupe d'eau
2 à 5 gousses d'ail écrasées
1 morceau de concombre de 10 cm (4 po) pelé et haché
60 g (½ tasse) de poivron vert, haché
750 g (1 ½ lb) de tomates rouges très mûres, hachées

120 g (1 tasse) d'oignons doux, hachés
175 ml (¾ tasse) d'eau froide
75 ml (⅓ tasse) d'huile d'olive extravierge
Environ 2 c. à soupe de vinaigre de vin blanc ou de vinaigre de cidre
2 c. à soupe de vinaigre de xérès
Environ 1 c. à café (1 c. à thé) de sel
¾ c. à café (¾ c. à thé) de sucre

1. Arroser le pain avec l'eau et presser les cubes pour extraire le liquide.

2. Dans le mélangeur, réduire en purée tous les ingrédients en procédant par étapes afin de ne pas surcharger le bol.

3. Verser dans un tamis à fines mailles placé au-dessus d'un grand bol et jeter les solides recueillis. Couvrir et laisser refroidir au moins 2 h ou jusqu'à 1 journée dans le réfrigérateur.

4. Rectifier l'assaisonnement en sel et en vinaigre de vin blanc au besoin. Verser dans les bols à l'aide d'une louche.

TRUCS

Ajoutez du piment fort frais, émincé, à cette soupe.

Ajustez la quantité d'ail à votre goût. Avec 5 gousses, vous obtiendrez un goût d'ail bien prononcé.

Faites les cubes de pain avec une baguette ou un pain de campagne de bonne qualité.

Hachez environ 30 g (¼ tasse) de tomates, de poivrons et de concombres en plus pour garnir le gaspacho.

TRUC

Vous pouvez acheter des amandes blanchies ou les blanchir vous-même. Portez les amandes crues à ébullition dans l'eau environ 3 min. Égouttez-les et laissez-les refroidir dans un bol d'eau froide. Débarrassez-les ensuite de leur enveloppe.

GASPACHO À L'AIL ET AUX AMANDES

Les amandes espagnoles sont parmi les meilleures au monde.
Essayez de vous en procurer.

2 tranches de pain blanc, grillées, sans croûte
5 gousses d'ail
1 brin de thym frais
175 ml (¾ tasse) de lait
120 g (1 tasse) d'amandes blanchies

¾ c. à café (¾ c. à thé) de sel
¼ c. à café (¼ c. à thé) de poivre blanc frais moulu
1 petit concombre épépiné et coupé en dés
2 c. à soupe d'huile d'olive extravierge

1. Briser le pain grillé en petits morceaux

2. Dans une grande casserole, à feu moyen, laisser mijoter l'ail, le thym et le lait 5 min. Retirer et jeter le thym.

3. Transvider dans le bol du mélangeur et ajouter le pain, les amandes, le sel et le poivre. Mélanger à basse vitesse jusqu'à ce que les amandes soient hachées finement et que la consistance soit lisse.

4. Transvider dans un grand bol, couvrir et laisser refroidir dans le réfrigérateur au moins 2 h ou jusqu'à 2 jours.

5. Dans un petit bol, mélanger les concombres et l'huile d'olive.

6. Verser la soupe dans les bols et garnir de concombres.

EINLAUF

Voici une garniture pour bouillon bien connue dans la cuisine juive. Un délice pour les
personnes malades, mais aussi pour tout le monde! Bonne santé!

2 œufs
125 ml (½ tasse) d'eau
45 g (⅓ tasse) de farine tout usage
¼ c. à café (¼ c. à thé) de sel

Une pincée de muscade moulue
1 à 1,5 litre (4 à 6 tasses) de bouillon de poulet

1. Dans le mélangeur, à basse vitesse, mélanger tous les ingrédients, sauf le bouillon.

2. Dans une grande casserole, porter le bouillon à ébullition. Verser la pâte lentement en un mince filet dans le bouillon en ébullition. Baisser le feu et laisser mijoter 5 min. Verser dans les bols à l'aide d'une louche.

Soupe froide à l'avocat, p. 90

Soupe au fenouil, p. 101

Soupe aux courges et aux poires, p. 124

Bisque cajun aux crevettes, p. 139

SOUPE AUX NOIX ET AU PARMESAN

*Cette soupe italienne hors du commun étant très riche,
servez-en une petite quantité à la fois.*

2 c. à soupe de beurre
1 oignon haché très finement
**625 ml (2 ½ tasses) de bouillon de légumes
ou de poulet**
**120 g (1 tasse) de noix hachées très
finement**
**125 ml (½ tasse) de crème à fouetter
(35 %)**

**¼ c. à café (¼ c. à thé) de poivre noir
frais moulu**
Une pincée de sel
1 c. à soupe de fécule de maïs
1 c. à soupe d'eau froide
120 g (1 tasse) de parmesan frais râpé
2 c. à soupe de persil frais, haché
Copeaux de parmesan (facultatif)

1. Dans une grande casserole, faire fondre le beurre à feu moyen. Ajouter les oignons et cuire, en remuant, environ 5 min, jusqu'à ce qu'ils soient tendres. Ajouter le bouillon, les noix, la crème, le poivre et le sel. Laisser mijoter doucement environ 10 min en remuant de temps à autre.

2. Transvider la moitié de la soupe dans le bol du mélangeur et réduire en purée à haute vitesse en procédant par étapes afin de ne pas surcharger le bol. Transvider la purée dans la casserole.

3. Dans un petit bol, mélanger la fécule de maïs et l'eau froide. Incorporer dans la soupe et cuire à feu moyen, en remuant jusqu'à épaississement. Ajouter le parmesan et bien remuer jusqu'à consistance onctueuse. Ajouter du sel au besoin.

4. Verser dans les bols à l'aide d'une louche, garnir de persil et de copeaux de parmesan.

TRUC

Achetez des noix fraîches si possible. Conservez-les dans le réfrigérateur ou le congélateur, comme on doit d'ailleurs le faire pour tous les fruits oléagineux.

SOUPE AU CHEDDAR

*Cette soupe extravagante est toujours appréciée pendant les froides journées d'hiver.
Utilisez du cheddar bien affiné de 3 à 5 ans. Servez ce plat avec des croûtons
au goût (voir Trucs, p. 97).*

3 c. à soupe de beurre
2 oignons hachés
1 panais ou 1 carotte, pelé et haché
1 branche de céleri hachée
1 poireau, parties blanche et vert pâle
    seulement, haché (facultatif)
35 g (¼ tasse) de farine tout usage
½ c. à café (½ c. à thé) de paprika doux
1 litre (4 tasses) de bouillon de bœuf, de
    poulet ou de légumes

125 ml (½ tasse) de bière brune, d'ale ou de
    vin blanc sec
¼ c. à café (¼ c. à thé) de sel
¼ c. à café (¼ c. à thé) de poivre noir
    frais moulu
240 g (2 tasses) de cheddar extravieux,
    râpé
2 c. à soupe de persil frais, haché

1. Dans une grande casserole, faire fondre le beurre à feu moyen. Ajouter les oignons, les panais, le céleri et les poireaux et cuire, en remuant, environ 12 min, jusqu'à ce que les oignons soient dorés. Incorporer la farine et le paprika et cuire environ 2 min en remuant. Ajouter le bouillon, la bière, le sel et le poivre. Porter à ébullition en remuant sans cesse. Couvrir, baisser le feu et laisser mijoter 20 min.

2. Transvider la soupe dans le bol du mélangeur et réduire en purée à haute vitesse en procédant par étapes afin de ne pas surcharger le bol.

3. Transvider la purée dans la casserole et laisser mijoter à feu moyen. Incorporer le cheddar et cuire jusqu'à ce qu'il soit fondu. Incorporer le persil. Verser dans les bols à l'aide d'une louche.

SOUPE AU CHEDDAR ET AU CIDRE

Cette soupe est plus légère et plus douce que la précédente.

2 c. à soupe de beurre
1 gros oignon blanc ou espagnol, haché
1 pomme de terre pelée et coupée en cubes
¼ c. à café (¼ c. à thé) de poivre noir
    frais moulu
Une pincée de muscade moulue
Une pincée de clou de girofle moulu

500 ml (2 tasses) de bouillon de poulet ou
    de légumes
500 ml (2 tasses) de cidre de pomme
½ c. à café (½ c. à thé) de sel
180 g (1½ tasse) de cheddar extravieux, râpé
2 c. à soupe de ciboulette ou de persil frais,
    haché

1. Dans une grande casserole, faire fondre le beurre à feu moyen. Ajouter les oignons, les pommes de terre, le poivre, la muscade et le clou de girofle et cuire, en remuant, environ 7 min, jusqu'à ce que les oignons soient tendres sans brunir. Incorporer le bouillon, le cidre et le sel. Porter à ébullition. Couvrir, baisser le feu et laisser mijoter environ 20 min, jusqu'à ce que les pommes de terre commencent à se défaire.

2. Transvider la soupe dans le bol du mélangeur et réduire en purée à haute vitesse en procédant par étapes afin de ne pas surcharger le bol.

3. Transvider la purée dans la casserole et laisser mijoter à feu moyen. Incorporer le cheddar et cuire jusqu'à ce qu'il soit fondu, sans laisser bouillir la soupe. Incorporer la ciboulette. Verser dans les bols à l'aide d'une louche.

> **TRUC**
>
> Suggestion de présentation : garnir la soupe avec 1 pomme pelée, évidée et coupée en deux que l'on fait ensuite frire dans 1 c. à soupe de beurre jusqu'à ce qu'elle soit tendre et dorée.

SOUPE À LA BIÈRE ET AU CHEDDAR

Cette soupe rappelle les pubs anglais. Servez-la avec des toasts découpés en triangles.

60 g (¼ tasse) de beurre
2 gousses d'ail émincées
120 g (1 tasse) de poireaux, parties blanche
    et vert pâle seulement, en dés
45 g (⅓ tasse) de farine tout usage
750 ml (3 tasses) de bouillon de poulet
500 ml (2 tasses) d'ale brune
2 c. à café (2 c. à thé) de moutarde de Dijon

125 ml (½ tasse) de crème à fouetter
    (35 %)
360 g (3 tasses) de cheddar extravieux, râpé
½ c. à café (½ c. à thé) de sauce forte aux
    piments
½ c. à café (½ c. à thé) de sauce Worcestershire
¼ c. à café (¼ c. à thé) de sel
¼ c. à café (¼ c. à thé) de poivre noir
    frais moulu

1. Dans une grande casserole, faire fondre le beurre à feu moyen. Ajouter l'ail et les poireaux. Cuire, en remuant, environ 5 min pour les attendrir. Ajouter la farine et cuire environ 2 min en remuant. Verser lentement le bouillon, la bière et la moutarde. Couvrir, baisser le feu et laisser mijoter 30 min. Ajouter la crème et porter à ébullition. Retirer du feu. À l'aide d'un fouet, incorporer le cheddar, la sauce forte et la sauce Worcestershire.

2. Transvider la soupe dans le bol du mélangeur et réduire en purée à haute vitesse en procédant par étapes afin de ne pas surcharger le bol.

3. Transvider la soupe dans la casserole et laisser mijoter en remuant sans cesse en prenant soin de ne pas laisser bouillir. Saler et poivrer. Verser dans les bols à l'aide d'une louche.

BISQUE AU POULET AU CARI

*Voici une version crémeuse du fameux mulligatawny indien. Comme garniture,
essayez le poulet en filaments et les pruneaux.*

1 c. à soupe d'huile végétale
2 tranches de bacon hachées
2 gousses d'ail émincées
1 pomme pelée, évidée et hachée
1 feuille de laurier
90 g (¾ tasse) de carottes pelées et hachées
90 g (¾ tasse) de céleri haché
90 g (¾ tasse) d'oignon haché
1 c. à soupe de gingembre frais, émincé
½ c. à café (½ c. à thé) de sel
½ c. à café (½ c. à thé) de poivre noir
   frais moulu

1 c. à soupe de poudre de cari
Une pincée de cayenne
2 c. à soupe de farine tout usage
1 litre (4 tasses) de bouillon de poulet
250 ml (1 tasse) d'eau
4 pilons de poulet sans la peau
100 g (½ tasse) de riz blanc à grains longs
250 ml (1 tasse) de crème 10 %
4 pruneaux dénoyautés et coupés en fines
   tranches
2 c. à soupe d'oignons verts en fines tranches

1. Dans une grande casserole, chauffer l'huile à feu moyen. Ajouter le bacon, l'ail, les pommes, la feuille de laurier, les carottes, le céleri, les oignons, le gingembre, le sel et le poivre. Cuire environ 8 min pour attendrir les légumes. Incorporer le cari et le cayenne, et cuire 1 min en remuant. Ajouter la farine et cuire 2 min en remuant. Ajouter le bouillon, l'eau, le poulet et le riz. Couvrir, baisser le feu et laisser mijoter environ 20 min, jusqu'à ce que le poulet ne soit plus rosé à l'intérieur. Retirer le poulet et le découper en filaments. Verser la crème dans la soupe.

2. Transvider la soupe dans le bol du mélangeur et réduire en purée à haute vitesse en procédant par étapes afin de ne pas surcharger le bol.

3. Transvider la soupe dans une casserole propre et laisser mijoter pour bien réchauffer.

4. Verser dans les bols à l'aide d'une louche et garnir de poulet, de pruneaux et d'oignons verts.

6 PORTIONS

SOUPE AUX ASPERGES ET AU PROSCIUTTO

Une merveilleuse soupe printanière! Les végétariens peuvent utiliser du bouillon de légumes et remplacer le prosciutto par des croûtons frits dans le beurre (voir Trucs, p. 97).

60 g (2 oz) de prosciutto en fines tranches
1 c. à soupe d'huile végétale
500 g (1 lb) d'asperges
1 litre (4 tasses) de bouillon de poulet
500 ml (2 tasses) d'eau
6 gousses d'ail

1 jaune d'œuf
50 ml (¼ tasse) de crème à fouetter (35 %)
¼ c. à café (¼ c. à thé) de sel
¼ c. à café (¼ c. à thé) de poivre noir frais moulu

1. Couper les tranches de prosciutto en fines lanières. Dans une poêle, chauffer l'huile à feu moyen-vif. Cuire le prosciutto environ 3 min, jusqu'à ce qu'il soit croustillant. Égoutter sur du papier essuie-tout et réserver.

2. Casser les asperges et peler les tiges à l'aide d'un éplucheur en commençant à 5 cm (2 po) de la pointe.

3. Dans une grande casserole, porter à ébullition le bouillon, l'eau et l'ail. Couvrir, baisser le feu et laisser mijoter 5 min. Ajouter les asperges, couvrir et laisser mijoter environ 3 min, jusqu'à ce qu'elles soient tendres et croquantes. Retirer les asperges à l'aide d'une pince. Séparer les pointes des tiges. Couper les pointes en deux sur la longueur et réserver. Hacher les tiges et les remettre dans

la casserole. Laisser mijoter 2 min et retirer du feu.

4. Transvider la soupe dans le bol du mélangeur et réduire en purée à haute vitesse en procédant par étapes afin de ne pas surcharger le bol.

5. Transvider la purée dans la casserole et laisser mijoter à feu moyen.

6. Dans un petit bol, à l'aide d'un fouet, mélanger le jaune d'œuf, la crème, le sel et le poivre.

7. Retirer la soupe du feu et incorporer l'œuf. Remettre sur le feu et cuire, en remuant tout en veillant à ne pas laisser bouillir, environ 3 min, jusqu'à ce que la soupe nappe bien une cuillère.

8. Verser dans les bols à l'aide d'une louche et garnir avec les pointes d'asperges et le prosciutto.

SOUPE AU CHOU VERT ET À LA SAUCISSE

Voici une façon fort agréable d'intégrer les légumes verts à votre régime quotidien.
Servez cette soupe avec du pain croûté.

1 c. à soupe d'huile d'olive
2 saucisses fumées en dés
8 gousses d'ail
1 oignon haché
½ c. à café (½ c. à thé) de cumin moulu
¼ c. à café (¼ c. à thé) de piments forts en flocons

Une pincée de sel
1 boîte de 540 ml (19 oz) de haricots blancs, rincés et égouttés
1 chou vert (chou cavalier), équeuté et coupé en lanières
1 litre (4 tasses) de bouillon de poulet
500 ml (2 tasses) d'eau

1. Dans une grande casserole, chauffer l'huile à feu moyen-vif. Ajouter les saucisses et cuire environ 4 min, jusqu'à ce qu'elles soient dorées. Retirer du feu. À l'aide d'une écumoire, retirer les saucisses et les réserver dans un bol en laissant le gras de cuisson dans la casserole.

2. Remettre la casserole à feu moyen-vif. Ajouter l'ail, les oignons, le cumin, les flocons de piment fort et le sel. Cuire, en remuant, environ 3 min, jusqu'à ce qu'ils soient dorés. Ajouter tous les autres ingrédients et porter à ébulli-tion. Couvrir, baisser le feu et laisser mijoter environ 30 min, jusqu'à ce que le chou soit tendre.

3. Transvider la moitié de la soupe dans le bol du mélangeur et réduire en purée à haute vitesse en procédant par étapes afin de ne pas surcharger le bol.

4. Verser la purée dans la casserole, ajouter les saucisses et cuire, en remuant, environ 3 min, pour bien réchauffer. Verser dans les bols à l'aide d'une louche.

SOUPE AUX POIS CHICHES ET AU CHORIZO

Les pois chiches en conserve sont un peu plus salés que les pois chiches secs.
Si vous en utilisez, prenez un bouillon moins salé afin de conserver le léger goût
de noisette de cette soupe.

15 g (½ tasse) de feuilles de basilic frais
75 ml (⅓ tasse) d'huile végétale
2 gousses d'ail émincées
60 g (½ tasse) de carottes pelées et hachées
60 g (½ tasse) de céleri haché
60 g (½ tasse) d'oignon haché
2 c. à café (2 c. à thé) d'origan séché
¼ c. à café (¼ c. à thé) de sel
250 ml (1 tasse) d'eau

¼ c. à café (¼ c. à thé) de poivre noir
frais moulu
1 litre (4 tasses) de bouillon de poulet ou de
légumes
360 g (2 tasses) de pois chiches cuits ou en
conserve
50 ml (¼ tasse) de crème 10 %
175 g (6 oz) de chorizo en tranches

1. Couper 4 feuilles de basilic en minces filaments et réserver pour la garniture.

2. Dans le mélangeur, à haute vitesse, mélanger le basilic restant et 2 c. à soupe d'huile jusqu'à consistance lisse. Passer dans un tamis à fines mailles et réserver l'huile. Jeter les solides.

3. Dans une grande casserole, chauffer 1 c. à soupe d'huile à feu moyen-vif. Ajouter l'ail, les carottes, le céleri, les oignons, l'origan, le sel et le poivre. Cuire, en remuant, environ 8 min, jusqu'à ce que les légumes soient tendres. Incorporer le bouillon, les pois chiches et l'eau. Porter à ébullition. Couvrir, baisser

le feu et laisser mijoter environ 20 min, jusqu'à ce que les légumes soient tendres. Incorporer la crème.

4. Verser 500 ml (2 tasses) de la soupe dans le bol du mélangeur et réduire en purée à haute vitesse. Remettre dans la casserole.

5. Pendant ce temps, dans un poêlon, chauffer l'huile restante à feu moyen-vif. Ajouter le chorizo et chauffer de 3 à 5 min, jusqu'à ce que les tranches soient bien dorées et parfaitement cuites. Mélanger avec la soupe et laisser mijoter.

6. Verser dans les bols à l'aide d'une louche, aromatiser avec l'huile de basilic et garnir avec le basilic réservé.

SOUPE À L'AIGLEFIN FUMÉ

Les amateurs de poisson fumé adopteront cette soupe sans prétention.

2 pommes de terre pelées et coupées en cubes
1 oignon haché
1 poireau, parties blanche et vert pâle
  seulement, haché
1 branche de céleri hachée
250 g (8 oz) d'aiglefin ou de morue fumé,
  avec la peau
500 ml (2 tasses) d'eau

625 ml (2 ½ tasses) de lait
¼ c. à café (¼ c. à thé) de poivre blanc
  frais moulu
2 c. à soupe de beurre
2 c. à café (2 c. à thé) de jus de citron
  frais pressé
2 c. à soupe de persil frais, émincé

1. Dans une grande casserole, porter à ébullition les pommes de terre, les oignons, les poireaux, le céleri, le poisson et l'eau. Couvrir, baisser le feu et laisser mijoter environ 20 min, jusqu'à ce que les légumes soient tendres. À l'aide d'une écumoire, retirer le poisson. Enlever et jeter la peau et les arêtes du poisson. Remettre le poisson dans la casserole et remuer pour le défaire en morceaux. Ajouter le lait et le poivre.

Porter à ébullition. Couvrir, baisser le feu et laisser mijoter 3 min.

2. Transvider la soupe dans le bol du mélangeur et réduire en purée à haute vitesse en procédant par étapes afin de ne pas surcharger le bol.

3. Verser la purée dans la casserole et laisser mijoter pour bien réchauffer. Incorporer le beurre et le jus de citron. Quand le beurre est fondu, ajouter le persil. Verser dans les bols à l'aide d'une louche.

TRUC

Suggestion de présentation : garnir avec 250 ml (1 tasse) de petites crevettes bouillies, des petits morceaux de homard cuit ou 125 ml (½ tasse) de saumon fumé en julienne.

CRÈME DE FILETS DE SOLE

Cette soupe au goût fin vous permettra d'initier vos enfants au plaisir de manger du poisson. Servez-la également comme entrée lorsque vous avez des invités.

2 c. à soupe de beurre
1 oignon haché
1 gousse d'ail émincée
7 g (¼ tasse) de persil frais, haché
2 c. à soupe de farine tout usage
750 ml (3 tasses) de bouillon de poisson ou de poulet, ou de lait

1 c. à café (1 c. à thé) de sel
¼ c. à café (¼ c. à thé) de poivre blanc ou noir frais moulu
500 g (1 lb) de filets de sole, sans peau, en dés
75 ml (⅓ tasse) de crème à fouetter (35 %)

1. Dans une grande casserole, faire fondre le beurre à feu moyen-bas. Ajouter les oignons et l'ail. Cuire, en remuant souvent, environ 12 min, jusqu'à ce que les oignons soient tendres sans les dorer. Ajouter le persil et la farine. Cuire, en remuant, environ 2 min. Verser lentement le bouillon et porter à ébullition. Couvrir, baisser le feu, saler, poivrer et laisser mijoter 10 min. Ajouter le poisson et cuire environ 3 min, jusqu'à ce que le poisson se défasse facilement à la fourchette.

2. Transvider la soupe dans le bol du mélangeur et réduire en purée à haute vitesse en procédant par étapes afin de ne pas surcharger le bol.

3. Verser la purée dans la casserole, ajouter la crème et laisser mijoter pour bien réchauffer. Verser dans les bols à l'aide d'une louche.

BISQUE CAJUN AUX CREVETTES

*Les crevettes sautées à la mode cajun composent une garniture sublime,
mais la soupe sera excellente même sans elle.*

**750 g (1 ½ lb) de crevettes moyennes non
    décortiquées**
2 c. à soupe d'huile végétale
**750 ml (3 tasses) de bouillon de poulet ou
    de légumes**
60 g (¼ tasse) de beurre
1 feuille de laurier
90 g (¾ tasse) de carottes pelées et hachées
90 g (¾ tasse) de céleri haché
90 g (¾ tasse) d'oignon haché

¼ c. à café (¼ c. à thé) de sel
250 ml (1 tasse) de vin blanc
**1 boîte de 398 ml (14 oz) de tomates en
    conserve avec leur jus**
50 g (¼ tasse) de riz blanc à grains longs
125 ml (½ tasse) d'eau
250 ml (1 tasse) de crème à fouetter (35 %)
1 gousse d'ail émincée
½ c. à café (½ c. à thé) d'assaisonnement cajun

1. Décortiquer et déveiner les crevettes. Réserver 12 crevettes.

2. Dans une grande casserole, chauffer 1 c. à soupe d'huile à feu moyen-vif. Ajouter les carapaces de crevettes et cuire, en remuant, environ 3 min, jusqu'à ce qu'elles soient très roses. Ajouter le bouillon. Couvrir, baisser le feu et laisser mijoter 10 min. Passer le bouillon dans une passoire à fines mailles et jeter les carapaces.

3. Pendant ce temps, dans une autre grande casserole, faire fondre le beurre à feu moyen. Ajouter la feuille de laurier, les carottes, le céleri, les oignons et le sel. Cuire, en remuant, environ 6 min, jusqu'à ce que les légumes soient très tendres. Ajouter le vin et cuire jusqu'à réduction de moitié. Incorporer les tomates et leur jus, le riz, l'eau et le bouillon. Porter à ébullition. Couvrir, baisser le feu et laisser mijoter de 15 à 20 min, jusqu'à ce que le riz soit

tendre. Ajouter les crevettes, sauf celles qui ont été réservées, et cuire environ 5 min, jusqu'à ce qu'elles soient roses et opaques. Incorporer la crème.

4. Transvider la soupe dans le bol du mélangeur et réduire en purée à haute vitesse en procédant par étapes afin de ne pas surcharger le bol.

5. Passer dans une passoire à mailles fines posée au-dessus d'une casserole propre. Laisser mijoter doucement pour bien réchauffer.

6. Pendant ce temps, dans une casserole, chauffer l'huile restante à feu moyen-vif. Ajouter les crevettes réservées, l'ail et l'assaisonnement cajun. Cuire, en remuant souvent, de 3 à 5 min, jusqu'à ce que les crevettes soient roses et opaques.

7. Verser la bisque dans les bols à l'aide d'une louche et garnir avec les crevettes.

TRUC

Utilisez du crabe frais que vous avez fait cuire ou du crabe congelé. La chair de crabe en conserve ne donnera pas des résultats satisfaisants.

SOUPE AUX ASPERGES ET AU CRABE

Voici une soupe de grand prestige que vous aimerez servir à vos invités en tout temps.

375 g (12 oz) d'asperges épaisses
2 c. à soupe de beurre
30 g (¼ tasse) d'échalotes émincées
Une pincée de macis moulu
375 ml (1 ½ tasse) de bouillon de poulet
250 ml (1 tasse) d'eau
125 ml (½ tasse) de jus de myes

150 g (1 tasse) de chair de crabe (voir Truc, à gauche)
2 jaunes d'œufs
50 ml (¼ tasse) de crème à fouetter (35 %)
1 c. à café (1 c. à thé) de jus de citron frais pressé
Une pincée de sel
Une pincée de poivre noir frais moulu

1. Couper et jeter la partie rugueuse des asperges. À l'aide d'un éplucheur, peler les tiges en commençant à 5 cm (2 po) des tiges.

2. Dans une grande casserole, faire fondre le beurre à feu moyen. Ajouter les échalotes et le macis. Cuire, en remuant, environ 3 min, jusqu'à ce que les échalotes soient tendres. Ajouter le bouillon, l'eau et le jus de myes. Ajouter les asperges. Couvrir, baisser le feu et laisser mijoter environ 3 min, jusqu'à ce que les asperges soient tendres et croquantes. Séparer les pointes des tiges d'asperges. Couper les pointes en deux sur la longueur et réserver. Hacher les tiges et les remettre dans la casserole. Laisser mijoter 2 min et retirer du feu.

3. Transvider la soupe dans le bol du mélangeur et réduire en purée à haute vitesse en procédant par étapes afin de ne pas surcharger le bol.

4. Verser la purée dans la casserole et laisser mijoter à feu moyen. Incorporer le crabe et laisser mijoter environ 2 min pour bien réchauffer.

5. Pendant ce temps, dans un petit bol, fouetter ensemble les jaunes d'œufs, la crème, le jus de citron, le sel et le poivre. Verser lentement 125 ml (½ tasse) de la soupe et remuer à l'aide d'un fouet. Verser dans la soupe et cuire, environ 3 min, en remuant sans cesse en prenant soin de ne pas laisser bouillir. La soupe doit être assez épaisse pour napper une cuillère.

6. Verser dans les bols à l'aide d'une louche et garnir avec les pointes d'asperges réservées.

REPAS

4 PORTIONS
(8 CRÊPES)

CRÊPES AUX BANANES

Laissez-vous tenter par une recette plus nutritive en remplaçant la moitié de la farine tout usage par de la farine de blé entier. Servez ces crêpes avec du sirop d'érable.

2 œufs
130 g (1 tasse) de farine tout usage
250 ml (1 tasse) de lait
3 c. à soupe de beurre fondu

½ c. à café (½ c. à thé) de levure chimique
 (poudre à lever)
¼ c. à café (¼ c. à thé) de sel
2 bananes en fines tranches

1. Dans le mélangeur, à basse vitesse, mélanger les œufs, la farine, le lait, 2 c. à soupe de beurre fondu, la levure chimique et le sel jusqu'à consistance lisse.

2. Dans une poêle antiadhésive, chauffer la moitié du beurre restant à feu moyen-vif. Verser 50 ml (¼ tasse) de pâte à crêpes à la fois. Couvrir chaque crêpe avec des tranches de banane. Cuire de 2 à 3 min, jusqu'à ce que le dessous soit doré et que des bulles apparaissent sur le dessus. Retourner et cuire de 2 à 3 min de plus, jusqu'à ce que le dessous soit doré. Répéter avec la pâte restante en ajoutant du beurre dans la poêle au besoin.

4 PORTIONS
(8 CRÊPES)

CRÊPES AUX BANANES ET AU SOJA

1 œuf
250 ml (1 tasse) de lait de soja
1 banane
110 g (¾ tasse) de farine de blé entier
35 g (¼ tasse) de farine tout usage

1 c. à soupe de cassonade ou de sucre roux
2 c. à soupe d'huile végétale
2 c. à café (2 c. à thé) de levure chimique
 (poudre à lever)
½ c. à café (½ c. à thé) de vanille

1. Dans le mélangeur, à basse vitesse, mélanger l'œuf, le lait de soja et la banane jusqu'à consistance lisse. Incorporer la farine de blé entier, la farine tout usage, la cassonade, 1 c. à soupe d'huile, la levure chimique et la vanille.

2. Dans une poêle antiadhésive, chauffer un peu de l'huile restante à feu moyen. Verser 50 ml (¼ tasse) de pâte à crêpes à la fois. Cuire de 2 à 3 min, jusqu'à ce que le dessous soit doré et que des bulles apparaissent sur le dessus. Retourner et cuire de 2 à 3 min de plus, jusqu'à ce que le dessous soit doré. Répéter avec la pâte restante en ajoutant de l'huile dans la poêle au besoin.

CRÊPES AUX BLEUETS

*1 œuf
130 g (1 tasse) de farine tout usage
250 ml (1 tasse) de lait
75 g (⅓ tasse) de yogourt nature
2 c. à soupe de sucre granulé*

*2 c. à soupe de beurre fondu
2 c. à café (2 c. à thé) de levure chimique
   (poudre à lever)
150 g (1 tasse) de bleuets frais*

1. Dans le mélangeur, à basse vitesse, mélanger l'œuf, la farine, le lait, le yogourt, le sucre, 1 c. à soupe de beurre et la levure chimique jusqu'à consistance lisse.

2. Chauffer une poêle antiadhésive à feu moyen et badigeonner avec un peu du beurre restant. Verser 50 ml (¼ tasse) de pâte à crêpes à la fois. Couvrir chaque crêpe avec 2 c. à soupe de bleuets. Cuire de 2 à 3 min, jusqu'à ce que le dessous soit doré et que des bulles apparaissent sur le dessus. Retourner et cuire de 2 à 3 min de plus, jusqu'à ce que le dessous soit doré. Répéter avec la pâte restante en ajoutant du beurre dans la poêle au besoin.

CRÊPES AU FROMAGE COTTAGE

T R U C

Le fromage cottage sec est aussi appelé fromage cottage fermier.

Voici un ajout intéressant à intégrer dans votre liste de crêpes originales. Servez-les avec du sirop d'érable, de la compote de pommes ou de la confiture.

*2 œufs
200 g (1 ½ tasse) de farine tout usage
175 ml (¾ tasse) de lait
120 g (¾ tasse) de fromage cottage sec
2 c. à soupe de beurre fondu
½ c. à café (½ c. à thé) de sucre granulé*

*½ c. à café (½ c. à thé) de levure chimique
   (poudre à lever)
¼ c. à café (¼ c. à thé) de sel
Une pincée de cannelle moulue
1 c. à soupe d'huile végétale*

1. Dans le mélangeur, à basse vitesse, réduire en purée les œufs, la farine, le lait, le fromage cottage, le beurre, le sucre, la levure chimique, le sel et la cannelle.

2. Dans une poêle antiadhésive, chauffer la moitié de l'huile à feu moyen-vif. Verser 50 ml (¼ tasse) de pâte à crêpes à la fois. Cuire de 2 à 3 min, jusqu'à ce que le dessous soit doré et que des bulles apparaissent sur le dessus. Retourner et cuire de 2 à 3 min de plus, jusqu'à ce que le dessous soit doré. Répéter avec la pâte restante en ajoutant de l'huile dans la poêle au besoin.

6 PORTIONS

TRUC

Le fromage cottage sec est aussi appelé fromage cottage fermier.

GALETTES DE POMMES DE TERRE AU FROMAGE COTTAGE

Une bonne idée pour le petit-déjeuner. Servez-les comme des crêpes en les saupoudrant de sucre glace et de cannelle ou en les nappant de confiture. Je recommande particulièrement la confiture d'abricots. Je les aime aussi avec du sirop d'érable. Certaines personnes aiment les déguster tout simplement avec un peu de beurre fondu.

6 œufs
500 g (1 lb) de fromage cottage
65 g (½ tasse) de farine tout usage
50 ml (¼ tasse) de lait
¼ c. à café (¼ c. à thé) de sel

¼ c. à café (¼ c. à thé) de muscade moulue
Poivre blanc ou noir frais moulu
45 g (¼ tasse) de sucre glace
½ c. à café (½ c. à thé) de cannelle moulue
Environ 60 g (¼ tasse) de beurre

1. Dans le mélangeur, à haute vitesse, réduire en purée les œufs, le fromage cottage, la farine, le lait, le sel, la muscade et le poivre. Réserver.

2. Dans un petit bol, mélanger le sucre et la cannelle. Réserver.

3. Dans une poêle, faire fondre 1 c. à soupe de beurre à feu moyen. Verser 2 c. à soupe de pâte combles à la fois dans la poêle. Cuire de 2 à 3 min, jusqu'à ce que le dessous soit doré. Retourner et cuire de 2 à 3 min de plus, jusqu'à ce que le dessous soit légèrement doré. Répéter avec la pâte restante en ajoutant du beurre dans la poêle au besoin.

4. Saupoudrer les galettes de pommes de terre avec le mélange de sucre et de cannelle.

GAUFRES LÉGÈRES AU BABEURRE

- *Préchauffer le gaufrier*

2 œufs (blancs et jaunes séparés)
375 ml (1 ½ tasse) de babeurre
60 g (¼ tasse) de beurre fondu
2 c. à soupe de cassonade ou de sucre roux
130 g (1 tasse) de farine tout usage

70 g (½ tasse) de farine de blé entier
1 c. à soupe de levure chimique (poudre à lever)
¼ c. à café (¼ c. à thé) de cannelle moulue
¼ c. à café (¼ c. à thé) de sel

1. Dans le mélangeur, à haute vitesse, fouetter les blancs d'œufs jusqu'à ce qu'ils soient mousseux. Réserver dans un bol.

2. Dans le mélangeur, à basse vitesse, bien mélanger les jaunes d'œufs, le babeurre, 3 c. à soupe de beurre et la cassonade jusqu'à ce qu'ils soient mousseux. Ajouter tous les autres ingrédients, sauf les blancs d'œufs, et mélanger jus-

qu'à consistance lisse en raclant les parois du bol au besoin. Incorporer les blancs d'œufs et laisser reposer 20 min.

3. Badigeonner le gaufrier préchauffé avec un peu de beurre. Verser la pâte au centre du gaufrier et la laisser s'étendre. Cuire de 5 à 7 min, jusqu'à ce que la gaufre soit dorée et non fumante. Réserver dans une assiette chaude et répéter avec la pâte restante.

TRUC

Si vous n'avez pas de babeurre, utilisez du lait suri : ajoutez 1 c. à soupe de vinaigre ou de jus de citron fraîchement pressé à 20 ml (1 tasse) de lait et laisser reposer 10 min.

VARIANTES

Gaufres au sarrasin : *Remplacer la farine de blé entier par de la farine de sarrasin.*

Gaufres au chocolat : *Remplacer la farine de blé entier par 35 g (¼ tasse) de farine tout usage et 35 g (¼ tasse) de cacao en poudre non sucré, tamisé.*

Gaufres à la semoule de maïs : *Omettre la cassonade et la cannelle. Remplacer la farine de blé entier par de la semoule de maïs et une pincée de cayenne.*

MOLE AU POULET

TRUC

Pourquoi ne pas remplacer les cuisses de poulet par des cuisses de dinde? Ajoutez environ 20 min au temps de cuisson.

Ce mets mexicain traditionnel est délicieux avec du riz et des tortillas chaudes qui absorberont bien la sauce.

- *Préchauffer le four à 200 °C (400 °F)*
- *Un plat de cuisson de 4 litres (16 tasses) muni d'un couvercle*

375 ml (1 ½ tasse) de mole de base (p. 147)
250 ml (1 tasse) d'eau chaude
1 c. à café (1 c. à thé) de coriandre moulue
1 c. à café (1 c. à thé) de cumin moulu
½ c. à café (½ c. à thé) de sel
Une pincée de cayenne

½ c. à café (½ c. à thé) de poivre noir frais moulu
1,5 kg (3 lb) de cuisses de poulet
1 c. à soupe d'huile végétale
1 c. à soupe de graines de sésame
Coriandre fraîche ou oignons verts, hachés

1. Dans le plat de cuisson, mélanger le mole et l'eau chaude. Réserver.

2. Dans un petit bol, mélanger la coriandre, le cumin, le sel, le poivre et le cayenne. Saupoudrer sur le poulet.

3. Dans une poêle antiadhésive, chauffer l'huile à feu moyen-vif. Bien faire dorer le poulet sur toutes les faces, puis l'ajouter au plat contenant la sauce mole. Remuer pour bien enrober.

4. Couvrir et cuire dans le four préchauffé environ 40 min. Retirer le couvercle et cuire 20 min de plus, jusqu'à ce que les jus soient clairs quand on perce une cuisse avec une fourchette et que la sauce est assez épaisse pour napper une cuillère. La température interne du poulet doit atteindre 75 °C (170 °F). Couvrir de graines de sésame et de coriandre.

Mole de base vite fait

Le véritable mole requiert beaucoup de préparation puisqu'il faut prendre le temps de frire les piments et les épices. Voici une recette plus simple semblable aux moles que l'on trouve dans le commerce. Cette sauce, diluée dans un peu d'eau, est délicieuse avec du poulet ou de la dinde. Essayez la recette de la page 146.

TRUC

Faites-en suffisamment pour 8 portions. Vous pouvez congeler la portion qui ne sera pas utilisée immédiatement environ 3 mois.

3 c. à soupe de lard ou d'huile végétale
3 gousses d'ail
360 g (3 tasses) d'oignons hachés
3 c. à soupe d'assaisonnement au chili
2 c. à café (2 c. à thé) de sucre granulé
1 c. à café (1 c. à thé) de cannelle moulue
1 c. à café (1 c. à thé) de coriandre moulue
¼ c. à café (¼ c. à thé) de clou de girofle moulu

2 c. à soupe de cacao en poudre non sucré
2 c. à soupe de tahini (pâte de sésame) ou de beurre d'arachide
1 boîte de tomates en dés de 398 ml (14 oz), égouttées
250 ml (1 tasse) d'eau
2 c. à soupe de raisins secs
1 c. à café (1 c. à thé) de sel

1. Dans une poêle, faire fondre le lard à feu moyen-vif. Ajouter l'ail et les oignons. Cuire, en remuant, environ 10 min, jusqu'à ce qu'ils soient bien dorés et très tendres.

2. Pendant ce temps, dans un petit bol, mélanger l'assaisonnement au chili, le sucre, la cannelle, la coriandre et le clou de girofle. Mélanger avec les oignons en remuant souvent pendant 2 min, jusqu'à ce que les épices commencent à coller légèrement.

Incorporer le cacao et le tahini jusqu'à ce que ce dernier soit fondu et bien mélangé. Ajouter les tomates et l'eau en raclant le fond de la poêle. Ajouter les raisins secs et le sel. Couvrir et porter à ébullition. Baisser le feu et laisser mijoter environ 20 min, jusqu'à ce que la sauce soit très épaisse. Retirer du feu et laisser refroidir.

3. Dans le mélangeur, à haute vitesse, réduire en purée en procédant par étapes pour ne pas surcharger le bol.

POULET TANDOURI

La papaye ou le kiwi servent à attendrir la viande dans la marinade. Vous trouverez du garam masala et du tandouri masala dans les épiceries indiennes ou au rayon des épices de votre supermarché. Vous pouvez aussi les préparer vous-mêmes (voir p. 149).

• *Une plaque à pâtisserie à bords élevés*

Marinade tandouri
500 g (2 tasses) de yogourt nature
4 gousses d'ail
1 petit oignon haché
1 morceau de gingembre frais de 2,5 cm (1 po), en tranches
60 g (½ tasse) de papaye ou de kiwi, pelé et haché
7 g (¼ tasse) de coriandre fraîche, hachée
1 c. à soupe de garam masala

1 c. à soupe de tandouri masala
1 c. à soupe de jus de citron vert frais pressé
1 c. à café (1 c. à thé) de sel

1 kg (2 lb) de cuisses de poulet désossées et sans peau, en petites bouchées
Coriandre fraîche, hachée
Quartiers de citron vert

1. *Marinade tandouri:* Mettre le yogourt dans une passoire tapissée d'étamine et laisser égoutter environ 1 h dans le réfrigérateur. Verser dans le bol du mélangeur (boire ou jeter le lactosérum), puis ajouter l'ail, les oignons, le gingembre et la papaye. Mélanger à basse vitesse jusqu'à ce que tous les ingrédients soient hachés finement. Ajouter la coriandre, le garam masala, le tandouri masala, le jus de citron vert et le sel. Mélanger jusqu'à consistance lisse.

2. Dans un grand bol, bien mélanger le poulet et la marinade. Couvrir et conserver dans le réfrigérateur toute la nuit.

3. Préchauffer le four à 200 °C (400 °F). Dresser les cuisses de poulet sur la plaque à pâtisserie. Cuire dans le four préchauffé de 25 à 30 min, jusqu'à ce que l'enrobage soit doré et croustillant et qu'un jus clair sorte quand on pique une cuisse à l'aide d'une fourchette. Garnir de coriandre et de quartiers de citron vert.

Garam masala

2 bâtons de cannelle de 8 cm (3 po), écrasés
3 c. à soupe de graines de cumin
3 c. à soupe de graines de coriandre
1 c. à soupe de gousses de cardamome entières

1 c. à soupe de grains de poivre noir entiers
2 c. à café (2 c. à thé) de clous de girofle entiers

1. Dans une poêle sèche à fond épais bien essuyée et exempte de tout résidu graisseux, griller tous les ingrédients à feu moyen de 5 à 8 min, en remuant souvent la poêle, jusqu'à ce qu'ils dégagent un bon arôme et soient légèrement colorés.

2. Dans le mélangeur, à haute vitesse, moudre tous les ingrédients jusqu'à l'obtention d'une poudre. Laisser refroidir.

3. Transvider dans un bocal à fermeture hermétique et conserver à température ambiante jusqu'à 6 mois.

Tandouri masala

3 c. à soupe de graines de coriandre
3 c. à soupe de graines de cumin

1 c. à soupe de cayenne
3 ou 4 gouttes de colorant alimentaire rouge

1. Dans une poêle sèche à fond épais bien essuyée et exempte de tout résidu graisseux, griller la coriandre et le cumin à feu moyen de 3 à 5 min, en remuant souvent la poêle, jusqu'à ce qu'ils dégagent un bon arôme et soient légèrement colorés.

2. Verser dans le mélangeur et ajouter le cayenne et le colorant. À haute vitesse, moudre tous les ingrédients jusqu'à l'obtention d'une poudre. Laisser refroidir.

3. Transvider dans un bocal à fermeture hermétique et conserver à température ambiante jusqu'à 6 mois.

8 PORTIONS

POULET TIKKA

Cette recette du nord de l'Inde est facile à préparer. Servez ces brochettes
à vos invités et vous récolterez de nombreux compliments.

TRUC

Vous pouvez remplacer les cuisses de poulet par 4 grosses poitrines (blancs) désossées et sans peau. Découpez chacune en 6 morceaux.

12 gousses d'ail écrasées
50 ml (¼ tasse) de jus de citron frais pressé
50 g (¼ tasse) de yogourt nature non écrémé
3 c. à soupe de coriandre fraîche, hachée grossièrement
3 c. à soupe de menthe fraîche, hachée grossièrement
3 c. à soupe de gingembre frais, haché
2 c. à soupe de farine de pois chiches (facultatif)
1 c. à café (1 c. à thé) de sel

½ c. à café (½ c. à thé) de cardamome moulue
½ c. à café (½ c. à thé) de cayenne
½ c. à café (½ c. à thé) de cumin moulu
½ c. à café (½ c. à thé) de macis moulu
½ c. à café (½ c. à thé) de muscade moulue
½ c. à café (½ c. à thé) de curcuma moulu
½ c. à café (½ c. à thé) de poivre blanc frais moulu
3 c. à soupe d'huile d'arachide ou d'huile végétale
12 cuisses de poulet désossées et sans peau, coupées en deux

1. Dans le mélangeur, à haute vitesse, mélanger tous les ingrédients, sauf l'huile et le poulet, jusqu'à l'obtention d'une purée légère. Pendant que le moteur tourne, dans l'ouverture du bouchon, ajouter l'huile.

2. Dans un grand bol, bien mélanger le poulet avec la purée. Couvrir et garder de 3 à 12 h dans le réfrigérateur.

3. Préchauffer le barbecue ou le gril. Enfiler les morceaux de poulet sur des brochettes en laissant environ 2,5 cm (1 po) entre les morceaux. Griller de 7 à 8 min en les retournant et en les badigeonnant toutes les 2 min. Quand on perce une cuisse à l'aide d'une fourchette, un jus clair doit sortir. On peut aussi griller les brochettes au four à 190 °C (375 °F) de 12 à 15 min en les badigeonnant deux fois en cours de cuisson.

POULET À LA CITRONNELLE

La marinade vietnamienne est idéale pour le poulet grillé. Le mélangeur permet de réduire la citronnelle en purée en un clin d'œil. Si on faisait cette opération à l'aide d'un mortier et d'un pilon, il faudrait compter au moins 20 min de travail.

- *Plaque à rôtir*

6 gousses d'ail
2 tiges de citronnelle (parties blanche et vert pâle seulement) hachées finement
1 échalote hachée grossièrement
3 c. à soupe de sauce de poisson
1 c. à soupe de zeste de citron vert, râpé
3 c. à soupe de jus de citron vert frais pressé
2 c. à café (2 c. à thé) de gingembre frais, haché
1 ½ c. à café (1 ½ c. à thé) de cassonade ou de sucre brun bien tassé

1 c. à café (1 c. à thé) de poivre noir frais moulu
¾ c. à café (¾ c. à thé) de cayenne
¾ c. à café (¾ c. à thé) de graines de fenouil moulues
½ c. à café (½ c. à thé) de cumin moulu
¼ c. à café (¼ c. à thé) de clou de girofle moulu
1 gros poulet coupé en deux ou en crapaudine
2 c. à soupe d'huile d'arachide ou d'huile végétale
Quartiers de citron vert
Sauce chili thaïlandaise (p. 77) (facultatif)

1. Au mélangeur, à haute vitesse, réduire en purée l'ail, la citronnelle, les échalotes, la sauce de poisson, le zeste de citron vert, le jus de citron vert et le gingembre. Incorporer la cassonade, le poivre, le cayenne, le fenouil, le cumin et le clou de girofle.

2. Frotter le poulet avec cette marinade sèche. Lorsqu'il est parfaitement enrobé, couvrir et garder toute la nuit ou jusqu'à 3 jours dans le réfrigérateur.

2. Préchauffer le four à 190 °C (375 °F). Badigeonner la peau du poulet avec l'huile avant de le poser dans la plaque à rôtir, peau vers le haut. Cuire dans le four préchauffé environ 40 min, jusqu'à ce que la chair soit rosée à l'articulation de la cuisse. Terminer la cuisson sur le gril ou au four, sous le gril, de 5 à 10 min, en retournant le poulet une fois en cours de cuisson. La peau doit être croustillante et des jus clairs doivent sortir lorsque l'on transperce le poulet à l'aide d'une fourchette. La température interne doit atteindre 75 °C (170 °F). Servir avec les quartiers de citron et la sauce chili.

CARI DE POULET AUX NOIX DE CAJOU ET À LA NOIX DE COCO

La clé du succès pour cette recette magnifique est de prendre le temps de griller les noix et les épices jusqu'à ce qu'elles prennent une belle couleur en plus de dégager une odeur irrésistible. Pressez les quartiers de citron sur le riz basmati cuit pour accentuer la saveur de noix de ce cari doux.

Cari aux noix de cajou
et à la noix de coco de base
8 à 10 gousses d'ail
6 clous de girofle entiers
3 petits piments chilis rouges séchés entiers
*   ou 1 c. à café (1 c. à thé) de flocons de*
*   piment fort*
1 bâton de cannelle, brisé
100 g (1 tasse) de noix de coco non sucrée
*   en flocons ou en filaments*
30 g (¼ tasse) de noix de cajou
2 c. à soupe de graines de coriandre
1 c. à soupe de gingembre frais, haché
2 c. à café (2 c. à thé) de graines de cumin
½ c. à café (½ c. à thé) de grains de poivre
*   noir entiers*
Environ 250 ml (1 tasse) d'eau chaude

Cari de poulet
1 c. à soupe d'huile végétale
1 petit oignon haché
½ c. à café (½ c. à thé) de sel
125 ml (½ tasse) d'eau chaude
500 ml (2 tasses) de bouillon de poulet
1 kg (2 lb) de blancs ou de cuisses de poulet
*   désossés et sans peau, coupés en bouchées*
60 g (½ tasse) de noix de cajou
Coriandre fraîche
Quartiers de citron

1. *Préparation du cari aux noix de cajou et à la noix de coco de base :* Dans une poêle sèche à fond épais bien essuyée et exempte de tout résidu graisseux, griller tous les ingrédients secs à feu doux. Griller doucement de 7 à 8 min, en remuant souvent la poêle, jusqu'à ce que les épices dégagent un bon arôme et que la noix de coco soit dorée. Laisser refroidir dans une assiette. Transvider

dans le bol du mélangeur, une petite quantité à la fois, et mélanger à haute vitesse pour obtenir une purée onctueuse, jusqu'à ce qu'il ne reste plus de gros morceaux de cannelle et de noix de cajou. Allonger la purée avec l'eau chaude et racler les parois du bol au besoin.

2. *Préparation du cari de poulet :* Dans une grande casserole, chauffer l'huile à feu moyen. Ajouter les oignons et cuire, en remuant souvent, de 8 à 10 min, jusqu'à ce qu'ils soient dorés. Ajouter le cari aux noix de cajou et à la noix de coco de base et le sel. Cuire, sans cesser de remuer, environ 8 min (le cari collera un peu, mais ne pas le laisser brûler). Ajouter l'eau chaude et racler le fond de la casserole pour décoller les morceaux restés au fond. Incorporer le bouillon et porter à ébullition. Ajouter le poulet et les noix de cajou. Baisser le feu et laisser mijoter environ 10 min, jusqu'à ce que l'intérieur du poulet ne soit plus rosé. Garnir de coriandre et servir avec les quartiers de citron.

POULET AU FOUR À LA JAMAÏQUAINE

Le fait de tremper le poulet dans du vinaigre et de l'eau est une technique
jamaïquaine qui permet de « laver » la volaille.

• *Une casserole peu profonde de 3 litres (12 tasses) munie d'un couvercle*

4 quarts de poulet sans peau (environ 1 kg
*   (2 lb))*
500 ml (2 tasses) d'eau
1 c. à café (1 c. à thé) de vinaigre blanc
2 gousses d'ail émincées
½ poivron vert, haché
50 ml (¼ tasse) de marinade jerk (p. 155)

2 c. à soupe d'huile d'olive
2 c. à soupe de sauce soja
1 c. à café (1 c. à thé) de feuilles de thym
*   séchées*
¼ c. à café (¼ c. à thé) de poivre noir
*   frais moulu*

1. Enlever le surplus de gras du poulet et couper entre la cuisse et le pilon si désiré. Tremper le poulet dans un bol contenant l'eau et le vinaigre environ 10 min. Égoutter et éponger.

2. Pendant ce temps, dans la casserole, mélanger tous les autres ingrédients. Ajouter le poulet et bien remuer pour l'enrober. Couvrir et garder au moins 1 h ou jusqu'à 1 journée dans le réfrigérateur.

3. Préchauffer le four à 180 °C (350 °F). Couvrir et cuire le poulet 1 h en l'arrosant de temps à autre. Retirer le couvercle et rôtir environ 15 min, jusqu'à ce que la température interne atteigne 75 °C (170 °F). Des jus clairs doivent sortir lorsque l'on transperce le poulet à l'aide d'une fourchette.

Marinade jerk

*Voici une marinade tropicale bien épicée qui donne de la vigueur au poulet,
au porc ou même au tofu grillés ou rôtis. Pour un goût authentique,
achetez des piments Scotch Bonnet ou habaneros.*

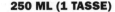

T R U C

Le thym jamaïquain
est facile à trouver
dans les épiceries
antillaises. Il est plus
âcre que le thym
que l'on utilise habi-
tuellement.

4 gousses d'ail
3 piments Scotch Bonnet ou jalapeños
  épépinés
160 g (2 tasses) d'oignons verts, hachés
  (environ 6)
7 g (¼ tasse) de feuilles de thym frais ou
  2 c. à soupe de thym séché
3 c. à soupe de sauce soja

1 c. à soupe de piment de la Jamaïque moulu
1 c. à soupe de vinaigre blanc ou de vinaigre
  de cidre
1 c. à café (1 c. à thé) de sel
1 c. à café (1 c. à thé) de poivre noir
  frais moulu
½ c. à café (½ c. à thé) de muscade moulue
½ c. à café (½ c. à thé) de cannelle moulue

1. Dans le mélangeur, à haute
vitesse, mélanger tous les ingrédients
jusqu'à consistance lisse.

2. Transvider dans un sac de plastique à fermeture hermétique et conserver jusqu'à 3 mois dans le réfrigérateur.

BŒUF EN SAUCE CHILI ROUGE DU NOUVEAU-MEXIQUE

Le chili de base est un mets traditionnel du Nouveau-Mexique. La haute altitude et le soleil à longueur d'année permettent aux habitants de cultiver des piments forts qui figurent parmi les plus savoureux et les plus odorants au monde. Servez cette recette avec du riz ou des tortillas.

2 c. à soupe d'huile d'olive
500 g (1 lb) de bœuf, de venaison ou
*   d'agneau en cubes*
1 oignon
10 g (⅓ tasse) de coriandre fraîche (feuilles,
*   tiges et racines)*

250 ml (1 tasse) de sauce chili rouge du
*   Nouveau-Mexique (p. 157)*
250 ml (1 tasse) de bouillon de bœuf ou d'eau
¼ c. à café (¼ c. à thé) de sel
¼ c. à café (¼ c. à thé) de poivre noir
*   frais moulu*
Eau

1. Chauffer l'huile à feu vif dans une casserole ou un faitout profond. Faire revenir le bœuf en procédant en deux étapes afin de ne pas surcharger la casserole. Réserver dans une assiette et retirer tout le gras de la poêle, sauf 1 c. à soupe.

2. Baisser le feu à moyen-vif, ajouter les oignons et cuire, en remuant de temps à autre, environ 6 min, jusqu'à ce qu'ils commencent à dorer. Ajouter la coriandre et cuire 30 sec en remuant sans cesse. Ajouter le bœuf et bien l'enrober du mélange oignons-coriandre. Ajouter la sauce, le bouillon, le sel et le poivre. Couvrir, baisser le feu et laisser mijoter environ 1 h 30, jusqu'à ce que la viande soit tendre, en remuant de temps à autre et en ajoutant de l'eau si la sauce devient trop épaisse.

Sauce chili rouge du Nouveau-Mexique

Cette sauce est recommandée avec le bœuf, la venaison et l'agneau en cubes (voir p. 156), pour napper des œufs frits ou des enchiladas cuits au four. On peut aussi en ajouter une petite quantité à d'autres sauces afin de les animer davantage.

4 piments du Nouveau-Mexique doux ou pasillas, séchés
4 piments du Nouveau-Mexique forts ou pasillas, séchés
750 ml (3 tasses) d'eau bouillante
1 c. à soupe d'huile végétale

1 oignon haché grossièrement
3 gousses d'ail hachées
¾ c. à café (¾ c. à thé) de cumin moulu
Une pincée de cannelle moulue
1 c. à café (1 c. à thé) d'origan séché
¾ c. à café (¾ c. à thé) de sel

TRUCS

Choisissez des piments du Nouveau-Mexique séchés non endommagés et encore souples.

Cette sauce est modérément piquante. Ajoutez la quantité de piments doux et de piments forts au goût.

1. Épépiner les piments doux et les piments forts et les briser en morceaux. Mettre les piments et l'eau bouillante dans le bol du mélangeur. Couvrir et laisser reposer 30 min.

2. Pendant ce temps, dans une poêle, chauffer l'huile à feu moyen. Ajouter les oignons et cuire 5 min en remuant. Ajouter l'ail, le cumin et la cannelle. Cuire, en remuant souvent, environ 5 min, jusqu'à ce que les oignons soient dorés.

3. Réduire les piments en purée à haute vitesse. (On peut passer la purée au tamis pour retirer les morceaux de pelure, puis la remettre dans le mélangeur.) Ajouter les oignons, l'origan et le sel. Réduire en purée à haute vitesse.

4. Transvider dans une casserole moyenne et porter à ébullition. Baisser le feu et laisser mijoter à découvert, en remuant souvent, environ 25 min, jusqu'à ce que l'on obtienne la consistance d'une sauce.

CÔTES DE DOS À LA MODE DU SUD

Laissez les côtes mariner longtemps et faites-les cuire doucement afin qu'elles deviennent parfaitement succulentes. Un plat à s'en lécher les doigts!

Marinade
1 petit oignon haché
50 ml (¼ tasse) d'huile végétale
2 c. à soupe de paprika
2 c. à soupe de vinaigre de cidre
1 c. à soupe de sel
1 c. à soupe de sucre granulé
1 c. à soupe de cumin moulu

1 c. à soupe de cassonade ou de sucre roux bien tassé
1 c. à café (1 c. à thé) de poivre noir frais moulu
½ c. à café (½ c. à thé) de cayenne

2,5 kg (5 lb) de côtes de dos de porc
250 ml (1 tasse) de sauce barbecue (facultatif)

1. *Préparation de la marinade:* Dans le mélangeur, à haute vitesse, mélanger tous les ingrédients qui composent la marinade jusqu'à l'obtention d'une purée lisse.

2. Retirer toute partie de gras visible des côtes. Si nécessaire, enlever aussi la membrane située sous les côtes à l'aide d'un petit couteau bien affûté. Mettre les côtes dans un grand plat en verre peu profond. Bien enrober de marinade, couvrir et garder de 6 h à 1 journée dans le réfrigérateur.

3. Allumer à feu moyen 1 brûleur d'un barbecue à 2 brûleurs ou 2 brûleurs d'un barbecue à 3 brûleurs (ou tasser les charbons ardents d'un côté). Poser les côtes sur la grille huilée du côté où le brûleur n'est pas allumé (ou du côté sans charbon). Fermer le couvercle et cuire 50 min en maintenant la température entre 120 et 150 °C (250 et 300 °F) (utiliser un thermomètre au besoin). Cuire les côtes, en les retournant de temps à autre, environ 1 h, jusqu'à ce que la viande soit tendre et que les os soient visibles aux extrémités. Badigeonner de sauce barbecue et cuire de 10 à 15 min de plus, jusqu'à ce que les côtes soient collantes. Découper les côtes en portions de 2 ou 3 côtes chacune.

CÔTES CUITES AU FOUR ET SEL À FROTTER ÉPICÉ SUD-AMÉRICAIN

Le sel à frotter convient à la fois aux côtes de bœuf et de porc.

- *Une plaque à pâtisserie à bords élevés*

Sel à frotter épicé sud-américain
50 ml (¼ tasse) de graines de cumin
50 ml (¼ tasse) d'assaisonnement au chili
3 gousses d'ail
2 c. à soupe de graines de coriandre
2 c. à café (2 c. à thé) de cannelle moulue
1 c. à soupe de cassonade ou de sucre roux bien tassé
1 c. à soupe de sel
1 c. à soupe de flocons de piment fort

1 c. à café (1 c. à thé) de poivre noir frais moulu
50 ml (¼ tasse) de jus d'orange
2 c. à soupe d'huile végétale

2,5 kg (5 lb) de côtes de bœuf ou de côtes de dos de porc
250 ml (1 tasse) de sauce barbecue (facultatif)

1. *Préparation du sel à frotter épicé sud-américain :* Dans le mélangeur, à haute vitesse, mélanger tous les ingrédients qui composent le sel à frotter, sauf le jus d'orange et l'huile, jusqu'à l'obtention d'une poudre. Ajouter le jus d'orange et l'huile. Mélanger à basse vitesse pour obtenir une purée lisse.

2. Retirer toute partie de gras visible des côtes. Si nécessaire, enlever aussi la membrane située sous les côtes à l'aide d'un petit couteau bien affûté. Mettre les côtes dans un grand plat en verre peu profond. Bien enrober de sel à frotter, couvrir et garder de 6 h à 1 journée dans le réfrigérateur.

3. Préchauffer le four à 200 °C (400 °F). Poser les côtes sur la plaque à pâtisserie et rôtir dans le four préchauffé environ 40 min, en retournant les côtes deux fois en cours de cuisson, jusqu'à ce que la viande soit tendre et que les os soient visibles aux extrémités. Découper les côtes de porc en portions de 2 ou 3 côtes chacune. S'il s'agit de côtes de bœuf, les découper en côtes individuelles. Servir avec la sauce barbecue.

POISSON GRILLÉ MARINÉ AU MISO

Ce mets japonais, appelé misoyaki, donne beaucoup de goût au poisson. Je trouve que la morue charbonnière convient particulièrement à ce genre de préparation. Le flétan et les autres filets épais à chair relativement ferme feront aussi l'affaire.

• *Lèchefrite*

Marinade
2 petites branches de céleri tendres avec leurs feuilles, hachées finement
150 ml (⅔ tasse) de miso rouge ou léger
50 ml (¼ tasse) de saké, de xérès sec ou de vinaigre de riz chinois
Environ 2 c. à soupe d'eau

1 c. à café (1 c. à thé) de gingembre frais, râpé

4 oignons verts, parés
4 filets de poisson sans peau de 180 g (6 oz) chacun
Quartiers de citron

1. *Préparation de la marinade:* Dans le mélangeur, à haute vitesse, réduire en purée le céleri, le miso, le saké, 1 c. à soupe d'eau et le gingembre. Ajouter jusqu'à 1 c. à soupe d'eau au besoin pour obtenir une purée lisse.

2. Mettre les oignons dans un plat en verre ou en céramique. Badigeonner uniformément les filets de poisson de marinade, puis les étendre sur les oignons. Couvrir et garder de 6 à 12 h dans le réfrigérateur.

3. Préchauffer le gril. Débarrasser le poisson de la marinade et jeter celle-ci. Poser les filets sur une grille huilée placée sur la lèchefrite. Griller de 7 à 8 min, jusqu'à ce que le dessus soit doré. Retourner les filets et mettre les oignons sur la grille. Griller de 6 à 7 min, en retournant les oignons une fois pour bien les dorer, jusqu'à ce que le poisson s'effeuille facilement à l'aide d'une fourchette. Servir avec les quartiers de citron.

Galettes de pommes de terre au fromage cottage, p. 144

Poisson au cari à la mode de Goa, p. 161

Côtes cuites au four et sel à frottter épicé sud-américain, p. 159

Crevettes en sauce au beurre parfumée à la coriandre, p. 163

POISSON AU CARI À LA MODE DE GOA

Goa est une ville de la côte ouest du continent indien. Utilisez du poisson à chair ferme et goûteuse pour cuisiner ce plat. Je vous suggère le mérou, la barbue de rivière et la barbotte. Vous pouvez aussi faire cuire une grande castagnole entière dans cette sauce piquante, comme on le fait à Goa.

Pâte de cari à la mode de Goa
3 c. à soupe de pâte de tamarin
125 ml (½ tasse) d'eau bouillante
2 c. à soupe de gingembre frais, haché
2 c. à soupe de graines de coriandre grillées, moulues
2 c. à café (2 c. à thé) de graines de cumin grillées, moulues
1 c. à café (1 c. à thé) de curcuma moulu
15 piments chilis rouges séchés
3 gousses d'ail écrasées

3 c. à soupe d'huile d'arachide ou d'huile végétale
1 petit oignon haché
30 g (¼ tasse) de tomates fraîches bien mûres ou de tomates en conserve, égouttées
500 ml (2 tasses) de lait de coco
1 c. à café (1 c. à thé) de sel
4 piments verts forts, coupés en deux et épépinés
1 poisson entier de 750 g (1 ½ lb) ou la même quantité de filets

   1. *Préparation de la pâte de cari à la mode de Goa:* Mélanger la pâte de tamarin avec l'eau bouillante et l'écraser avec une fourchette jusqu'à ce que la pulpe se sépare des grains. Passer au tamis, jeter les grains et ajouter tous les autres ingrédients qui composent la pâte de cari. Mélanger à haute vitesse pour obtenir une purée fine.
   2. Dans une poêle, chauffer l'huile à feu moyen. Ajouter les oignons et cuire, en remuant, de 6 à 8 min, jusqu'à ce qu'ils soient dorés. Ajouter la pâte de cari et les tomates. Cuire 2 min en remuant. Incorporer le lait de coco et le sel. Porter à ébullition. Ajouter les piments et le poisson. Baisser le feu et laisser mijoter à découvert environ 5 min, jusqu'à ce que le poisson s'effeuille facilement à l'aide d'une fourchette.

4 À 6 PORTIONS

POISSON ENROBÉ DE PÂTE À LA BIÈRE

Qui n'aime pas le fish and chips ? Et que dire de cette pâte absolument épatante ?

- *Bassine à friture ou poêle à fond épais contenant au moins 5 cm (2 po) d'huile végétale*
- *Préchauffer l'huile végétale à 190 °C (375 °F)*

1 œuf
250 ml (1 tasse) de bière
105 g (¾ tasse) de farine tout usage
70 g (½ tasse) de farine de semoule de blé dur
½ c. à café (½ tasse) de sel

Une pincée de cayenne
1 kg (2 lb) de poisson à chair ferme sans
  peau (aiglefin, morue, etc.)
1 citron en quartiers
Sauce tartare (p. 60)

1. Dans le mélangeur, à basse vitesse, mélanger l'œuf, la bière, 35 g (½ tasse) de farine tout usage, la farine de semoule de blé dur, le sel et le cayenne jusqu'à consistance lisse en raclant les parois du bol au besoin. Verser dans un bol peu profond.

2. Découper le poisson en filets individuels. En procédant par étapes, passer quelques filets dans la farine restante. Puis les tremper dans la pâte en laissant égoutter le surplus. Mettre les filets doucement dans l'huile chaude et cuire de 2 à 3 min, jusqu'à ce qu'ils soient dorés. À l'aide d'une écumoire, mettre les filets sur une plaque à pâtisserie tapissée de papier essuie-tout. Garder au chaud. Répéter avec la pâte et les filets restants. Servir avec les quartiers de citron et la sauce tartare.

CREVETTES EN SAUCE AU BEURRE PARFUMÉE À LA CORIANDRE

Une excellente entrée pour 4 ou un plat principal idéal pour 2 personnes.

- *Préchauffer le four à 200 °C (400 °F)*
- *Casserole peu profonde*

Sauce au beurre parfumée à la coriandre
2 gousses d'ail
120 g (1 tasse) d'oignons hachés
125 ml (½ tasse) de coriandre fraîche (tiges et feuilles)
60 g (¼ tasse) de beurre fondu ou d'huile d'olive extravierge

2 c. à soupe de jus de citron vert frais pressé
Une pincée de sel
Une pincée de cayenne

500 g (1 lb) de crevettes décortiquées et déveinées
Quartiers de citron vert (facultatif)

1. *Préparation de la sauce au beurre parfumée à la coriandre :* Dans le mélangeur, à basse vitesse, hacher finement l'ail, les oignons et la coriandre. Ajouter le beurre, le jus de citron vert, le sel et le cayenne. Bien mélanger.

2. Dans la casserole, mélanger les crevettes avec la sauce. Cuire dans le four préchauffé, en remuant une seule fois, environ 15 min, jusqu'à ce que les crevettes soient roses et opaques. Servir immédiatement avec les quartiers de citron vert.

CREVETTES SAUTÉES AU PESTO DE CORIANDRE ET D'AMANDES

Voici un plat facile à préparer que vous aimerez servir comme mets principal avec du riz ou des pâtes. Vous pouvez aussi l'offrir tel quel en entrée ou comme élément d'un buffet.

2 c. à soupe d'huile d'olive extravierge
500 g (1 lb) de crevettes décortiquées et
déveinées
Une pincée de cumin moulu

¼ c. à café (¼ c. à thé) de paprika doux ou
fumé
160 ml (⅔ tasse) de pesto de coriandre et
d'amandes (voir recette ci-après)

1. Chauffer l'huile à feu moyen-vif dans une casserole moyenne. Ajouter les crevettes, le cumin et le paprika. Cuire environ 3 min en remuant. Incorporer le pesto et réchauffer.

Pesto de coriandre et d'amandes

Ne vous contentez plus du pesto de basilic. Faites des expériences culinaires avec d'autres herbes intéressantes telles que la coriandre, qui s'apprête admirablement à la mode génoise. Voici l'une de mes recettes favorites.

½ c. à café (½ c. à thé) de graines de
coriandre moulues
2 gousses d'ail écrasées
45 g (1 ½ tasse) de feuilles et de tiges de
coriandre fraîches
15 g (½ tasse) de feuilles de persil frais
125 ml (½ tasse) d'huile d'olive extravierge

3 c. à soupe d'amandes blanchies,
légèrement grillées
1 c. à café (1 c. à thé) de sel
Une pincée de cayenne
80 g (⅓ tasse) de pecorino râpé
Eau de cuisson des pâtes ou eau chaude

1. Dans une petite poêle, à feu moyen, griller les graines de coriandre environ 1 min, jusqu'à ce qu'elles dégagent tout leur arôme.

2. Transvider dans le bol du mélangeur et ajouter l'ail, la coriandre, le persil, l'huile, les amandes, le sel et le cayenne. Réduire en purée à haute vitesse en raclant les parois du bol au besoin. Incorporer le fromage. Ajouter suffisamment d'eau chaude pour obtenir la consistance d'une sauce.

CREVETTES VIETNAMIENNES À LA MODE DU MÉKONG

Cette sauce est utilisée pour cuire les crevettes géantes du Mékong que l'on peut pêcher de la Thaïlande au Vietnam. Avec leur carapace bleutée, elles offrent l'une des chairs les plus succulentes qui soient. Il s'agit, sans le moindre doute, de l'une de mes recettes préférées en provenance d'un autre pays. Si les crevettes ont des œufs, mélangez-les avec du jus de citron vert pour enrichir la sauce de manière fabuleuse.

10 gousses d'ail écrasées
10 piments oiseaux thaïlandais ou 4 piments
    forts rouges, hachés
4 tiges de citronnelle, en fines tranches
3 échalotes hachées
1 morceau de gingembre frais de 2 cm
    (¾ po), haché
125 ml (½ tasse) d'eau
3 c. à soupe de sucre de palme bien tassé ou
    de cassonade légère

3 c. à soupe de sauce de poisson
¼ c. à café (¼ c. à thé) de poivre blanc
    frais moulu
75 ml (⅓ tasse) de fumet de poisson, de jus
    de myes ou d'eau
1 kg (2 lb) de crevettes du Mékong ou de
    crevettes extralarges, ou 1,5 kg (3 lb) de
    homard avec la carapace
3 c. à soupe de jus de citron vert
    frais pressé

1. Dans le mélangeur, à haute vitesse, réduire en purée l'ail, les piments, la citronnelle, les échalotes, le gingembre, l'eau, le sucre, la sauce de poisson et le poivre.

2. Transvider dans une grande casserole. Ajouter le fumet de poisson et porter à ébullition. Baisser le feu et laisser mijoter 3 min à découvert.

3. À l'aide d'une cisaille, fendre complètement les crevettes entre les pattes. À l'aide d'une cuillère à moka, retirer les œufs et réserver. (Pour le homard, détacher la chair de la carapace, puis enlever et jeter les ouïes. Retirer les œufs et le foie (tomalli) et réserver.) Ajouter les crevettes (ou le homard) à la sauce. Couvrir et laisser mijoter environ 8 min pour les crevettes du Mékong, 5 min pour les crevettes extralarges et 14 min pour le homard. (La chair doit être opaque dans la partie la plus épaisse.)

4. Pendant ce temps, dans un petit bol, mélanger le jus de citron vert et les œufs de crevettes (ou le tomalli si on utilise du homard). Verser dans la casserole et bien remuer. Réchauffer avant de servir.

3 À 4 PORTIONS

TRUC

Achetez des crevettes qui sont petites ou moyennes. Si vous avez de grosses crevettes, coupez-les en deux sur la longueur.

CREVETTES INDIENNES

À Goa, le vinaigre est utilisé plus que partout ailleurs en Inde comme agent acidifiant ou aromatisant. Ce plat très épicé peut être servi immédiatement après sa cuisson, mais on peut aussi le servir à température ambiante après avoir « mariné » un jour ou deux dans le réfrigérateur. Servez ces crevettes avec du riz basmati.

½ c. à café (½ c. à thé) de graines de cumin
8 clous de girofle entiers
2 bâtons de cannelle écrasés
½ c. à café (½ c. à thé) de grains de poivre noir entiers
10 piments chilis rouges, séchés
8 gousses de cardamome
4 gousses d'ail écrasées
75 ml (⅓ tasse) de vinaigre de coco, de cidre ou de malt
2 c. à soupe de gingembre frais, haché

250 ml (1 tasse) d'huile d'arachide ou d'huile végétale
500 g (1 lb) de crevettes décortiquées et déveinées
1 oignon haché
10 feuilles de cari
30 g (¼ tasse) de tomates fraîches ou en conserve, hachées
2 c. à café (2 c. à thé) de sucre granulé
½ c. à café (½ c. à thé) de sel

1. Dans une poêle sèche à fond épais bien essuyée et exempte de tout résidu graisseux, griller les graines de cumin à feu moyen-doux environ 1 min, jusqu'à ce qu'elles dégagent un bon arôme et noircissent légèrement. Transvider dans le bol du mélangeur. Griller les clous de girofle, la cannelle et les grains de poivre ensemble environ 3 min, jusqu'à ce qu'ils commencent à crépiter. Transvider dans le bol, puis moudre avec les piments et la cardamome jusqu'à l'obtention d'une fine poudre. Ajouter l'ail, le vinaigre et le gingembre. Réduire en purée à haute vitesse.

2. Dans une poêle, chauffer l'huile à feu vif. Ajouter les crevettes et cuire environ 1 ½ min, jusqu'à ce qu'elles soient roses et opaques. Retirer les crevettes à l'aide d'une écumoire. Retirer l'huile de la casserole, sauf 2 c. à soupe. Baisser le feu, ajouter les oignons et cuire de 6 à 8 min à feu moyen, jusqu'à ce qu'ils commencent à brunir. Ajouter les feuilles de cari et cuire 20 sec en remuant. Incorporer les tomates et cuire 1 min. Ajouter la pâte de cari et cuire de 2 à 3 min en remuant, jusqu'à ce que le mets dégage tous ses arômes. Incorporer le sucre, le sel et les crevettes. Cuire environ 30 sec, en remuant, pour bien enrober les crevettes de sauce.

SALADE DE CHOU

Le chou est haché très finement dans cette recette qui était déjà fort populaire dans les années cinquante au moment de l'apparition du mélangeur électrique sur le marché.

2 carottes hachées grossièrement
1 petit chou haché grossièrement
1 petit poivron vert, haché grossièrement
½ oignon rouge, haché grossièrement
Eau
250 ml (1 tasse) de mayonnaise maison
  (p. 58) ou du commerce
75 ml (⅓ tasse) de babeurre

2 c. à soupe de vinaigre de cidre
2 c. à café (2 c. à thé) de sucre granulé
1 c. à café (1 c. à thé) de moutarde
¼ c. à café (¼ c. à thé) de sel
¼ c. à café (¼ c. à thé) de poivre noir
  frais moulu
¼ c. à café (¼ c. à thé) de graines de céleri

TRUC

Pour obtenir une salade moins acidulée, remplacez le vinaigre par une même quantité de jus de citron frais pressé.

1. Remplir le bol du mélangeur à moitié avec les carottes, le chou, les poivrons et les oignons. Ajouter environ 5 cm (2 po) d'eau. Mélanger à basse vitesse pendant quelques secondes pour les hacher finement. Transvider dans un tamis et bien égoutter. Répéter jusqu'à ce que tous les légumes soient hachés. Retirer le plus d'eau possible des légumes et réserver dans un grand bol.

2. Dans le mélangeur, à basse vitesse, bien mélanger la mayonnaise, le babeurre, le vinaigre, le sucre, la moutarde, le sel, le poivre et les graines de céleri. Verser sur les légumes et bien remuer. Couvrir et conserver de 1 h à 3 jours dans le réfrigérateur.

SALADE DE PÂTES ET SAUCE AUX TOMATES JAUNES

Les tomates jaunes ont un goût divinement sucré qui se marie bien aux salades de pâtes. Un pur régal!

Sauce aux tomates jaunes
*5 tomates jaunes ou vertes bien mûres,
    pelées et épépinées (voir Trucs, p. 67)*
2 gousses d'ail hachées
20 g (¾ tasse) de feuilles de basilic
3 c. à soupe d'huile d'olive extravierge
1 c. à café (1 c. à thé) de zeste de citron
¾ c. à café (¾ c. à thé) de sel
*¼ c. à café (¼ c. à thé) de poivre blanc ou
    noir frais moulu*

Salade de pâtes
2 tiges de céleri
*500 g (1 lb) de pâtes coupées (genre
    macaronis)*
1 poivron jaune
*120 g (1 tasse) de bocconcini ou de
    mozzarella en cubes*
60 g (½ tasse) de noix grillées, hachées

1. *Préparation de la sauce aux tomates jaunes:* Dans le mélangeur, à basse vitesse, mélanger les tomates, l'ail, le basilic, l'huile, le zeste, le sel et le poivre jusqu'à l'obtention de gros morceaux. Réserver.

2. *Préparation de la salade de pâtes:* Dans une grande casserole d'eau bouillante, blanchir le céleri 20 sec. Retirer à l'aide d'une pince et refroidir à l'eau froide. Égoutter, hacher et réserver.

3. Cuire les pâtes dans l'eau en suivant les indications inscrites sur l'emballage. Lorsqu'elles sont al dente, égoutter, rincer à l'eau froide et bien égoutter.

4. Pendant ce temps, préchauffer le gril. Couper le poivron en deux et le placer sur une plaque à pâtisserie, peau vers le haut. Griller au four jusqu'à ce que la pelure soit noircie. Laisser refroidir, peler et découper en lanières.

5. Dans un grand bol, bien mélanger les pâtes, le céleri, les poivrons, le fromage, les noix et la sauce.

ÉPINARDS EN CRÈME

Voici un plat tout indiqué pour accompagner la viande ou la volaille grillée ou rôtie. Même les enfants se laisseront séduire! Pour alléger la recette, remplacer la crème 35% par de la crème plus légère.

500 g (1 lb) d'épinards bien nettoyés
¼ c. à café (¼ c. à thé) de sel
50 ml (¼ tasse) de crème à fouetter (35%)

Une pincée de muscade
1 c. à soupe de beurre
3 c. à soupe d'oignons émincés

1. Rincer les épinards à l'eau froide et égoutter rapidement. Mettre les épinards dans une grande casserole. Saler et cuire à feu moyen-vif de 4 à 5 min, en remuant une fois, jusqu'à ce qu'ils soient tendres. Égoutter et transvider dans le bol du mélangeur. Ajouter la crème et la muscade. Mélanger à basse vitesse pour les hacher très finement.

2. Dans une poêle, faire fondre le beurre à feu moyen. Ajouter les oignons et cuire environ 5 min pour les attendrir. Ajouter les épinards et remuer pour bien réchauffer.

ÉPINARDS À L'ITALIENNE

On peut remplacer les épinards par des bettes à cardes.

500 g (1 lb) d'épinards bien nettoyés et rincés
60 g (½ tasse) de tomates broyées en conserve
2 c. à soupe d'huile d'olive extravierge

2 gousses d'ail émincées
2 filets d'anchois hachés (facultatif)
¼ c. à café (¼ c. à thé) de sel

1. Rincer les épinards à l'eau froide et égoutter rapidement. Mettre les épinards dans une grande casserole. Saler et cuire à feu moyen-vif de 4 à 5 min, en remuant une fois, jusqu'à ce qu'ils soient tendres. Égoutter et transvider dans le bol du mélangeur. Ajouter les tomates et mélanger à basse vitesse pour les hacher très finement.

2. Dans une poêle, faire chauffer l'huile à feu moyen. Ajouter l'ail, les anchois et le sel (si on ne met pas d'anchois, doubler la quantité de sel). Cuire environ 2 min, en remuant, pour les colorer légèrement. Ajouter les épinards, laisser mijoter un peu et bien réchauffer en remuant.

TRUC

Pour faire un gratin, verser la préparation dans un plat à gratin, couvrir avec 60 g (½ tasse) de parmesan ou de pecorino râpé et cuire au four à 200 °C (400 °F) environ 15 min, jusqu'à ce que le fromage soit fondu et que les épinards soient bouillonnants. Servir comme entrée avec du pain croûté.

4 PORTIONS

PURÉE ÉPICÉE DE BETTES À CARDES

Excellente purée pour accompagner les viandes et les volailles rôties.

TRUC

Grâce à la bette à carde, vous obtenez deux légumes en un. Faites la purée avec les feuilles et faites cuire les tiges comme légumes d'accompagnement. Faites blanchir les tiges dans l'eau bouillante salée jusqu'à ce qu'elles soient tendres et croquantes. Faites-les ensuite sauter dans l'huile d'olive avec un peu d'ail.

VARIANTE

Purée épicée d'épinards : *Remplacer les bettes à cardes par 400 g (8 tasses) d'épinards frais.*

1 botte de bettes à cardes de 750 g (1 ½ lb) environ
50 ml (¼ tasse) de crème à fouetter (35 %)
1 c. à soupe de beurre
2 gousses d'ail émincées
¼ c. à café (¼ c. à thé) de sel
¼ c. à café (¼ c. à thé) de coriandre moulue
¼ c. à café (¼ c. à thé) de cumin moulu
¼ c. à café (¼ c. à thé) de gingembre moulu
Une pincée de muscade
Une pincée de clou de girofle

1. Séparer les feuilles des tiges de bettes à cardes. Réserver les tiges pour un autre usage.

2. Dans une grande casserole d'eau bouillante salée, cuire les bettes à cardes environ 4 min, jusqu'à ce qu'elles soient tendres. Égoutter et réserver 75 ml (⅓ tasse) de l'eau de cuisson. Refroidir à l'eau froide et égoutter.

3. Mettre les feuilles de bettes à cardes dans le bol du mélangeur. Ajouter l'eau de cuisson réservée et la crème. Réduire en purée à haute vitesse. Réserver.

4. Dans une poêle, faire fondre le beurre à feu moyen. Ajouter l'ail et le sel. Cuire environ 1 min, jusqu'à ce que l'ail soit tendre. Ajouter la coriandre, le cumin, le gingembre, la muscade et le clou de girofle. Cuire en remuant environ 30 sec. Ajouter la purée de bettes à cardes et laisser mijoter doucement. Baisser le feu et laisser mijoter à découvert à feu moyen-doux environ 4 min pour épaissir.

ARROZ VERDE

Ce riz traditionnel du Mexique accompagne joyeusement les plats de viandes,
de volailles ou de poissons grillés.

50 g (1 tasse) de feuilles d'épinards bien
tassées
15 g (½ tasse) de coriandre fraîche bien
tassée, hachée grossièrement
½ c. à café (½ c. à thé) de sel
375 ml (1 ½ tasse) de bouillon de poulet ou
de légumes, ou d'eau

1 c. à soupe de beurre
1 c. à soupe d'huile d'olive extravierge ou
d'huile végétale
2 gousses d'ail émincées
1 oignon haché finement
400 g (2 tasses) de riz blanc à grains longs
250 ml (1 tasse) de lait

1. Dans le mélangeur, à haute vitesse, réduire en purée les épinards, la coriandre, le sel et le bouillon. Réserver.

2. Dans une grande casserole, chauffer le beurre et l'huile à feu moyen. Ajouter l'ail et les oignons. Cuire environ 6 min en remuant pour attendrir les oignons. Incorporer le riz et cuire, en remuant, jusqu'à ce que l'huile soit absorbée. Incorporer les épinards et porter à ébullition. Couvrir, baisser le feu et laisser mijoter environ 10 min, jusqu'à ce que le liquide soit absorbé. À l'aide d'une fourchette, incorporer le lait en remuant. Couvrir et cuire environ 10 min, jusqu'à ce que le riz soit tendre. Retirer du feu et laisser reposer 10 min avant de servir, sans retirer le couvercle.

4 À 6 PORTIONS

RONDELLES D'OIGNON DANS LA PÂTE À LA BIÈRE

*Les rondelles d'oignon sont encore meilleures lorsqu'on prend le temps
de les faire chez soi. Celles-ci sont particulièrement délicieuses
avec le ketchup traditionnel aux tomates (p. 52).*

- *Friteuse ou poêlon profond contenant au moins 5 cm (2 po) d'huile végétale*
- *Préchauffer l'huile végétale à 190 °C (375 °F)*

1 œuf
250 ml (1 tasse) de bière
60 g (½ tasse) de farine tout usage
70 g (½ tasse) de farine de semoule de blé dur

½ c. à café (½ c. à thé) de sel
Une pincée de cayenne
2 gros oignons doux (espagnols, Vidalias, etc.)
Sel additionnel (facultatif)

1. Dans le mélangeur, à haute vitesse, mélanger l'œuf, la bière, la farine tout usage, la farine de semoule de blé dur, le sel et le cayenne jusqu'à consistance lisse.

2. Couper les oignons en tranches de 6 mm (¼ po) d'épaisseur et les séparer en rondelles. Tremper quelques rondelles à la fois dans la pâte en laissant égoutter le surplus. Jeter doucement les rondelles dans l'huile chaude et cuire de 2 à 3 min, jusqu'à ce qu'elles soient dorées. À l'aide d'une écumoire, poser les rondelles sur une plaque à pâtisserie tapissée de papier essuie-tout. Réserver au chaud. Répéter avec la pâte et les oignons restants. Saler au goût.

POUDINGS DU YORKSHIRE

Le pouding du Yorkshire est un accompagnement classique du rôti de bœuf.

• *Préchauffer le four à 220 °C (425 °F)*

• *8 moules à muffins bien beurrés*

3 œufs
375 ml (1 ½ tasse) de lait
½ c. à café (½ c. à thé) de sel

3 c. à soupe de beurre fondu ou d'huile végétale
180 g (1 ½ tasse) de farine tout usage

1. Dans le mélangeur, à haute vitesse, réduire en purée les œufs, le lait, le sel et le beurre. Pendant que le moteur tourne à basse vitesse, dans l'ouverture du bouchon, ajouter la farine et bien mélanger. Laisser reposer 10 min.

2. Pendant ce temps, mettre les moules beurrés dans le four préchauffé environ 5 min. Retirer les moules du four et les remplir aux trois quarts. Cuire au four environ 25 min, jusqu'à ce qu'ils soient dorés.

POPOVERS

Tout le monde adore les popovers avec du ragoût ou de la viande rôtie.

• *Préchauffer le four à 230 °C (450 °F)*

• *12 moules à muffins*

3 œufs
250 ml (1 tasse) de lait
½ c. à café (½ c. à thé) de sel
Une pincée de muscade

Une pincée de cayenne
130 g (1 tasse) de farine tout usage tamisée
6 c. à soupe de beurre fondu

1. Dans le mélangeur, à basse vitesse, mélanger les œufs, le lait, le sel, la muscade et le cayenne jusqu'à consistance mousseuse. Pendant que le moteur tourne, dans l'ouverture du bouchon, ajouter la farine et bien mélanger jusqu'à consistance d'une crème épaisse. Laisser reposer 15 min.

2. Pendant ce temps, mettre les moules dans le four préchauffé environ 5 min. Retirer les moules du four et verser 1 ½ c. à café (1 ½ c. à thé) de beurre dans chacun. Les remplir à moitié du mélange. Baisser la température à 190 °C (375 °F) et cuire les popovers environ 20 min, jusqu'à ce qu'ils soient légèrement dorés.

CRÊPES DE SARRASIN

Les crêpes de sarrasin, d'origine normande, peuvent être garnies avec des ingrédients salés ou sucrés. Essayez-les avec les épinards en crème (p. 169) ou la purée épicée de bettes à cardes (p. 170) comme mets d'accompagnement, ou avec la garniture aux pommes (recette ci-dessous) comme dessert.

**7 PORTIONS
(14 CRÊPES)**

TRUC

Assurez-vous d'acheter la farine de sarrasin régulière souvent appelée farine de sarrasin légère. La farine de sarrasin foncée ne donnera pas de bons résultats.

- *Une poêle à crêpes ou une poêle en fonte de 15 cm (6 po)*

100 g (⅔ tasse) de farine de sarrasin
60 g (½ tasse) de farine tout usage
2 œufs
250 ml (1 tasse) de lait ou de babeurre

150 ml (⅔ tasse) d'eau
2 c. à soupe de beurre fondu
½ c. à café (½ c. à thé) de sel

1. Dans un petit bol, fouetter la farine de sarrasin et la farine tout usage. Réserver.

2. Dans le mélangeur, à basse vitesse, mélanger les œufs, le lait, l'eau, 1 c. à soupe de beurre et le sel jusqu'à formation de bulles. Pendant que le moteur tourne, dans l'ouverture du bouchon, ajouter les farines et bien mélanger jusqu'à consistance lisse.

3. Chauffer la poêle à feu moyen-vif et la badigeonner avec un peu du beurre restant. Verser 50 ml (¼ tasse) de pâte à crêpes et bien l'étendre au fond. Cuire environ 3 min, jusqu'à ce que le fond soit doré. Retourner la crêpe et cuire environ 30 sec, jusqu'à ce que le fond soit doré. Réserver dans une grande assiette chaude. Répéter avec la pâte restante et séparer les crêpes au fur et à mesure avec du papier ciré ou sulfurisé.

Garniture aux pommes

**ENVIRON 750 ML
(3 TASSES)**

TRUC

Mettre la garniture au centre de chaque crêpe et replier celle-ci pour former un carré. Saupoudrer de sucre glace au goût.

2 c. à soupe de beurre
4 pommes pelées, évidées et coupées en tranches

60 g (¼ tasse) de cassonade légère ou de sucre roux bien tassé
¼ c. à café (¼ c. à thé) de cannelle moulue
2 c. à soupe de calvados ou de rhum

1. Dans une grande casserole, faire fondre le beurre à feu moyen. Ajouter les pommes et cuire environ 5 min, en remuant de temps à autre, jusqu'à ce qu'elles soient tendres et croquantes. Saupoudrer de cassonade et de cannelle.

Continuer la cuisson environ 5 min, en remuant de temps à autre, jusqu'à ce que les pommes et la sauce soient dorées. Ajouter le calvados. Quand il est chaud, procéder au flambage. Laisser les flammes s'éteindre complètement et servir.

BEIGNETS DE POMMES DE TERRE DEUX COULEURS

**6 PORTIONS
(12 BEIGNETS)**

Utilisez le mélangeur pour râper les pommes de terre. Servez ces beignets croustillants avec des œufs pochés ou du saumon fumé.

- *Friteuse ou poêlon profond contenant au moins 5 cm (2 po) d'huile végétale*
- *Préchauffer l'huile végétale à 190 °C (375 °F)*

3 petites pommes de terre pour cuisson au four, pelées et hachées
1 petite patate douce, pelée et hachée
1 petit oignon haché
Eau

1 œuf
130 g (1 tasse) de farine tout usage
2 c. à café (2 c. à thé) de levure chimique (poudre à lever)
½ c. à café (½ c. à thé) de sel

1. Dans le mélangeur, à basse vitesse, en procédant par étapes pour ne pas surcharger le bol, mélanger les pommes de terre, les patates et les oignons avec suffisamment d'eau pour les couvrir. Quand ils sont réduits en petits morceaux croquants, égoutter dans une passoire et presser pour extraire le plus d'eau possible.

2. Dans un grand bol, mélanger la préparation précédente avec l'œuf, la farine, la levure chimique et le sel.

3. En 2 ou 3 étapes, jeter doucement 50 ml (¼ tasse) de pâte dans la friteuse et frire de 2 à 3 min, jusqu'à ce que les beignets soient dorés et que les bords soient croustillants. Retourner et frire 3 min pour les faire brunir. À l'aide d'une écumoire, mettre les beignets sur une plaque à pâtisserie tapissée de papier essuie-tout. Réserver au chaud. Répéter avec la pâte restante en chauffant l'huile au besoin.

SOUFFLÉS AU FROMAGE

Ces soufflés sont plus faciles à préparer que les soufflés traditionnels. Vous pouvez remplacer le gruyère par n'importe quel fromage bien affiné comme le cheddar, le vieux gouda, l'asiago ou l'appenzeller.

- *Préchauffer le four à 180 °C (350 °F)*
- *Quatre moules à soufflés ou ramequins beurrés*
- *Plaque à pâtisserie*

40 g (⅓ tasse) de parmesan frais râpé
4 œufs
120 g (1 tasse) de gruyère en filaments
125 ml (½ tasse) de fromage à la crème ramolli
75 ml (⅓ tasse) de lait entier homogénéisé

½ c. à café (½ c. à thé) de moutarde sèche
Une pincée de sel
Une pincée de poivre blanc frais moulu
2 c. à soupe de persil frais, émincé
1 c. à soupe de ciboulette fraîche, émincée

1. Parsemer le fond et les côtés des moules avec 2 c. à soupe de parmesan. Ranger les moules sur la plaque à pâtisserie.

2. Dans le mélangeur, à haute vitesse, mélanger les œufs, le gruyère, le fromage à la crème, le lait, le parmesan restant, la moutarde, le sel et le poivre environ 30 sec, jusqu'à consistance lisse. Incorporer le persil et la ciboulette. Verser dans les moules. Cuire au centre du four préchauffé environ 30 min, jusqu'à ce que les soufflés soient bien pris, gonflés et dorés. Servir immédiatement.

DESSERTS ET SAUCES SUCRÉES

SALADE DE FRUITS TROPICALE

Prenez le temps de faire mariner les fruits toute la nuit afin que leurs saveurs ressortent au maximum. Choisissez des fruits tropicaux aux couleurs et aux formes variées afin de réussir une salade vraiment originale. Le melon, la papaye, l'ananas et la carambole sont de bonnes suggestions.

1 kg (7 tasses) de fruits tropicaux, hachés
1 mangue
75 ml (⅓ tasse) de miel liquide
1 c. à café (1 c. à thé) de zeste de citron vert

50 ml (¼ tasse) de jus de citron vert frais pressé
2 c. à soupe de menthe fraîche, déchiquetée, ou ¾ c. à café (¾ c. à thé) de menthe séchée

1. Mettre les fruits tropicaux hachés dans un grand bol et réserver.

2. Peler la mangue, couper la chair de chaque côté du noyau et couper en petites bouchées. Mélanger avec les fruits tropicaux.

3. Couper la chair restante autour du noyau de la mangue et la mettre dans le bol du mélangeur. Ajouter le miel, le zeste et le jus de citron vert. Réduire en purée à haute vitesse.

4. Verser la purée sur la salade de fruits et bien remuer. Couvrir et conserver dans le réfrigérateur toute la nuit. Garnir de menthe avant de servir.

DOUCE FOLIE AUX GRIOTTES ET AUX FRAMBOISES

4 PORTIONS

Rouge et fruité, ce dessert à la fois simple et irrésistible plaira à tous vos invités. Utilisez des cerises fraîches, en conserve ou congelées.

75 g (½ tasse) de griottes dénoyautées
75 g (½ tasse) de framboises fraîches ou congelées
2 c. à soupe de jus de framboise ou autre

2 c. à soupe de miel liquide
500 ml (2 tasses) de crème à fouetter (35 %)

1. Dans une petite casserole, à feu moyen, faire mijoter tous les ingrédients, sauf la crème, environ 5 min, jusqu'à consistance épaisse semblable à celle d'une confiture. Laisser refroidir.

2. Transvider dans le bol du mélangeur et réduire en purée à haute vitesse. Passer dans un tamis à fines mailles pour enlever les graines.

3. Dans le mélangeur, à haute vitesse, mélanger la crème fouettée jusqu'à ce qu'elle soit très épaisse. Racler les parois du bol au besoin. Ajouter la purée de fruits et bien mélanger.

4. Verser dans un bol, couvrir de pellicule plastique et laisser refroidir de 2 à 24 h dans le réfrigérateur.

4 PORTIONS

SOUPE-DESSERT AUX ABRICOTS

Cette soupe est un plat hongrois que vous apprécierez tout particulièrement après un repas très consistant.

TRUCS

Pour peler les abricots, plongez-les dans l'eau bouillante de 10 à 15 sec. Mettez-les ensuite dans l'eau froide et la pelure s'enlèvera comme par enchantement.

Vous pouvez remplacer les abricots frais par 400 g (2 tasses) de moitiés d'abricot en conserve et ne mettre que 80 g (⅓ tasse) de sucre. Laisser bouillir 15 min à l'étape 1 de la recette.

Essayez cette soupe garnie avec un peu de crème fraîche, de crème fouettée ou de crème sure sucrée dans chaque bol.

Environ 500 ml (2 tasses) d'eau
500 g (1 lb) d'abricots frais, pelés, coupés en deux et dénoyautés (voir Trucs, à gauche)
120 g (½ tasse) de sucre granulé
1 c. à soupe de fécule de maïs
2 c. à soupe d'eau

½ c. à café (½ c. à thé) de zeste d'orange finement râpé
¼ c. à café (¼ c. à thé) de cannelle moulue
1 petite pincée de sel
2 c. à soupe d'eau-de-vie ou d'eau-de-vie d'abricot (facultatif)

1. Porter l'eau à ébullition dans une grande casserole. Ajouter les abricots et le sucre. Couvrir, baisser le feu et laisser mijoter 30 min. Transvider dans le bol du mélangeur.

2. Dans un petit bol, mélanger la fécule de maïs et 2 c. à soupe d'eau jusqu'à consistance onctueuse. Verser dans le bol du mélangeur et réduire en purée à haute vitesse.

3. Transvider la purée dans une casserole. Ajouter le zeste, la cannelle et le sel. Laisser mijoter 20 min à feu doux en ajoutant de l'eau bouillante pour allonger la purée au besoin. Incorporer l'eau-de-vie et laisser mijoter 2 min. Servir cette soupe chaude.

SOUPE AUX CERISES DOUCES

4 PORTIONS

Voici une autre spécialité hongroise. Il s'agit sans doute de la reine des soupes-desserts.
Vous pouvez remplacer les cerises douces par des griottes. Augmentez alors
la quantité de sucre de moitié selon le goût des cerises utilisées.
Servez cette soupe chaude ou froide.

50 ml (¼ tasse) de crème sure ou de yogourt
   nature
2 c. à café (2 c. à thé) de sucre glace
1 c. à café (1 c. à thé) de jus de citron
   frais pressé
½ citron
500 ml (2 tasses) + 1 c. à soupe d'eau

375 g (2 ½ tasses) de cerises dénoyautées
125 ml (½ tasse) de vin rouge sec
80 g (⅓ tasse) de sucre granulé
¼ c. à café (¼ c. à thé) de cannelle moulue
2 c. à café (2 c. à thé) de fécule de maïs
1 c. à soupe de kirsch (facultatif)

1. Dans un petit bol, mélanger la crème sure, le sucre glace et le jus de citron. Réserver.

2. Zester le citron avec un couteau économe et enlever la pelure blanche qui recouvre la chair. Couper le citron en deux, épépiner et hacher. Mettre le zeste et la chair dans le bol du mélangeur avec 500 ml (2 tasses) d'eau et mélanger à haute vitesse jusqu'à consistance très lisse.

3. Verser dans une grande casserole, ajouter les cerises, le vin, le sucre et la cannelle. Porter à ébullition. Baisser le feu et laisser mijoter 10 min à découvert.

4. Mélanger la fécule de maïs avec 1 c. à soupe d'eau jusqu'à consistance lisse. Incorporer dans la soupe et laisser mijoter 3 min, jusqu'à léger épaississement.

5. Transvider dans le bol du mélangeur et réduire en purée à haute vitesse.

6. Transvider la soupe dans une casserole et laisser mijoter pour bien réchauffer. Ajouter le kirsch.

7. *Pour servir chaud:* Verser dans des bols individuels et napper de crème sure.

8. *Pour servir froid:* Laisser refroidir à température ambiante, puis garder dans le réfrigérateur de 2 à 4 h avant de servir. Verser dans des bols individuels et napper de crème sure.

4 PORTIONS

SOUPE AUX FRAISES ET AU MADÈRE

Une façon royale de déguster les fraises fraîches pendant l'été. Fraises, madère et crème… voilà qui est éminemment simple. Pour obtenir de meilleurs résultats, n'achetez que des fraises parfaitement fraîches et bien sucrées.

600 g (4 tasses) de fraises équeutées et refroidies
2 c. à soupe + 1 c. à café (1 c. à thé) de sucre granulé

Une pincée de sel
125 ml (½ tasse) de crème à fouetter (35 %)
3 c. à soupe de madère

1. Couper 150 g (1 tasse) de fraises en tranches. Dans un petit bol, mélanger les tranches de fraise avec 1 c. à café (1 c. à thé) de sucre et de sel. Laisser reposer 5 min.

2. Dans le mélangeur, à haute vitesse, fouetter la crème avec le sucre restant environ 30 sec, jusqu'à consis- tance épaisse et crémeuse. Ajouter le madère et mélanger à basse vitesse. Ajouter les fraises entières et mélanger à basse vitesse jusqu'à consistance onc- tueuse. À l'aide d'une cuillère, incorpo- rer les fraises en tranches. Verser dans des bols individuels.

4 PORTIONS

SOUPE AU MELON

Cette soupe rafraîchissante peut être servie comme dessert ou entre deux plats lors d'un repas plus élaboré.

300 g (2 tasses) de cantaloup en cubes
75 ml (⅓ tasse) de yogourt nature
2 c. à soupe de miel liquide

2 c. à soupe de xérès doux ou médium-sec
½ c. à café (½ c. à thé) de vanille
4 brins de menthe fraîche

1. Dans le mélangeur, à haute vitesse, réduire en purée tous les ingré- dients, sauf la menthe.

2. Verser dans des bols individuels et refroidir de 2 à 4 h dans le réfrigéra- teur. Garnir de menthe avant de servir.

SOUPE FROIDE AUX BLEUETS

*Avec des bleuets frais, vous obtiendrez une soupe d'été fabuleuse.
Avec des bleuets congelés, vous aurez une soupe qui apportera une touche
estivale à votre table pendant les mois plus froids.*

1 citron
250 ml (1 tasse) de vin blanc sec
125 ml (½ tasse) de miel liquide
2 brins de menthe fraîche
1 gousse de vanille fendue sur la longueur

1 bâton de cannelle
450 g (3 tasses) de bleuets sauvages frais
    ou congelés
50 ml (¼ tasse) de crème à fouetter (35 %)

1. Râper le zeste du citron, couper le fruit en deux et presser le jus.

2. Dans une grande casserole, porter à ébullition le zeste et le jus de citron, le vin, le miel, la menthe, les demi-gousses de vanille et la cannelle. Baisser le feu et laisser mijoter environ 5 min pour réduire légèrement.

3. Passer dans une passoire à fines mailles placée au-dessus d'une casserole propre. Racler les graines de vanille et les mettre dans la casserole avec les bleuets. Laisser mijoter 5 min et laisser refroidir.

4. Transvider dans le bol du mélangeur et mélanger jusqu'à consistance presque lisse. Verser dans un bol, couvrir et laisser refroidir de 2 à 4 h dans le réfrigérateur. Cette soupe se conserve jusqu'à 2 jours dans le réfrigérateur.

5. Verser dans des bols individuels. Napper de crème et dessiner des tourbillons avec la pointe d'un couteau.

TRUC

Plutôt que de jeter les gousses de vanille après avoir gratté les graines, rincez-les, épongez-les minutieusement et mettez-les dans un pot de sucre pour faire du sucre aromatisé à la vanille.

4 PORTIONS

SOUPE À LA PAPAYE ET AU RHUM

Cette soupe est encore meilleure légèrement refroidie.

360 g (3 tasses) de papaye pelée, épépinée et coupée en cubes
250 ml (1 tasse) de nectar de papaye ou de mangue

50 ml (¼ tasse) de rhum grand arôme ou de rhum à la noix de coco
250 ml (1 tasse) de sauce au chocolat blanc et à la noix de coco (p. 212)

1. Dans le mélangeur, à haute vitesse, réduire en purée tous les ingrédients, sauf la sauce au chocolat.
2. Verser dans des bols peu profonds et refroidir de 2 à 4 h dans le réfrigérateur. Incorporer la sauce au chocolat blanc et à la noix de coco et dessiner des tourbillons pour lui donner une apparence marbrée.

4 PORTIONS

SOUPE-DESSERT À L'ORANGE ET AU BABEURRE

*Si vous aimez le mélange d'orange et de produits laitiers,
vous serez preneur à coup sûr.*

375 ml (1 ½ tasse) de babeurre
200 g (1 ⅓ tasse) de crème glacée à la vanille de bonne qualité
1 c. à café (1 c. à thé) de zeste d'orange râpé finement

250 ml (1 tasse) de jus d'orange frais pressé
3 c. à soupe de sucre granulé
Muscade fraîchement moulue
4 fines tranches d'orange

1. Dans le mélangeur, à haute vitesse, réduire en purée tous les ingrédients, sauf la muscade et les tranches d'orange.
2. Verser dans des bols peu profonds. Saupoudrer de muscade et mettre une tranche d'orange dans chaque bol.

SORBET À L'ANIS ET AUX FRAISES

Utilisez n'importe quel fruit tendre pour faire ce sorbet à l'anis. Les petits fruits ou les fruits à noyau très mûrs tels que les pêches et les nectarines font très bien l'affaire.

- *Un moule métallique carré de 23 x 23 cm (9 x 9 po) ou de 20 x 20 cm (8 x 8 po)*

250 ml (1 tasse) d'eau
80 g (⅓ tasse) de sucre granulé
6 anis étoilés

600 g (4 tasses) de fraises fraîches ou décongelées
4 c. à café (4 c. à thé) de jus de citron frais pressé

1. Dans une petite casserole, porter à ébullition l'eau, le sucre et l'anis. Baisser le feu et laisser mijoter environ 10 min, jusqu'à réduction à 75 ml (⅓ tasse).

2. Passer dans une passoire au-dessus du bol du mélangeur et jeter les graines d'anis. Ajouter les fraises et le jus de citron. Réduire en purée à haute vitesse.

3. Verser dans le moule, couvrir de pellicule plastique et congeler environ 4 h, jusqu'à ce que le sorbet soit ferme.

4. Racler le sorbet à l'aide des dents d'une fourchette pour le défaire en cristaux. Verser les cristaux dans un contenant à fermeture hermétique, couvrir et congeler au moins 30 min. Ce sorbet se conserve jusqu'à 1 mois dans le congélateur. Servir dans des bols à dessert refroidis.

TRUC

Pour obtenir un sorbet moins glacé, plus onctueux et plus dense, préparez la recette jusqu'à l'étape 3. Brisez ensuite la préparation en petits morceaux et remettre dans le mélangeur avec 125 ml (½ tasse) d'eau. Mélanger jusqu'à consistance onctueuse en raclant les parois du bol au besoin. Verser dans un contenant à fermeture hermétique, couvrir et congeler tel qu'il est indiqué.

**ENVIRON 625 ML
(2 ½ TASSES) OU
4 PORTIONS**

SORBET À LA PAPAYE ET À LA CITRONNELLE

Surprenez vos invités avec ce sorbet à saveur tropicale.

- *Un moule métallique carré de 23 x 23 cm (9 x 9 po) ou de 20 x 20 cm (8 x 8 po)*

2 tiges de citronnelle
1 long zeste de citron
250 ml (1 tasse) d'eau
80 g (⅓ tasse) de sucre granulé

*480 g (4 tasses) de papaye pelée, épépinée
et coupée en cubes*
*4 c. à café (4 c. à thé) de jus de citron
frais pressé*

1. Frapper les tiges de citronnelle avec le plat d'un couteau, puis les couper en morceaux de 2,5 cm (1 po).

2. Dans une petite casserole, porter à ébullition la citronnelle, le zeste, l'eau et le sucre. Baisser le feu et laisser mijoter environ 10 min, jusqu'à réduction à 75 ml (⅓ tasse).

3. Passer dans une passoire au-dessus du bol du mélangeur et jeter les solides. Ajouter la papaye et le jus de citron. Réduire en purée à haute vitesse.

4. Verser dans le moule, couvrir de pellicule plastique et congeler environ 4 h, jusqu'à ce que le sorbet soit ferme.

5. Racler le sorbet à l'aide des dents d'une fourchette pour le défaire en cristaux. Verser les cristaux dans un contenant à fermeture hermétique, couvrir et congeler au moins 30 min. Ce sorbet se conserve jusqu'à 1 mois dans le congélateur. Servir dans des bols à dessert refroidis.

SORBET À LA NOIX DE COCO

Prenez le temps de mélanger ce sorbet lentement en raclant les parois du bol pour pousser les morceaux de noix de coco vers le fond. Cette recette exige de la patience, mais le résultat est tout simplement divin. Résistez à la tentation d'ajouter de l'eau.

• *Un moule métallique carré de 23 x 23 cm (9 x 9 po) ou de 20 x 20 cm (8 x 8 po)*

1 boîte de lait de coco de 398 ml (14 oz)
1 banane
50 g (½ tasse) de noix de coco sucrée en flocons
60 g (¼ tasse) de sucre granulé

1 c. à café (1 c. à thé) de zeste de citron vert frais pressé
2 c. à soupe de jus de citron vert frais pressé
1 c. à café (1 c. à thé) de vanille
150 ml (⅔ tasse) d'eau

1. Dans le mélangeur, à haute vitesse, réduire en purée tous les ingrédients, sauf l'eau.

2. Verser dans le moule, couvrir de pellicule plastique et congeler environ 4 h, jusqu'à ce que le sorbet soit ferme.

3. Briser le sorbet en petits morceaux et le remettre dans le bol du mélangeur avec l'eau. Mélanger jusqu'à consistance lisse en raclant les parois du bol de temps à autre pour défaire tous les morceaux glacés.

4. Verser dans un contenant à fermeture hermétique, couvrir et congeler au moins 1 h. Ce sorbet se conserve jusqu'à 1 mois dans le congélateur.

**ENVIRON 625 ML
(2 ½ TASSES) OU
4 PORTIONS**

TRUC

Plutôt que de jeter les gousses de vanille après avoir gratté les graines, rincez-les, épongez-les minutieusement et mettez-les dans un pot de sucre pour faire du sucre aromatisé à la vanille.

SORBET AUX BLEUETS ET À LA VANILLE

Ce dessert sans matières grasses peut rivaliser avec les meilleures crèmes glacées.

* *Un moule métallique carré de 23 x 23 cm (9 x 9 po) ou de 20 x 20 cm (8 x 8 po)*

**1 gousse de vanille, fendue sur la longueur
250 ml (1 tasse) d'eau
80 g (⅓ tasse) de sucre granulé**

**600 g (4 tasses) de bleuets sauvages frais
ou congelés
4 c. à café (4 c. à thé) de jus de citron
frais pressé**

1. Racler les graines de vanille au-dessus d'une petite casserole. Ajouter l'eau et le sucre et porter à ébullition. Baisser le feu et laisser mijoter environ 10 min, jusqu'à réduction à 75 ml (⅓ tasse).

2. Verser dans une passoire placée au-dessus du bol du mélangeur. Ajouter les bleuets et le jus de citron. Réduire en purée à haute vitesse.

3. Verser dans le moule, couvrir de pellicule plastique et congeler environ 4 h, jusqu'à ce que le sorbet soit ferme.

4. Racler le sorbet à l'aide des dents d'une fourchette pour le défaire en cristaux. Verser les cristaux dans un contenant à fermeture hermétique, couvrir et congeler au moins 30 min. Ce sorbet se conserve jusqu'à 1 mois dans le congélateur.

SUCETTES GLACÉES À LA PÊCHE MELBA

Ce dessert offre des couches harmonieuses de pêche crémeuse et de framboises rouges.

240 g (1 ½ tasse) de pêches en tranches
3 c. à soupe de lait concentré sucré
2 c. à café (2 c. à thé) de jus de citron
frais pressé

115 g (¾ tasse) de framboises fraîches ou
congelées
2 c. à café (2 c. à thé) de miel liquide

1. Dans le mélangeur, à haute vitesse, réduire en purée les pêches, le lait concentré et le jus de citron. Transvider dans un contenant muni d'un bec verseur.

2. Dans le mélangeur, à haute vitesse, réduire en purée les framboises et le miel. Verser dans une passoire à fines mailles placée au-dessus d'un bol.

3. Verser la moitié des pêches dans 4 moules à sucettes glacées ou des petites tasses jetables. Verser la moitié des framboises sur le dessus. Répéter les couches. Insérer des bâtonnets en bois. Dessiner des tourbillons au goût. Congeler environ 4 h, jusqu'à ce que les sucettes soient fermes. Ces sucettes se conservent jusqu'à 1 semaine.

TRUC

Utilisez des pêches fraîches, congelées ou en conserve.

**ENVIRON 750 ML
(3 TASSES) OU
6 PORTIONS**

CRÈME GLACÉE AUX PACANES ET AU BEURRE

*Cette recette est tellement simple que vous risquez de ne plus jamais
acheter de crème glacée…*

* *Un moule métallique de 33 x 23 cm (13 x 9 po)*

**3 c. à soupe de beurre
120 g (1 tasse) de moitiés de pacanes
500 ml (2 tasses) de crème à fouetter
   (35 %)
500 ml (2 tasses) de crème 10 %**

**120 g (½ tasse) de cassonade ou de sucre
   roux
1 c. à soupe de bourbon ou 2 c. à café
   (2 c. à thé) de vanille**

1. Dans une grande casserole, faire fondre le beurre à feu moyen. Ajouter les pacanes et cuire, en remuant, environ 5 min, jusqu'à ce qu'elles soient légèrement grillées et que le beurre commence à brunir. Retirer à l'aide d'une écumoire et réserver.

2. Dans la même casserole, ajouter la crème 35 %, la crème 10 %, la cassonade et le bourbon. Porter à ébullition. Baisser le feu et laisser mijoter environ 2 min pour dissoudre le sucre. Retirer du feu et laisser refroidir 10 min.

3. Verser dans le moule, couvrir et congeler environ 1 h, jusqu'à ce que la crème glacée soit ferme.

4. Dans le mélangeur, hacher les pacanes au goût. Réserver dans un petit bol.

5. Dans le mélangeur, à basse vitesse, ajouter graduellement des morceaux de crème glacée et battre jusqu'à consistance lisse. Procéder par étapes pour ne pas surcharger le bol. Quand la crème glacée est onctueuse et bien aérée, incorporer les pacanes et mélanger.

6. Verser dans le moule, couvrir et congeler au moins 4 h, jusqu'à ce que la crème glacée soit ferme. Conserver jusqu'à 3 jours dans le congélateur.

SEMIFREDDO À LA MANGUE ET AU CITRON VERT

ENVIRON 1 LITRE (4 TASSES) OU 6 PORTIONS

En mélangeant de la crème 35 % avec de la purée de fruits congelée, on parvient facilement à faire un dessert à la crème glacée que l'on peut découper en tranches dans une présentation des plus élégantes.

- Un moule métallique de 23 x 23 cm (9 x 9 po)
- Un moule à pain de 23 x 12 cm (9 x 5 po) tapissé de pellicule plastique

120 g (½ tasse) de sucre granulé
50 ml (¼ tasse) d'eau
300 g (2 tasses) de mangues pelées et hachées

1 c. à café (1 c. à thé) de zeste de citron vert râpé
125 ml (½ tasse) de jus de citron vert frais pressé
250 ml (1 tasse) de crème à fouetter (35 %)

1. Dans une petite casserole, porter le sucre et l'eau à ébullition. Remuer jusqu'à ce que le sucre soit dissous et clair. Réserver.

2. Dans le mélangeur, réduire les mangues en purée à haute vitesse. Ajouter le zeste et le jus de citron vert ainsi que le sirop de sucre. Bien mélanger. Verser dans le moule carré et congeler environ 1 h, jusqu'à ce que la préparation soit presque solide.

3. Dans le bol propre du mélangeur, fouetter la crème jusqu'à formation de pics mous.

4. À l'aide d'un couteau, casser la préparation en gros morceaux. Ajouter les morceaux dans le mélangeur et mélanger avec la crème à basse vitesse jusqu'à consistance lisse.

5. Verser dans le moule à pain et refermer la pellicule plastique pour bien couvrir. Congeler au moins 4 h pour raffermir. Ce dessert se conserve jusqu'à 3 jours dans le congélateur.

6. Pour servir, soulever le semifreddo à l'aide de la pellicule plastique et déposer sur un plan de travail. Découper en tranches de 2,5 cm (1 po) d'épaisseur.

**ENVIRON 500 ML
(2 TASSES) OU
6 PORTIONS**

SUCETTES GLACÉES AUX PISTACHES

Cette crème glacée à l'indienne, aussi appelée kulfi, est habituellement congelée dans des moules en forme de cornet que l'on frotte entre les mains pour démouler. Des petits pots à yogourt en plastique font aussi très bien l'affaire.

- *6 moules à kulfi ou moules à sucettes glacées ou 3 contenants de yogourt de 175 g (6 oz)*

**1 litre (4 tasses) de lait entier ou 2 %
  homogénéisé
4 gousses de cardamome ouvertes
60 g (¼ tasse) de sucre granulé**

**30 g (¼ tasse) d'amandes entières
30 g (¼ tasse) de pistaches entières
1 ½ c. à café (1 ½ c. à thé) d'eau de rose
  (facultatif)**

1. Dans une grande casserole, à feu doux, laisser mijoter le lait et la cardamome environ 30 min, jusqu'à réduction de moitié. Ajouter le sucre et remuer jusqu'à ce qu'il soit dissous.

2. Pendant ce temps, dans le mélangeur, à haute vitesse, hacher les amandes et les pistaches jusqu'à ce qu'elles soient très fines. Tamiser pour retirer les morceaux trop gros. Verser dans le lait et ajouter l'eau de rose.

3. Verser dans les moules et congeler au moins 4 h, jusqu'à ce que les sucettes soient fermes. Se conserve jusqu'à 3 jours dans le congélateur.

Sorbet à l'anis et aux fraises p. 185

Sucettes glacées à la pêche Melba, p. 189

Torte aux noisettes, p. 199

Muffins au piña colada, p. 206

PETITS POTS AU CHOCOLAT

4 À 6 PORTIONS

Ce dessert riche et chocolaté se prépare en un clin d'œil, mais il est assez raffiné pour être servi à vos invités les plus capricieux.

150 ml (⅔ tasse) de crème 10 %
2 œufs ou 125 ml (½ tasse) de substitut d'œuf entier liquide pasteurisé

250 g (8 oz) de chocolat mi-amer, haché
80 g (⅓ tasse) de sucre granulé
2 c. à soupe d'eau-de-vie

1. Dans une petite casserole, à feu moyen, chauffer la crème jusqu'à formation de vapeur et de bulles autour des parois.

2. Dans le mélangeur, bien mélanger les œufs, le chocolat et le sucre jusqu'à ce que le chocolat soit haché finement. Verser le quart de la crème chaude et mélanger 10 sec à haute vitesse. Verser la crème restante et l'eau-de-vie. Mélanger jusqu'à consistance onctueuse.

3. Verser dans des demi-tasses ou des moules à crème anglaise. Couvrir et refroidir au moins 2 h dans le réfrigérateur. Ce dessert se conserve jusqu'à 3 jours dans le réfrigérateur.

Cette recette contient des œufs crus. Si vous êtes préoccupé par des questions sanitaires relatives à l'utilisation d'œufs crus dans la cuisine, utilisez plutôt du substitut d'œuf entier liquide pasteurisé.

**ENVIRON 750 ML
(3 TASSES) OU
6 À 8 PORTIONS**

DESSERT CONGELÉ AUX FRAISES

Achetez du yogourt contenant au moins 3,5 % de matières grasses pour obtenir une consistance crémeuse. Essayez aussi cette recette avec d'autres fruits frais ou congelés. Ajustez alors la quantité de sucre au goût.

- *Un moule métallique de 23 x 23 cm (9 x 9 po)*

**300 g (2 tasses) de fraises
50 ml (¼ tasse) de miel liquide**

**375 ml (1 ½ tasse) de yogourt à la vanille
75 ml (⅓ tasse) de crème à fouetter (35 %)**

1. Dans le mélangeur, à haute vitesse, réduire en purée les fraises et le miel. Incorporer le yogourt. Ajouter la crème et bien mélanger. Verser dans le moule, couvrir et congeler environ 1 h, jusqu'à consistance presque solide.

2. Briser la préparation aux fraises en gros morceaux. Dans le bol propre du mélangeur, à haute vitesse, réduire quelques morceaux à la fois en purée.

3. Verser dans le moule, couvrir et congeler environ 4 h, jusqu'à ce que le dessert soit ferme. Conserver jusqu'à 3 jours dans le congélateur. Laisser ramollir environ 15 min à température ambiante avant de servir.

MOUSSE AUX FRAISES

4 À 6 PORTIONS

Cette mousse riche et onctueuse rappelle le bon goût du gâteau au fromage.

1 sachet de gélatine en poudre sans saveur
   de 7 g (¼ oz)
2 c. à soupe d'eau
1 paquet de fromage à la crème de 250 g
   (8 oz) ramolli
150 g (1 tasse) de fraises fraîches ou congelées

125 ml (½ tasse) de crème à fouetter
   (35 %)
125 ml (½ tasse) de jus d'orange
2 c. à soupe de sucre granulé
1 c. à café (1 c. à thé) de vanille

1. Dans une petite casserole, saupoudrer la gélatine sur l'eau et laisser reposer 5 min. Faire fondre à feu doux de 2 à 3 min, jusqu'à ce que la gélatine soit claire.

2. Pendant ce temps, dans le mélangeur, à haute vitesse, réduire en purée tous les autres ingrédients jusqu'à consistance lisse. Ajouter la gélatine et réduire en purée.

3. Verser dans des moules à crème anglaise, couvrir et refroidir au moins 1 h dans le réfrigérateur. Cette mousse se conserve jusqu'à 3 jours dans le réfrigérateur.

4 À 6 PORTIONS

MOUSSE AUX AGRUMES PARFUMÉE AU RHUM

Un excellent dessert pour la saison froide. Servez cette mousse dans des verres à vin ou à cocktail pour une présentation plus jolie.

- *Préchauffer le gril*
- *Un plat de cuisson de 20 x 20 cm (8 x 8 po) ou 23 x 23 cm (9 x 9 po) beurré*

2 oranges
1 pamplemousse
1½ c. à café (1½ c. à thé) de gélatine en poudre sans saveur
1 c. à café (1 c. à thé) de beurre

60 g (¼ tasse) de cassonade ou de sucre roux bien tassé
2 c. à soupe de rhum grand arôme
250 ml (1 tasse) de crème à fouetter (35 %)

1. Peler minutieusement les oranges et le pamplemousse. Au-dessus d'un grand bol, couper la chair entre les membranes. Réserver le jus et les segments séparément.

2. Verser le jus dans une petite casserole. Saupoudrer la gélatine et laisser reposer 5 min. Chauffer le jus à feu doux de 2 à 3 min, en remuant, jusqu'à ce que la gélatine soit fondue et claire. Laisser refroidir.

3. Mettre les segments d'orange et de pamplemousse dans le plat de cuisson beurré. Couvrir avec la cassonade et le rhum. Passer sous le gril environ 5 min, jusqu'à ce que le sucre soit fondu. Laisser refroidir.

4. Dans le mélangeur, à haute vitesse, fouetter la crème, en raclant les parois du bol au besoin, jusqu'à ce qu'elle épaississe. Ajouter les fruits. Mélanger à basse vitesse jusqu'à consistance lisse. Ajouter la gélatine et bien mélanger à basse vitesse.

5. Verser dans un bol ou des verres et refroidir au moins 4 h dans le réfrigérateur. Cette mousse se conserve jusqu'à 3 jours dans le réfrigérateur.

PARFAITS À LA MOUSSE DE FRAMBOISE

4 PORTIONS

Les parfaits reviennent à la mode. Ils ont belle allure et sont faciles à préparer.

525 g (3 ½ tasses) de framboises fraîches
2 c. à soupe de sucre granulé
375 ml (1 ½ tasse) de crème à fouetter
(35 %)

300 g (3 tasses) de quatre-quarts ou de
gâteau des anges, en cubes
75 ml (⅓ tasse) de jus d'orange

1. Dans le mélangeur, à haute vitesse, réduire en purée 150 g (1 tasse) de framboises avec le sucre. Passer dans une passoire à fines mailles placée au-dessus d'un bol. Presser pour enlever les graines.

2. Dans le mélangeur, fouetter la crème jusqu'à ce qu'elle soit très épaisse en raclant les parois du bol au besoin. Ajouter la purée de framboises et bien mélanger.

3. Dans un bol moyen, mélanger les cubes de gâteau avec le jus d'orange et laisser reposer 1 min, jusqu'à ce que le jus soit absorbé.

4. Répartir le quart du gâteau dans les bols ou les grands verres à vin individuels. Couvrir avec le quart des framboises restantes et napper uniformément avec le quart de la crème aux framboises. Répéter les couches trois autres fois. Garnir avec les framboises restantes.

GELÉE DE FRAISE ET DE RHUBARBE

Garnissez cette gelée très colorée avec de la crème fouettée si le cœur vous en dit.

1 ruban de zeste d'orange de 5 cm (2 po)
   de longueur
400 g (2 tasses) de rhubarbe fraîche ou
   congelée, hachée
300 g (2 tasses) de fraises en tranches
250 ml (1 tasse) de vin blanc sec
150 ml (⅔ tasse) d'eau

120 g (½ tasse) de sucre granulé
2 c. à soupe de gélatine sans saveur en poudre
3 c. à soupe d'eau froide

Garniture
250 ml (1 tasse) de crème fouettée
150 g (1 tasse) de fraises fraîches en tranches

1. Dans une grande casserole, porter à ébullition le zeste, la rhubarbe, les fraises, le vin, l'eau et le sucre. Baisser le feu et laisser mijoter à découvert environ 10 min, jusqu'à ce que la rhubarbe soit défaite. Laisser refroidir légèrement.

2. Dans une petite casserole, saupoudrer la gélatine sur l'eau et laisser reposer 5 min. Faire fondre à feu doux de 2 à 3 min, jusqu'à ce que la gélatine soit claire.

3. Pendant ce temps, dans le mélangeur, à haute vitesse, réduire la rhubarbe en purée. Passer dans une passoire à fines mailles placée au-dessus de la gélatine et jeter les solides. Bien remuer.

4. Verser dans de larges verres à vin, couvrir de pellicule plastique et laisser prendre au moins 6 h dans le réfrigérateur. Cette gelée se conserve jusqu'à 3 jours dans le réfrigérateur.

5. Garnir chaque portion de crème fouettée et de fraises.

TORTE AUX NOISETTES

Cette torte peut être garnie de framboises fraîches et de copeaux de chocolat mi-amer.

- *Préchauffer le four à 180 °C (350 °F)*
- *Une plaque à pâtisserie à bords élevés*
- *Un moule à charnière de 23 cm (9 po) graissé généreusement; tapisser le fond de papier parchemin ou ciré*

120 g (1 tasse) de noisettes
4 œufs
90 g (¾ tasse) de sucre granulé
2 c. à soupe de farine tout usage
2 ½ c. à café (2 ½ c. à thé) de levure chimique (poudre à lever)

375 ml (1 ½ tasse) de crème à fouetter (35 %)
Environ 45 g (¼ tasse) de sucre glace tamisé
1 c. à soupe d'eau-de-vie ou 1 c. à café (1 c. à thé) de vanille

1. Sur la plaque à pâtisserie, griller les noisettes dans le four préchauffé environ 10 min, jusqu'à ce que la pelure commence à se détacher. Frotter les noisettes avec un petit linge propre pour bien les débarrasser de leur enveloppe. Réserver.

2. Dans le mélangeur, à vitesse élevée, mélanger les œufs et le sucre jusqu'à consistance très onctueuse et légère. Ajouter les noisettes et mélanger jusqu'à ce qu'elles soient hachées finement. Pendant que le moteur tourne, dans l'ouverture du bouchon, ajouter la farine et la levure chimique. Bien mélanger.

3. Verser dans le moule et cuire au four environ 15 min, jusqu'à ce que la torte soit gonflée et dorée et qu'un couteau inséré au centre ressorte propre. Laisser refroidir 5 min dans le moule. Démouler sur une grille et laisser refroidir. Retirer le papier.

4. Dans le bol propre du mélangeur, à basse vitesse, mélanger la crème, le sucre et l'eau-de-vie jusqu'à consistance duveteuse. Sucrer au goût. Servir cette crème à côté de la torte.

GÂTEAU AU FROMAGE À LA RICOTTA

Ce dessert classique regorge de zestes d'agrumes et de raisins secs trempés dans le rhum. Un rappel du bon goût du pouding au riz cuit au four.

- *Un moule à charnière de 23 cm (9 po)*

2 pots de ricotta extracrémeuse de 454 g (1 lb) chacun
90 g (½ tasse) de raisins secs
3 c. à soupe de rhum grand arôme
1 tranche de pain sèche, en petits morceaux
1 c. à soupe de beurre ramolli
5 œufs

180 g (¾ tasse) de sucre granulé
Une pincée de sel
125 ml (½ tasse) de crème à fouetter (35 %)
Zeste d'un citron, râpé
Zeste d'une orange, râpé
60 g (½ tasse) de pignons

1. Mettre la ricotta dans une passoire tapissée d'étamine placée au-dessus d'un grand bol. Couvrir de pellicule plastique et garder de 8 à 24 h dans le réfrigérateur. Jeter le lactosérum ou le conserver pour un autre usage (ex. : recette de pain). Réserver la ricotta.

2. Dans un petit bol, mélanger les raisins secs et le rhum. Laisser reposer, en remuant de temps à autre, environ 30 min, jusqu'à ce que le rhum soit presque entièrement absorbé. Préchauffer le four à 190 °C (375 °F).

3. Pendant ce temps, dans le mélangeur, à basse vitesse, hacher le pain pour obtenir environ 40 g (¼ tasse) de miettes fines.

4. Beurrer le fond et les côtés du moule. Couvrir de miettes de pain et secouer le moule pour enlever le surplus. Réserver.

5. Dans le bol propre du mélangeur, à haute vitesse, mélanger les œufs, le sucre et le sel jusqu'à coloration jaune pâle et consistance épaisse. Pendant que le moteur tourne, dans l'ouverture du bouchon, ajouter la ricotta, 1 c. à soupe à la fois, puis la crème et les zestes. Mélanger jusqu'à consistance onctueuse. Incorporer les raisins secs et le rhum restant.

6. Verser dans le moule et couvrir de pignons. Cuire dans le four préchauffé environ 1 h, jusqu'à ce que le dessus soit doré et le centre bien pris. Laisser refroidir complètement dans le moule posé sur une grille. Démouler dans une grande assiette. Servir à température ambiante ou couvrir et laisser refroidir environ 4 h dans le réfrigérateur.

GÂTEAU AU FROMAGE AU CITRON SANS CUISSON

Ce dessert est aimé de tous. Préparez-le quand vous attendez de nombreux invités puisqu'il demande très peu de préparation. Vous pouvez remplacer les biscuits aux amandes par des gaufrettes à la vanille, des biscuits graham ou d'autres biscuits au goût.

- *Moule à tarte ou à charnière de 23 cm (9 po)*

120 g (2 tasses) de biscuits aux amandes émiettés
120 g (½ tasse) de beurre fondu
1 paquet de fromage à la crème de 250 g (8 oz) ramolli

1 boîte de lait concentré sucré de 300 ml (10 oz)
1 c. à café (1 c. à thé) de zeste de citron râpé
125 ml (½ tasse) de jus de citron frais pressé
¼ c. à café (¼ c. à thé) de vanille

1. Dans un bol, bien mélanger les miettes de biscuits et le beurre. Presser dans le moule.

2. Dans le mélangeur, à basse vitesse, mélanger le fromage à la crème, le lait concentré, le zeste, le jus de citron et la vanille jusqu'à consistance lisse. Verser dans le moule. Couvrir et refroidir au moins 4 h dans le réfrigérateur. Ce gâteau se conserve jusqu'à 3 jours dans le réfrigérateur.

TRUC

Pour faire des miettes de biscuits, brisez les biscuits en petits morceaux et passez-les au mélangeur, 60 g (1 tasse) à la fois.

GÂTEAU AU FROMAGE AU CHOCOLAT BLANC

8 À 10 PORTIONS

T R U C S

Pour faire des miettes de biscuits graham, brisez les biscuits en petits morceaux et passez-les au mélangeur, 45 g (¾ tasse) à la fois.

Faire fondre le chocolat au-dessus de l'eau chaude, mais non bouillante, dans un bol résistant à la chaleur.

La préparation de ce dessert impressionnant ne vous causera pas de souci grâce au mélangeur.

- *Préchauffer le four à 180 °C (350 °F)*
- *Moule à charnière de 23 cm (9 po)*

Croûte
60 g (½ tasse) d'amandes entières, blanchies
3 c. à soupe de sucre granulé
20 biscuits graham émiettés
80 g (⅓ tasse) de beurre fondu

Gâteau au fromage
3 œufs
180 g (¾ tasse) de sucre granulé

175 g (6 oz) de chocolat blanc, fondu (voir Trucs, à gauche) et légèrement refroidi
250 ml (1 tasse) de crème sure ou de yogourt nature
½ c. à café (½ c. à thé) de vanille
2 paquets de fromage à la crème de 250 g (8 oz) ramolli
1 paquet de framboises non sucrées de 300 g (10 oz), décongelées et égouttées

1. *Préparation de la croûte :* Dans le mélangeur, à haute vitesse, mélanger les amandes et le sucre jusqu'à ce que les noix soient hachées finement. Incorporer les miettes de biscuits et le beurre. Presser dans le moule et cuire dans le four préchauffé environ 10 min, jusqu'à ce que la croûte soit dorée et ferme. Réserver.

2. *Préparation du gâteau au fromage :* Dans le mélangeur, à haute vitesse, mélanger les œufs, le sucre, le chocolat, la crème sure et la vanille jusqu'à consistance lisse. Pendant que le moteur tourne, dans l'ouverture du bouchon, ajouter le fromage à la crème, environ 1 c. à soupe à la fois. Mélanger jusqu'à consistance onctueuse. Verser 1 litre (4 tasses) de cette préparation dans la croûte.

3. Ajouter les framboises à la préparation au fromage restée dans le bol du mélangeur. Mélanger à haute vitesse jusqu'à consistance onctueuse. Verser dans une passoire à mailles fines placée au-dessus d'un bol pour enlever les graines.

4. Faire cinq cercles de coulis de framboise autour de la préparation au fromage. Faire un autre cercle au centre du gâteau. Avec la pointe d'un couteau, brouiller chacun des cercles pour obtenir un effet marbré.

5. Cuire au four à 180 °C (350 °F) environ 45 min, jusqu'à ce que le gâteau soit presque pris. Laisser refroidir complètement dans le moule posé sur une grille. Démouler dans une grande assiette. Couvrir et laisser refroidir au moins 4 h dans le réfrigérateur. Ce gâteau se conserve jusqu'à 3 jours dans le réfrigérateur.

BEIGNETS AUX POMMES

Cette pâte à beignets est aussi fantastique avec des bananes, des poires et de fines tranches de citrouille. Servez-les avec la crème glacée aux pacanes et au beurre (p. 190) pour faire un dessert savoureux du Sud-Est américain.

- *Friteuse ou poêlon profond contenant au moins 5 cm (2 po) d'huile végétale*
- *Préchauffer l'huile végétale à 190 °C (375 °F)*

1 œuf
250 ml (1 tasse) de jus de pomme non sucré
130 g (1 tasse) de farine tout usage
2 c. à soupe de sucre granulé

1 ½ c. à café (1 ½ c. à thé) de levure chimique (poudre à lever)
½ c. à café (½ c. à thé) de sel
½ c. à café (½ c. à thé) de cannelle moulue
¼ c. à café (¼ c. à thé) de muscade moulue
4 grosses pommes pour cuisson au four

1. Dans le mélangeur, à haute vitesse, réduire en purée l'œuf et le jus de pomme.

2. Dans un petit bol, fouetter ensemble la farine, le sucre, la levure chimique, le sel, la cannelle et la muscade.

3. Pendant que le moteur tourne, dans l'ouverture du bouchon, ajouter graduellement les ingrédients secs et mélanger jusqu'à consistance lisse.

Transvider dans un bol et laisser reposer 20 min.

4. Pendant ce temps, peler, évider et couper les pommes en rondelles de 1 cm (½ po) d'épaisseur. Tremper quelques rondelles dans la pâte et les frire dans l'huile chaude de 3 à 4 min, jusqu'à ce qu'elles soient dorées. Égoutter sur du papier essuie-tout. Répéter jusqu'à épuisement des ingrédients.

ENVIRON 20 BEIGNETS OU 500 ML (2 TASSES) DE PÂTE

TRUC

Pour une présentation plus authentique, saupoudrez les beignets de sucre glace.

TARTE À LA COURGE MUSQUÉE

*La courge musquée offre un léger goût caramélisé qui convient bien
à la confection de desserts.*

- *Un moule à tarte de 23 cm (9 po)*

**2 kg (4 lb) de courges musquées, en gros
    morceaux
30 g (¼ tasse) de moitiés de noix
160 g (1 ¼ tasse) de farine tout usage
½ c. à café (½ c. à thé) de sel
80 g (⅓ tasse) de beurre, de shortening
    végétal ou de lard
50 ml (¼ tasse) d'eau glacée
325 ml (1 ⅓ tasse) de lait concentré**

**120 g (½ tasse) de sucre granulé
60 g (¼ tasse) de cassonade ou de sucre
    roux bien tassé
1 c. à café (1 c. à thé) de cannelle moulue
½ c. à café (½ c. à thé) de gingembre moulu
½ c. à café (½ c. à thé) de muscade moulue
3 œufs
Crème fouettée**

1. Mettre les courges dans un panier à vapeur posé au-dessus d'une casserole d'eau bouillante. Couvrir et cuire à la vapeur environ 20 min, jusqu'à ce qu'elles soient très tendres. Mesurer 1 l (4 tasses) de chair. Mettre la chair de courge dans une poêle et cuire à feu moyen, en remuant et en raclant le fond, environ 10 min, jusqu'à réduction de moitié. (Les courges deviendront orange foncé.) Laisser refroidir. Répéter jusqu'à épuisement des courges.

2. Pendant ce temps, dans le mélangeur, hacher finement les noix. Ajouter la farine et le sel et bien mélanger à basse vitesse. Pendant que le moteur tourne à basse vitesse, dans l'ouverture du bouchon, ajouter le beurre et remuer un peu en conservant quelques gros morceaux. Incorporer l'eau glacée et remuer.

3. Sur un plan de travail fariné, abaisser la pâte en un cercle de 30 cm (12 po) de diamètre. Mettre la pâte dans le moule et couper les bords en laissant tomber 1 cm (1 po) tout autour. Plier et canneler. Couvrir et réfrigérer jusqu'au moment d'utiliser (pas plus d'une journée). Chauffer le four à 190 °C (375 °F).

4. Dans le bol du mélangeur, à haute vitesse, mélanger la courge, le lait concentré, le sucre, la cassonade, la cannelle, le gingembre et la muscade jusqu'à consistance lisse. Incorporer les œufs, un à la fois, et bien mélanger.

5. Verser dans la croûte et couvrir les bords de papier d'aluminium. Cuire au four 25 min, puis retirer le papier. Cuire au four environ 20 min, jusqu'à ce qu'un couteau inséré au centre ressorte propre. Laisser refroidir complètement dans le moule posé sur une grille. Garnir de crème fouettée.

BLINIS SUCRÉS AU FROMAGE

*Les blinis sont faciles à faire et sont succulents à l'heure du lunch ou du souper,
et même comme dessert après un repas léger.*

- *Une poêle à crêpes ou un poêlon antiadhésif de 15 cm (6 po)*

Pâte
3 œufs
375 ml (1 ½ tasse) de lait
*3 c. à soupe de beurre fondu ou d'huile
   végétale*
1 c. à soupe de sucre granulé
1 c. à café (1 c. à thé) de sel
130 g (1 tasse) de farine tout usage

Environ 1 c. à soupe d'huile végétale

Garniture
1 œuf

150 g (1 tasse) de fromage cottage sec
*125 ml (½ tasse) de crème sure ou de
   yogourt nature*
60 g (½ tasse) de fromage à la crème ramolli
*1 c. à soupe de miel liquide ou 2 c. à café
   (2 c. à thé) de sucre granulé*
½ c. à café (½ c. à thé) de cannelle moulue
Une grosse pincée de muscade moulue
Une grosse pincée de poivre blanc frais moulu

2 c. à soupe de beurre
*2 c. à soupe de sucre à la cannelle
   (facultatif; voir Trucs, à droite)*

TRUCS

Pour faire du sucre à
la cannelle, mélan-
ger 2 c. à soupe de
sucre granulé avec
½ c. à café (½ c. à
thé) de cannelle
moulue.

Le fromage cottage
sec et le fromage
cottage fermier sont
une seule et même
chose.

1. *Préparation de la croûte :* Dans le
mélangeur, à basse vitesse, mélanger les
œufs, le lait, le beurre, le sucre et le sel.
Pendant que le moteur tourne à haute
vitesse, dans l'ouverture du bouchon, ajouter la farine. Mélanger jusqu'à consistance
onctueuse en raclant les parois du bol une
ou deux fois. Laisser reposer 1 h.

2. Chauffer la poêle à feu moyen-vif.
Badigeonner d'huile légèrement. Verser
50 ml (¼ tasse) de pâte dans la poêle et
bien l'étendre au fond. Cuire environ
1 min, jusqu'à ce que le fond soit légèrement doré. Retourner la crêpe et cuire de
l'autre côté. Servir sur une assiette et
couvrir de papier ciré. Répéter jusqu'à
épuisement de la pâte. Laisser refroidir.

3. *Préparation de la garniture :* Dans
le mélangeur, à haute vitesse, mélanger
l'œuf, le fromage cottage, la crème sure,
le fromage à la crème, le miel, la cannelle, la muscade et le poivre blanc
jusqu'à consistance lisse.

4. Mettre une grosse cuillerée de garniture au centre de chaque crêpe. Plier et
sceller la crêpe pour former un blini.

5. Dans une grande poêle, faire
fondre le beurre à feu moyen. Cuire
quelques blinis à la fois environ 3 min,
jusqu'à ce qu'ils brunissent de chaque
côté et que la garniture soit chaude.
Saupoudrer de sucre à la cannelle
au goût.

MUFFINS AU PIÑA COLADA

La purée de fruits remplace le beurre de manière judicieuse dans ces muffins. Le secret de leur tendreté ? Ne mélangez pas trop les ingrédients ; ne faites tourner le mélangeur que pour amalgamer les ingrédients, sans plus.

- *Préchauffer le four à 200 °C (400 °F)*
- *12 moules à muffins graissés ou chemisés*

75 g (¾ tasse) de noix de coco en filaments
130 g (1 tasse) de farine tout usage
70 g (½ tasse) de farine de blé entier
1 c. à soupe de levure chimique (poudre à lever)
½ c. à café (½ c. à thé) de bicarbonate de soude
½ c. à café (½ c. à thé) de sel

1 boîte d'ananas broyés de 398 ml (14 oz), égouttés
1 œuf
120 g (½ tasse) de sucre granulé
125 ml (½ tasse) de crème sure légère ou de yogourt maigre
50 ml (¼ tasse) d'huile végétale
1 c. à café (1 c. à thé) de vanille

1. Réserver 35 g (⅛ tasse) de noix de coco. Dans un bol moyen, fouetter ensemble la noix de coco restante, la farine tout usage, la farine de blé entier, la levure chimique, le bicarbonate de soude et le sel. Réserver.

2. Dans le mélangeur, à haute vitesse, réduire les ananas en purée. Ajouter l'œuf, le sucre, la crème sure, l'huile et la vanille. Mélanger jusqu'à consistance lisse. Ajouter les ingrédients secs et mélanger juste ce qu'il faut pour amalgamer le tout. (Ne pas trop mélanger.)

3. Verser dans les moules et saupoudrer avec la noix de coco réservée. Cuire dans le four préchauffé environ 20 min, jusqu'à ce que les muffins soient dorés et qu'un couteau inséré au centre ressorte propre. Laisser reposer dans le moule posé sur une grille 5 min. Démouler et laisser refroidir complètement sur la grille.

MINI-GÂTEAUX AUX CAROTTES

12 MUFFINS

Tendres et irrésistibles, ces muffins sont en fait des gâteaux aux carottes petit format qui feront le bonheur de votre famille.

- *Préchauffer le four à 200 °C (400 °F)*
- *12 moules à muffins graissés ou chemisés*

130 g (1 tasse) de farine tout usage
70 g (½ tasse) de farine de blé entier
1 c. à soupe de levure chimique (poudre à lever)
½ c. à café (½ c. à thé) de bicarbonate de soude
1 c. à café (1 c. à thé) de cannelle moulue
½ c. à café (½ c. à thé) de sel
¼ c. à café (¼ c. à thé) de clou de girofle moulu

210 g (1 ¾ tasse) de carottes hachées, cuites, ou 1 boîte de carottes de 398 ml (14 oz), égouttées
1 œuf
125 ml (½ tasse) de crème sure légère ou de yogourt maigre
60 g (¼ tasse) de sucre granulé
60 g (¼ tasse) de cassonade ou de sucre roux
50 ml (¼ tasse) d'huile végétale
1 c. à café (1 c. à thé) de vanille

1. Dans un petit bol, fouetter ensemble la farine tout usage, la farine de blé entier, la levure chimique, le bicarbonate de soude, la cannelle, le sel et le clou de girofle. Réserver.

2. Dans le mélangeur, à haute vitesse, réduire les carottes en purée. Ajouter l'œuf, la crème sure, le sucre, la cassonade, l'huile et la vanille. Mélanger jusqu'à consistance lisse. Ajouter les ingrédients secs et mélanger juste ce qu'il faut pour amalgamer le tout. (Ne pas trop mélanger.)

3. Verser dans les moules et cuire dans le four préchauffé environ 20 min, jusqu'à ce que les muffins soient dorés et qu'un couteau inséré au centre ressorte propre. Laisser reposer dans le moule posé sur une grille 5 min. Démouler et laisser refroidir complètement sur la grille.

**ENVIRON 750 ML
(3 TASSES)**

BEURRE DE POMME

*Voici un genre de compote de pommes plus épaisse et plus aigre-douce
que celle que l'on mange habituellement.*

*1 kg (2 lb) de pommes rouges pour cuisson
au four*
250 ml (1 tasse) d'eau
75 ml (⅓ tasse) de vinaigre de cidre
240 g (1 tasse) de sucre granulé
*2 c. à café (2 c. à thé) de zeste de citron
râpé*

2 c. à soupe de jus de citron frais pressé
1 c. à café (1 c. à thé) de cannelle moulue
¼ c. à café (¼ c. à thé) de muscade moulue
*¼ c. à café (¼ c. à thé) de piment de la
Jamaïque moulu*
Une pincée de sel

1. Évider les pommes et les couper en quartiers sans les peler. Dans une grande casserole, porter à ébullition les pommes, l'eau et le vinaigre. Couvrir, baisser le feu et laisser mijoter doucement environ 20 min, jusqu'à ce que les pommes soient très tendres. Retirer du feu et laisser refroidir 5 min.

2. Dans le mélangeur, à haute vitesse, réduire en purée en procédant par étapes afin de ne pas surcharger le bol. Verser dans une passoire à fines mailles en pressant la pulpe dans un grand bol.

3. Verser la pulpe et le sucre dans une casserole propre et remuer à feu moyen jusqu'à dissolution du sucre. Ajouter le zeste, le jus de citron, la cannelle, la muscade, le piment de la Jamaïque et le sel. Rectifier l'assaisonnement au besoin. Baisser le feu et laisser mijoter très doucement environ 45 min, jusqu'à ce que la sauce soit très épaisse et lisse. Laisser refroidir.

4. *Préparation à l'avance:* Verser dans des pots décoratifs à fermeture hermétique. Sceller et conserver jusqu'à 2 semaines dans le réfrigérateur ou 2 mois dans le congélateur.

SIROP DE FRUIT

Ce sirop est grandiose sur des crêpes, des gaufres ou de la crème glacée.

240 g (1 tasse) de sucre granulé
125 ml (½ tasse) d'eau
1 c. à soupe de jus de citron frais pressé
½ c. à café (½ c. à thé) de vanille

300 g (2 tasses) de fraises, de bleuets, de
framboises ou de mûres, ou de fruits
pelés et hachés tels que pommes, poires,
pêches, mangues et abricots

1. Dans une grande casserole, porter le sucre et l'eau à ébullition en remuant jusqu'à dissolution du sucre. Laisser bouillir 5 min. Ajouter le reste des ingrédients. Baisser le feu et laisser mijoter environ 5 min à découvert, jusqu'à ce que les fruits soient tendres. Laisser refroidir.

2. Transvider dans le bol du mélangeur et réduire en purée à haute vitesse. Verser dans une passoire à mailles fines en pressant pour enlever les graines.

3. *Préparation à l'avance :* Verser dans des pots décoratifs à fermeture hermétique. Sceller et conserver jusqu'à 1 semaine dans le réfrigérateur.

SAUCE AU CITRON

Cette sauce est sublime avec du gâteau sec comme le quatre-quarts ou sur des poudings.

1 citron
250 ml (1 tasse) d'eau
60 g (¼ tasse) de beurre ramolli

3 c. à soupe de sucre granulé
2 c. à soupe de fécule de maïs

1. À l'aide d'un éplucheur, peler le zeste du citron et retirer la membrane blanche qui recouvre le fruit. Couper le citron en deux, épépiner et hacher. Mettre le zeste et la chair du citron dans le bol du mélangeur. Ajouter l'eau, le beurre, le sucre et la fécule de maïs. Réduire en purée à haute vitesse.

2. Verser dans une passoire à fines mailles placée au-dessus d'une petite

casserole. Porter à ébullition à feu moyen en remuant. Baisser le feu et laisser mijoter environ 5 min, en remuant souvent, jusqu'à consistance sirupeuse. Laisser refroidir.

3. *Préparation à l'avance :* Verser dans des pots décoratifs à fermeture hermétique. Sceller et conserver jusqu'à 2 semaines dans le réfrigérateur. Ramener à température ambiante avant de servir.

SAUCE AUX FRAISES ET À LA VODKA

Cette sauce fruitée sucrée est bonne chaude ou froide sur la crème glacée, les crêpes, le gâteau éponge, la crème fouettée et la crème anglaise.

300 g (2 tasses) de fraises fraîches ou congelées
80 g (⅓ tasse) de sucre granulé
50 ml (¼ tasse) de jus de fruits, au goût

2 c. à soupe de jus de citron frais pressé
50 ml (¼ tasse) de vodka
1 c. à café (1 c. à thé) de vanille

1. Dans une casserole moyenne, porter à ébullition les fraises, le sucre, le jus de fruits et le jus de citron. Baisser le feu et laisser mijoter environ 5 min, jusqu'à épaississement. Incorporer la vodka et la vanille. Laisser refroidir légèrement.

2. Transvider dans le bol du mélangeur et réduire en purée à haute vitesse.

3. *Préparation à l'avance :* Verser dans des pots décoratifs à fermeture hermétique. Sceller et conserver jusqu'à 5 jours dans le réfrigérateur. On peut réchauffer la sauce avant de servir.

SAUCE AUX PÊCHES

180 g (¾ tasse) de sucre granulé
175 ml (¾ tasse) d'eau
240 g (1 ½ tasse) de pêches fraîches ou congelées, en tranches

75 ml (⅓ tasse) de crème à fouetter (35 %)
4 c. à café (4 c. à thé) de jus de citron frais pressé
½ c. à café (½ c. à thé) de vanille

1. Dans une casserole profonde, à feu moyen, mélanger le sucre et l'eau jusqu'à dissolution du sucre. Porter à ébullition. Laisser bouillir, sans remuer, jusqu'à coloration ambrée. Retirer du feu. Ajouter les pêches et la crème. Remettre sur le feu et laisser mijoter environ 3 min, en remuant, jusqu'à épaississement. Laisser refroidir légèrement.

2. Transvider dans le bol du mélangeur et ajouter le jus de citron et la vanille. Mélanger à haute vitesse jusqu'à consistance onctueuse.

3. *Préparation à l'avance :* Conserver jusqu'à 1 semaine dans le réfrigérateur. Réchauffer avant de servir.

SAUCE AU CHOCOLAT

Une sauce idéale pour les invités de dernière minute. Servez-la avec la crème glacée, les gâteaux et d'autres desserts.

60 g (2 oz) de chocolat mi-amer
30 g (1 oz) de chocolat au lait
¼ c. à café (¼ c. à thé) de vanille

75 ml (⅓ tasse) de crème à fouetter (35 %)
1 c. à soupe de beurre

1. Dans le mélangeur, à basse vitesse, hacher finement les chocolats avec la vanille.

2. Dans une petite casserole, à feu moyen-vif, chauffer la crème et le beurre jusqu'à ce que des bulles se forment contre les parois.

3. Pendant que le moteur tourne à basse vitesse, dans l'ouverture du bouchon, verser la crème chaude. Mélanger jusqu'à ce que le chocolat soit parfaitement fondu. Servir cette sauce chaude.

4. *Préparation à l'avance :* Verser dans des pots décoratifs à fermeture hermétique. Sceller et conserver jusqu'à 1 semaine dans le réfrigérateur. Réchauffer la sauce avant de servir.

**ENVIRON 150 ML
(⅔ TASSE)**

TRUC

Lorsque le chocolat est fondu, aromatisez la sauce avec 2 c. à café (2 c. à thé) d'eau-de-vie, de rhum ou de liqueur, ou d'eau-de-vie de fruit.

SAUCE ÉPAISSE AU CHOCOLAT

175 g (6 oz) de chocolat mi-amer, haché grossièrement
250 ml (1 tasse) de crème à fouetter (35 %)

2 c. à soupe de sirop de maïs
75 ml (⅓ tasse) de crème sure ou de yogourt nature

1. Hacher le chocolat finement à l'aide du mélangeur.

2. Dans une petite casserole, porter à ébullition la crème et le sirop de maïs. Retirer du feu. (Ou, dans un petit bol, chauffer la crème et le sirop de maïs à intensité maximale de 1 à 2 min, jusqu'à bouillonnement.)

3. Transvider dans le bol du mélangeur et mélanger avec le chocolat jusqu'à consistance épaisse et onctueuse. Ajouter la crème sure et mélanger à haute vitesse jusqu'à consistance lisse. Laisser reposer environ 15 min, jusqu'à épaississement.

4. *Préparation à l'avance :* Verser dans des pots décoratifs à fermeture hermétique. Sceller et conserver jusqu'à 1 semaine dans le réfrigérateur. Réchauffer la sauce avant de servir.

**ENVIRON 575 ML
(2 ⅓ TASSES)**

**ENVIRON 250 ML
(1 TASSE)**

TRUC

Grillez la noix de coco sur une plaque à pâtisserie placée au four à 190 °C (375 °F) ou dans une poêle sèche à feu moyen. N'oubliez pas de remuer souvent pour l'empêcher de brûler.

SAUCE AU CHOCOLAT BLANC ET À LA NOIX DE COCO

Cette sauce veloutée est bonne avec tous les fruits, mais particulièrement avec les fruits tropicaux.

75 ml (⅓ tasse) de crème à fouetter (35 %)
125 g (4 oz) de chocolat blanc de bonne qualité
25 g (¼ tasse) de noix de coco sucrée en filaments, grillée (voir Truc, à gauche)

50 ml (¼ tasse) de lait de coco
Un trait d'extrait de noix de coco

1. Dans une petite casserole, porter la crème à ébullition.

2. Dans le mélangeur, hacher finement le chocolat et la noix de coco. Verser la crème chaude et mélanger jusqu'à consistance onctueuse.

3. Verser dans un bol et laisser refroidir à température ambiante. Incor-

porer le lait de coco et l'extrait de noix de coco.

4. *Préparation à l'avance :* Verser dans des pots décoratifs à fermeture hermétique. Sceller et conserver jusqu'à 3 jours dans le réfrigérateur. Ramener à température ambiante avant de servir.

**ENVIRON 375 ML
(1 ½ TASSE) OU
6 À 8 PORTIONS**

TRUC

Aromatisez cette trempette avec 1 c. à café (1 c. à thé) de liqueur de noisette, de kirsch ou de liqueur d'orange.

TREMPETTE AU FROMAGE ET AU CHOCOLAT

90 g (3 oz) de chocolat mi-amer, fondu
75 ml (⅓ tasse) de crème 10 %
2 c. à soupe de sucre granulé
½ c. à café (½ c. à thé) de vanille

1 paquet de fromage à la crème de 250 g (8 oz) ramolli et coupé en cubes
Fruits variés au goût (raisins, melon, ananas, fraises, etc.)

1. Dans le mélangeur, à haute vitesse, mélanger le chocolat, la crème, le sucre et la vanille. Pendant que le moteur tourne à basse vitesse, dans l'ou-

verture du bouchon, ajouter le fromage à la crème, un cube à la fois. Mélanger jusqu'à consistance onctueuse.

2. Servir avec les fruits frais.

SMOOTHIES ET AUTRES BOISSONS

2 PORTIONS

SMOOTHIE GASPACHO

Ce smoothie aux légumes est rafraîchissant et son goût est âcre.

2 tomates fraîches, pelées
1 petite gousse d'ail écrasée
150 g (1 tasse) de concombre pelé, épépiné
   et haché
250 ml (1 tasse) de jus de tomate

2 c. à café (2 c. à thé) de jus de citron
   frais pressé
Une pincée de sel
Une pincée de poivre noir frais moulu
6 glaçons

1. Dans le mélangeur, à haute vitesse, mélanger tous les ingrédients.

2 PORTIONS

SMOOTHIE AUX LÉGUMES FRAIS

*Voici une boisson plus rafraîchissante, plus consistante et bien meilleure
que le traditionnel jus de légumes en conserve.*

2 tomates pelées
1 betterave moyenne, pelée et cuite ou en
   conserve
250 ml (1 tasse) de jus de tomate ou jus
   de tomates et de myes

125 ml (½ tasse) de jus de carotte
Une pincée de sel
Une pincée de poivre noir frais moulu
6 glaçons
2 branches de céleri

1. Dans le mélangeur, à haute vitesse, mélanger tous les ingrédients, sauf le céleri, environ 3 min. Verser dans

2 grands verres et garnir avec les branches de céleri.

SMOOTHIE VERT

Ce smoothie est riche en minéraux et offre une texture crémeuse grâce à l'avocat.

9 glaçons
1 avocat pelé, dénoyauté et haché
1 petite gousse d'ail écrasée
300 g (2 tasses) de concombre non pelé,
    épépiné et haché
50 g (1 tasse) de feuilles d'épinards bien
    tassées

150 ml (⅔ tasse) d'eau
2 c. à soupe de jus de citron jaune ou vert
    frais pressé
1 c. à soupe d'aneth frais
¼ c. à café (¼ c. à thé) de sel
¼ c. à café (¼ c. à thé) de poivre noir
    frais moulu

1. Dans le mélangeur, à basse vitesse, concasser les glaçons. Ajouter tous les autres ingrédients et réduire en purée à haute vitesse environ 3 min.

YOGOURT FOUETTÉ AU CONCOMBRE

En Asie et au Moyen-Orient, les boissons rafraîchissantes salées ou sucrées à base de yogourt sont fort populaires. Ce yogourt fouetté au concombre est parfait pour les chaudes journées d'été. Ajoutez quelques brins de menthe fraîche dans les verres si vous le souhaitez.

300 g (2 tasses) de concombre non pelé,
    épépiné et haché
250 ml (1 tasse) d'eau pétillante

125 g (½ tasse) de yogourt nature
7 g (¼ tasse) de feuilles de menthe fraîche
6 glaçons

1. Dans le mélangeur, à haute vitesse, mélanger tous les ingrédients.

SMOOTHIE AUX FRUITS ET AUX LÉGUMES

*Cette boisson regorge d'alicaments qui aident à lutter contre le cancer.
De plus, elle est riche en fibres, en oméga-3 et en acides gras qui vous
empêcheront d'avoir fin jusqu'au midi.*

150 g (1 tasse) de bleuets congelés
**175 ml (¾ tasse) de cocktail aux oranges et
aux carottes**
175 ml (¾ tasse) de cocktail aux canneberges
40 g (⅓ tasse) de tofu soyeux

**2 c. à soupe de concentré de jus d'orange
décongelé**
1 c. à soupe de son de blé
1 c. à soupe de graines de lin moulues
1 c. à café (1 c. à thé) de miel

1. Dans le mélangeur, à haute
vitesse, mélanger tous les ingrédients.

SMOOTHIE AUX POMMES

*Voici une boisson festive. Achetez des pommes sucrées et astringentes
pour obtenir de meilleurs résultats.*

2 pommes pelées, évidées et hachées
½ banane
**250 ml (1 tasse) de jus de pomme brut,
non sucré**

**2 c. à café (2 c. à thé) de cassonade foncée
ou de sucre roux**
¼ c. à café (¼ c. à thé) de cannelle moulue
¼ c. à café (¼ c. à thé) de muscade moulue

1. Dans le mélangeur, à haute vitesse,
réduire en purée tous les ingrédients.

SMOOTHIE AUX POMMES ET AUX ABRICOTS

2 PORTIONS

La glace refroidira cette boisson tout en lui donnant la consistance d'une barbotine.

4 abricots frais ou en conserve, égouttés et dénoyautés
1 pomme pelée, évidée et hachée
1 banane
175 g (¾ tasse) de yogourt à la vanille

250 ml (1 tasse) de jus de pomme ordinaire ou brut, non sucré
1 c. à soupe de miel liquide
6 glaçons (facultatif)

1. Dans le mélangeur, à haute vitesse, réduire en purée tous les ingrédients.

SMOOTHIE ROSE AUX PETITS FRUITS

2 PORTIONS

Ce smoothie est une bonne manière d'absorber beaucoup de minéraux même pour ceux qui n'aiment pas manger le matin.

½ banane
250 g (1 tasse) de yogourt à la vanille
175 ml (¾ tasse) de lait

175 ml (¾ tasse) de punch aux fruits ou de cocktail aux petits fruits
75 g (½ tasse) de fraises fraîches ou congelées
1 c. à café (1 c. à thé) de miel liquide

1. Dans le mélangeur, à haute vitesse, réduire en purée tous les ingrédients.

TRUC

Vous pouvez remplacer les fraises par des framboises.

2 PORTIONS

SMOOTHIE AUX BLEUETS

La banane donne une belle onctuosité à cette boisson à faible teneur en matières grasses.

½ banane
150 g (1 tasse) de bleuets frais ou congelés
60 g (¼ tasse) de yogourt maigre à la vanille

175 ml (¾ tasse) de lait écrémé
¼ c. à café (¼ c. à thé) de cannelle moulue
4 glaçons

1. Dans le mélangeur, à haute vitesse, réduire en purée tous les ingrédients.

2 PORTIONS

SMOOTHIE AUX GRIOTTES

*Les griottes, aussi appelées cerises acides, sont remplies de saveurs.
Quand elles ne sont pas de saison, on peut les acheter congelées ou en pots
dans leur jus. Faites-les décongeler avant de les utiliser pour cette recette.
Si vous n'en trouvez pas, mettez davantage de fraises ou de framboises.*

300 g (2 tasses) de fraises ou de framboises
fraîches ou congelées
150 g (1 tasse) de griottes (cerises acides)
125 ml (½ tasse) d'eau

1 c. à soupe de beurre d'amande
2 c. à café (2 c. à thé) de miel liquide
¼ c. à café (¼ c. à thé) d'extrait d'amande

1. Dans le mélangeur, à haute vitesse, réduire en purée tous les ingrédients.

SMOOTHIE AU CITRON VERT ET À LA NOIX DE COCO

Une fontaine de saveurs tropicales!

½ *banane*
150 g (1 tasse) de mangue pelée et hachée
250 ml (1 tasse) de lait
50 ml (¼ tasse) de lait de coco
1 c. à soupe de jus de citron vert frais pressé

2 c. à café (2 c. à thé) de zeste de citron
   vert, râpé finement
1 c. à café (1 c. à thé) comble de cassonade
   ou de sucre roux

1. Dans le mélangeur, à haute vitesse, réduire en purée tous les ingrédients.

TRUC

Pourquoi ne pas remplacer la mangue par de la papaye ou de l'ananas?

SMOOTHIE AU PAMPLEMOUSSE ROSE

Voici une excellente façon d'intégrer des agrumes à son petit-déjeuner.
Cette boisson de belle couleur rose remplace merveilleusement le simple verre
de jus ou le demi-pamplemousse du matin.

1 pamplemousse à peau et à pulpe rouge
1 banane
250 ml (1 tasse) de lait, de yogourt nature
   ou de babeurre

2 c. à soupe de concentré de jus d'orange
   décongelé

1. Bien peler le pamplemousse en retirant la peau blanchâtre qui recouvre la chair. Couper en quartiers et enlever les noyaux.

2. Dans le mélangeur, à haute vitesse, réduire en purée tous les ingrédients environ 3 min.

2 PORTIONS

SMOOTHIE ESTIVAL

Une bonne façon de commencer la journée ou de se rafraîchir quand il fait très chaud.

2 c. à soupe de germe de blé
2 pêches pelées et dénoyautées
500 ml (2 tasses) de babeurre

150 g (1 tasse) de bleuets sauvages ou
   cultivés
2 c. à café (2 c. à thé) de miel liquide

1. Dans une poêle sèche à fond épais bien essuyée et exempte de tout résidu graisseux, griller le germe de blé à feu moyen de 4 à 6 min, en remuant souvent la poêle, jusqu'à ce qu'il dégage un bon arôme.

2. Dans le mélangeur, à haute vitesse, réduire en purée tous les ingrédients.

2 PORTIONS

SMOOTHIE À LA MANGUE ET AU GINGEMBRE

Cette boisson, riche en vitamine A à cause de la mangue et riche en potassium
à cause de la banane, est toute désignée pour bien commencer la journée!

1 mangue pelée et hachée
½ banane
250 ml (1 tasse) de nectar de mangue ou de
   jus d'orange
125 g (½ tasse) de yogourt nature

2 c. à café (2 c. à thé) de sucre granulé ou
   de miel liquide
1 c. à café (1 c. à thé) de gingembre frais,
   râpé finement

1. Dans le mélangeur, à haute vitesse, réduire en purée tous les ingrédients.

SMOOTHIE AU THÉ VERT ET À LA MANGUE

Ce smoothie ressemble à un lait fouetté à la mangue auquel on a ajouté du thé vert.
Vous pouvez prendre n'importe quel thé, mais le vert se marie parfaitement
au goût de la mangue.

3 sachets de thé vert ou 1 c. à soupe en vrac
250 ml (1 tasse) de crème légère (10 %)
2 c. à soupe de sucre granulé
3 jaunes d'œufs

½ c. à café (½ c. à thé) de vanille
2 mangues
125 ml (½ tasse) de lait

1. Dans une petite casserole, à feu moyen, chauffer les sachets de thé, la crème et 1 c. à soupe de sucre environ 3 min, jusqu'à formation de vapeur et de bulles sur les parois.

2. Pendant ce temps, dans un petit bol, fouetter les jaunes d'œufs avec le sucre restant. Verser lentement le thé chaud sur les jaunes d'œufs en fouettant constamment. Transvider dans la casserole et cuire, sans cesser de remuer, environ 5 min, jusqu'à épaississement.

3. Verser dans un bol propre et incorporer la vanille. Mettre une pellicule de plastique directement sur la préparation et laisser refroidir. Conserver dans le réfrigérateur au moins 1 h et jusqu'à 3 jours.

4. Peler, dénoyauter et hacher les mangues. Verser la préparation au thé vert dans le bol du mélangeur, puis ajouter les mangues et le lait. Réduire en purée à haute vitesse.

SMOOTHIE NAPOLITAIN

La poudre de lait écrémé est une façon intelligente d'augmenter la teneur en calcium de ce smoothie qui ressemble à une glace napolitaine grâce aux fraises congelées.

250 ml (1 tasse) de lait au chocolat
150 g (1 tasse) de fraises congelées

250 g (1 tasse) de yogourt à la vanille
3 c. à soupe de poudre de lait écrémé

1. Dans le mélangeur, à haute vitesse, réduire en purée tous les ingrédients.

SMOOTHIE À LA RHUBARBE

Quoi de meilleur que la première rhubarbe du printemps, surtout si vous la cultivez vous-même! Tous les amateurs de rhubarbe vont adorer cette recette bien colorée. Vous pouvez cuire la rhubarbe la veille pour gagner du temps.

400 g (2 tasses) de rhubarbe fraîche
125 ml (½ tasse) d'eau
50 ml (¼ tasse) de miel liquide

1 c. à café (1 c. à thé) de vanille
250 ml (1 tasse) de jus d'orange frais pressé
6 glaçons

1. Dans une casserole moyenne, porter à ébullition la rhubarbe, l'eau et le miel. Couvrir, baisser le feu et laisser mijoter environ 10 min, jusqu'à ce que la rhubarbe soit tendre et complètement défaite. Incorporer la vanille. Laisser refroidir et réserver dans le réfrigérateur jusqu'à ce que le mélange soit complètement froid.

2. Dans le mélangeur, à haute vitesse, réduire en purée tous les ingrédients.

SMOOTHIE AU MAÏS

Si vous n'aimez pas les aliments sucrés pour le petit-déjeuner, voici une boisson qui vous plaira. Elle est bonne à toute heure de la journée!

360 g (2 tasses) de grains de maïs cuit ou décongelé
500 ml (2 tasses) de babeurre

¼ c. à café (¼ c. à thé) de sucre granulé
¼ c. à café (¼ c. à thé) de sel
Une pincée de cayenne (facultatif)

1. Dans le mélangeur, à haute vitesse, réduire en purée tous les ingrédients.

BOISSON FRAPPÉE AUX DEUX MELONS

Le melon amer renforce les fonctions immunitaires de manière remarquable, surtout s'il est cru. Il est particulièrement bon pour le foie. Vous en trouverez dans les épiceries orientales.

420 g (3 tasses) de melon amer, épépiné et haché grossièrement
280 g (2 tasses) de melon d'eau (pastèque) sans pépins, en cubes

Une pincée de sel
6 glaçons

1. Dans le mélangeur, à haute vitesse, réduire en purée tous les ingrédients.

BOISSON FRAPPÉE AU MELON AMER

Voici une boisson amère à la fois énergisante et rafraîchissante.

**420 g (3 tasses) de melon amer, épépiné et
haché grossièrement**

**¼ c. à café (¼ c. à thé) de sel
8 glaçons**

1. Dans le mélangeur, à haute vitesse,
réduire en purée tous les ingrédients.

BOISSON FRAPPÉE AUX GROSEILLES ROUGES

*Servez-la comme goûter ou comme dessert avec des gaufres à la vanille. Pour faire une
boisson moins sucrée, mettez deux fois moins de sucre.*

**250 ml (1 tasse) de babeurre
75 g (½ tasse) de groseilles rouges
    à grappes ou de cassis**

**80 g (½ tasse) de crème glacée à la vanille
4 c. à soupe de sucre ou de miel liquide
Feuilles de menthe fraîche**

1. Dans le mélangeur, à haute
vitesse, réduire en purée tous les ingrédients. Verser dans de grands verres et
garnir de menthe au goût.

BOISSON FRAPPÉE À LA CARAMBOLE

*Ce mélange de fruit rafraîchissant et de sel est idéal pendant l'été, spécialement pour
ceux qui font beaucoup d'exercice et qui ont besoin d'une plus grande quantité de sel.*

**3 caramboles
1 ½ à 2 c. à soupe de sucre granulé ou de
    miel liquide**

**½ c. à café (½ c. à thé) de sel marin
Jus de 2 citrons verts frais pressés
8 glaçons**

1. Bien nettoyer et parer les caramboles. Couper les côtes, évider et épépiner.

2. Dans le mélangeur, à haute vitesse,
réduire en purée tous les ingrédients.

Smoothie au pamplemousse rose, p. 219
Smoothie au thé vert et à la mangue, p. 221

Piña colada bleu, p. 250
Daïquiri glacé aux fraises, p. 252
Martini tutti frutti, p. 267

Sang d'Hamlet, p. 269
Margarita glacée aux pêches, p. 276

«LAIT FRAPPÉ» AU THÉ VERT

Cette boisson condensée à base de lait et de thé vert est souvent servie comme thé aux bulles (bubble tea) auquel on ajoute traditionnellement une grosse portion de tapioca cuit.

2 c. à café (2 c. à thé) de poudre de thé vert
125 ml (½ tasse) d'eau bouillante

3 c. à soupe de lait concentré sucré (ou au goût)
16 glaçons

1. Dans un petit bol, mélanger la poudre de thé vert et l'eau pour obtenir une pâte.

2. Verser dans le bol du mélangeur, ajouter le lait concentré et les glaçons. Mélanger à haute vitesse jusqu'à consistance onctueuse.

BOISSON FOUETTÉE AU SOJA, AUX PÊCHES ET AUX MANGUES

Cette recette plaira à ceux qui ne mangent pas de produits laitiers.

160 g (1 tasse) de pêches fraîches ou
**   congelées, hachées**
125 ml (½ tasse) d'eau

150 g (⅔ tasse) de sorbet à la mangue
60 g (½ tasse) de tofu mou ou soyeux

1. Dans le mélangeur, à haute vitesse, réduire en purée les pêches et

l'eau. Ajouter le sorbet et le tofu et mélanger jusqu'à consistance onctueuse.

LAIT DE RIZ FOUETTÉ AUX BANANES ET AUX PETITS FRUITS

Pendant l'été, utilisez des petits fruits frais et ajoutez 3 glaçons.
Enlevez les graines si vous n'aimez pas la texture.

2 bananes
500 ml (2 tasses) de lait de riz à la vanille

300 g (2 tasses) de petits fruits mélangés,
frais ou congelés

1. Dans le mélangeur, à haute vitesse, réduire en purée tous les ingrédients jusqu'à consistance onctueuse.

LAIT DE RIZ FOUETTÉ AUX BANANES MALTÉES

VARIANTE

Lait de riz fouetté aux bananes maltées et au chocolat : *Remplacer le lait de riz à la vanille par du lait de riz au chocolat.*

Le mélange de banane, de glace et de lait de riz donne à cette boisson la consistance d'un lait fouetté contenant toutefois beaucoup moins de matières grasses.

1 banane
250 ml (1 tasse) de lait de riz à la vanille

2 c. à soupe de poudre de malt
3 glaçons

1. Dans le mélangeur, à haute vitesse, mélanger la banane, la moitié du lait de riz et la poudre de malt jusqu'à consistance parfaitement lisse et onc-

tueuse. Ajouter le lait de riz restant et les glaçons. Mélanger jusqu'à consistance crémeuse.

LAIT DE RIZ FOUETTÉ AU CANTALOUP

Mélangez d'abord les fruits afin que la consistance soit lisse et crémeuse.

210 g (1 ½ tasse) de cantaloup très mûr, haché
3 c. à soupe de concentré de jus d'orange

125 ml (½ tasse) de lait de riz nature ou à la vanille
6 glaçons

1. Dans le mélangeur, à haute vitesse, mélanger le cantaloup et le concentré de jus d'orange jusqu'à consistance parfaitement lisse. Ajouter le lait de riz et les glaçons. Mélanger jusqu'à consistance crémeuse.

2 PORTIONS

VARIANTE

Lait de riz fouetté au melon miel Honeydew : Remplacer le cantaloup par du melon miel Honeydew et le concentré de jus d'orange par du concentré de jus de pomme.

LAIT FOUETTÉ VIETNAMIEN

Le mélange d'avocat et de lait concentré sucré donne une boisson ultracrémeuse.

9 glaçons
½ grosse mangue pelée, dénoyautée et hachée
½ avocat pelé, dénoyauté et haché

50 ml (¼ tasse) d'eau
2 c. à soupe de lait concentré sucré
Sucre granulé (facultatif)

1. Dans le mélangeur, à basse vitesse, hacher les glaçons. Ajouter tous les autres ingrédients, sauf le sucre, et réduire en purée à haute vitesse. Verser dans de grands verres et incorporer le sucre.

2 PORTIONS

VARIANTE

Remplacer l'avocat avec la moitié d'une petite papaye ou 90 g (¾ tasse) de papaye en conserve égouttée.

2 PORTIONS

BARBOTINE CRÉMEUSE AU CAFÉ

Cette boisson sera encore meilleure si votre café est très fort.

375 ml (1 ½ tasse) de café chaud, très fort
60 g (¼ tasse) de sucre granulé

75 ml (⅓ tasse) de crème à fouetter (35 %)
75 ml (⅓ tasse) d'eau froide

1. Dans une tasse graduée avec bec verseur, mélanger le café et le sucre jusqu'à dissolution complète. Verser dans un plateau à glaçons et congeler environ 4 h, jusqu'à ce que les cubes soient fermes.

2. Mettre les cubes dans le bol du mélangeur, puis ajouter la crème et l'eau. Réduire en purée à haute vitesse jusqu'à consistance très épaisse.

2 PORTIONS

BARBOTINE AUX CAROTTES ET AUX ANANAS

Sucré ou salé ? À vous de décider…

120 g (1 tasse) de carottes pelées et râpées
100 g (1 tasse) d'ananas broyés avec leur jus

250 ml (1 tasse) d'eau
6 glaçons

1. Dans le mélangeur, à haute vitesse, mélanger tous les ingrédients jusqu'à consistance onctueuse et bourbeuse. Verser dans de grands verres et conserver dans le réfrigérateur jusqu'au moment de servir.

BARBOTINE AU THÉ INDIEN

*Les feuilles de thé noir de qualité donnent de meilleurs résultats.
Essayez le darjeeling ou l'orange pekoe.*

2 oranges
500 ml (2 tasses) d'eau
6 anis étoilés ou 1 c. à café (1 c. à thé) de
    graines d'anis
6 gousses de cardamome écrasées

2 c. à soupe de feuilles de thé noir
3 c. à soupe de lait concentré sucré
    (ou au goût)
1 c. à café (1 c. à thé) de vanille
6 glaçons

1. Zester les oranges à l'aide d'un zesteur ou d'un couteau économe en évitant de prendre la peau blanche qui recouvre la chair. Réserver la chair pour un autre usage.

2. Dans une petite casserole, porter à ébullition l'eau, le zeste, l'anis et la cardamome. Ajouter le thé. Retirer du feu, couvrir et laisser infuser environ 20 min, jusqu'à ce que le liquide soit à température ambiante.

3. Passer au tamis. Ajouter le lait concentré, la vanille et la glace. Dans le mélangeur, à haute vitesse, mélanger jusqu'à consistance onctueuse et bourbeuse. Verser dans de grands verres.

2 PORTIONS

VARIANTE

Remplacer le lait concentré sucré par 6 c. à soupe de crème légère (10 %) et 2 c. à soupe de sucre granulé.

BOISSON GIVRÉE AU CITRON VERT

Un délice rafraîchissant qui plaira à tous.

9 glaçons
1 banane
250 g (1 tasse) de yogourt à la vanille
3 c. à soupe de sucre granulé

2 c. à soupe de jus de citron vert frais pressé
2 c. à café (2 c. à thé) de zeste de citron
    vert, finement râpé
2 fines tranches de citron vert

1. Dans le mélangeur, à basse vitesse, hacher les glaçons. Ajouter tous les autres ingrédients, sauf les tranches de citron vert, et réduire en purée à haute vitesse. Verser dans de grands verres et déposer une tranche de citron vert dans chacun.

2 PORTIONS

2 PORTIONS

SMOOTHIE AUX BLEUETS ET AUX RAISINS

Cette boisson pétille sur la langue.

225 g (1 ½ tasse) de bleuets frais ou congelés
250 ml (1 tasse) de soda au raisin

125 g (½ tasse) de yogourt à la vanille
250 ml (1 tasse) d'eau pétillante

1. Dans le mélangeur, à haute vitesse, réduire en purée les bleuets, le soda au raisin et le yogourt. Incorporer l'eau pétillante et bien mélanger.

2 PORTIONS

SMOOTHIE AUX NECTARINES

Il suffit de quelques petits fruits pour ajouter une touche de rouge irrésistible à ce smoothie de rêve.

2 nectarines ou pêches pelées, dénoyautées
et hachées
½ banane très mûre

250 ml (1 tasse) de lait
75 g (½ tasse) de fraises fraîches ou congelées
3 c. à soupe de lait concentré sucré

1. Dans le mélangeur, à haute vitesse, réduire en purée tous les ingrédients.

LIMONADE AUX BLEUETS

*Cette boisson plaira particulièrement aux enfants à cause de sa couleur
et de son goût de bleuets.*

60 g (¼ tasse) de sucre granulé
50 ml (¼ tasse) d'eau
1 ruban de zeste de citron de 2,5 cm (1 po)
75 g (½ tasse) de bleuets frais ou congelés

50 ml (¼ tasse) de jus de citron frais pressé
**375 ml (1 ½ tasse) d'eau glacée ou d'eau
     pétillante glacée**

1. Dans une petite casserole, porter à ébullition le sucre, l'eau et le zeste. Baisser le feu et laisser mijoter doucement à découvert pendant 3 min. Retirer le zeste.

2. Verser dans le bol du mélangeur, puis ajouter les bleuets et le jus de citron. Réduire en purée à haute vitesse.

3. Passer au tamis au-dessus d'un grand pichet. Couvrir et réfrigérer jusqu'à ce que la limonade soit complètement refroidie. Pour servir, mélanger la limonade avec l'eau glacée et verser dans de grands verres.

FLOTTEUR CRÉMEUX À L'ORANGE

Irrésistible pendant l'été !

**150 g (1 tasse) de quartiers de mandarines
     fraîches ou en conserve, égouttés**
**250 ml (1 tasse) de jus d'orange
     frais pressé**

4 c. à café (4 c. à thé) de miel liquide
1 c. à café (1 c. à thé) de vanille
500 ml (2 tasses) d'eau pétillante
160 g (1 tasse) de crème glacée à la vanille

1. Dans le mélangeur, à haute vitesse, réduire en purée les mandarines, le jus d'orange, le miel et la vanille.

Verser l'eau pétillante et bien mélanger. Verser dans de grands verres et ajouter la crème glacée.

2 PORTIONS

FLOTTEUR-SODA AUX FRAISES

Pour obtenir une véritable saveur de soda, remplacez l'eau pétillante par du cola et omettez le sucre.

200 g (1 ⅓ tasse) de fraises fraîches ou congelées
2 c. à soupe de sucre granulé

1 c. à café (1 c. à thé) de vanille
500 ml (2 tasses) d'eau pétillante
160 g (1 tasse) de crème glacée aux fraises

1. Dans le mélangeur, à haute vitesse, réduire en purée les fraises, le sucre et la vanille. Verser l'eau pétillante et bien mélanger. Verser dans de grands verres et ajouter la crème glacée.

2 PORTIONS

LASSI SUCRÉ

Cette boisson au yogourt vient de l'Inde où elle apaise les papilles lors des repas bien épicés. L'eau de rose est facile à trouver dans les épiceries du Moyen-Orient et de l'Inde ainsi que dans les magasins d'aliments naturels.

250 g (1 tasse) de yogourt nature
125 ml (½ tasse) d'eau
4 c. à café (4 c. à thé) de sucre granulé
½ c. à café (½ c. à thé) d'eau de rose
Une grosse pincée de muscade moulue

Une pincée de cayenne
4 glaçons
2 c. à café (2 c. à thé) de pistaches hachées finement (facultatif)

1. Dans le mélangeur, à haute vitesse, mélanger le yogourt, l'eau, le sucre, l'eau de rose, la muscade, le cayenne et les glaçons jusqu'à consistance onctueuse. Verser dans de grands verres et ajouter les pistaches.

LASSI SALÉ

Une boisson pour se rafraîchir à coup sûr quand il fait chaud.
Ajustez la quantité de sel à votre goût.

TRUC

Si vous n'avez pas de graines de cumin, ajoutez simplement ¼ c. à café (¼ c. à thé) de cumin moulu dans le bol du mélangeur.

Environ 1 c. à café (1 c. à thé) de graines de cumin
250 g (1 tasse) de yogourt nature
125 ml (½ tasse) d'eau

2 c. à café (2 c. à thé) de jus de citron frais pressé
½ c. à café (½ c. à thé) de sel (ou au goût)
4 glaçons

1. Dans une poêle sèche à fond épais bien essuyée et exempte de tout résidu graisseux, griller les graines de cumin à feu doux de 2 à 3 min, en remuant souvent la poêle, jusqu'à ce qu'elles noircissent légèrement en dégageant un bon arôme. Laisser refroidir et broyer dans un mortier ou un moulin à épices.

2. Dans le mélangeur, à haute vitesse, mélanger tous les ingrédients jusqu'à consistance onctueuse. Verser dans des verres refroidis et saupoudrer de cumin moulu au goût.

LASSI AUX TOMATES

Excellent pour ouvrir un repas ou accompagner des plats au cari.

250 g (1 tasse) de yogourt nature
250 ml (1 tasse) de jus de tomate
125 ml (½ tasse) d'eau

½ c. à café (½ c. à thé) de sel de céleri
¼ c. à café (¼ c. à thé) de cayenne
4 glaçons

1. Dans le mélangeur, à haute vitesse, mélanger tous les ingrédients jusqu'à consistance onctueuse. Verser dans des verres refroidis.

LASSI À LA MANGUE

Le yogourt sans gras nous permet de nous régaler sans la moindre culpabilité. Un bon rafraîchissement à déguster au cours de l'après-midi ou avec un repas indien.

250 g (1 tasse) de yogourt nature sans gras
150 g (1 tasse) de mangue fraîche, pelée et coupée en cubes, ou de pulpe en conserve
8 gousses de cardamome (graines seulement)
125 ml (½ tasse) d'eau

2 c. à soupe de sucre granulé
½ c. à café (½ c. à thé) d'eau de rose
4 glaçons
2 c. à café (2 c. à thé) de pistaches hachées finement (facultatif)

    1. Dans le mélangeur, à haute vitesse, réduire en purée le yogourt et la mangue. Ajouter les graines de cardamome, l'eau, le sucre, l'eau de rose et la glace. Bien mélanger. Verser dans de grands verres et garnir de pistaches au goût.

LASSI AU SAFRAN ET AUX PISTACHES

Le safran donne une couleur et un arôme exquis à ce lassi très spécial.

¼ c. à café (¼ c. à thé) de filaments de safran
2 c. à soupe d'eau chaude
8 gousses de cardamome (graines seulement)

Environ 3 c. à soupe de pistaches
2 c. à soupe de sucre granulé
500 ml (2 tasses) de lait
4 glaçons

    1. Dans un petit bol, faire tremper le safran 10 min dans l'eau chaude.
    2. Dans le mélangeur, à haute vitesse, réduire en purée les graines de cardamome, les pistaches et le sucre. Ajouter le lait, la glace et le safran avec l'eau. Mélanger jusqu'à consistance onctueuse. Verser dans de grands verres et garnir de pistaches hachées additionnelles au goût.

BOISSON AUX CAROTTES À LA MAROCAINE

Une boisson pour l'été ou pour accompagner un repas marocain.

120 g (1 tasse) de carottes pelées et râpées
250 ml (1 tasse) de jus d'orange frais pressé
50 ml (¼ tasse) d'eau

2 c. à soupe de jus de citron frais pressé
4 c. à café (4 c. à thé) de sucre granulé

1. Dans le mélangeur, à haute vitesse, réduire en purée tous les ingrédients. Verser dans de grands verres remplis de glaçons.

BOISSON AUX CAROTTES ET AUX POMMES

Le mariage de carotte, de pomme et de céleri fait de cette recette l'une des préférées des amateurs de jus frais.

120 g (1 tasse) de carottes pelées et râpées
120 g (1 tasse) de céleri haché

250 ml (1 tasse) de jus de pomme non sucré
250 ml (1 tasse) d'eau

1. Dans le mélangeur, à haute vitesse, réduire en purée tous les ingrédients. Verser dans un tamis et servir dans de grands verres remplis de glaçons.

2 PORTIONS

PUNCH AUX CAROTTES

Une boisson antillaise que vous apprécierez avec ou sans rhum.

960 g (8 tasses) de carottes pelées et râpées
1 litre (4 tasses) d'eau

150 ml (⅔ tasse) de lait concentré sucré
¼ c. à café (¼ c. à thé) de muscade moulue
2 c. à soupe de rhum (ou au goût) (facultatif)

1. Dans le mélangeur, à basse vitesse, mélanger les carottes avec 375 ml (1½ tasse) d'eau jusqu'à ce qu'elles soient hachées très finement. Presser les carottes dans une passoire ou une étamine afin d'en extraire 250 ml (1 tasse) de jus.

2. Dans le mélangeur, à haute vitesse, mélanger jusqu'à consistance onctueuse le jus de carotte recueilli, l'eau restante, le lait concentré sucré, la muscade et le rhum. Verser dans de grands verres remplis de glaçons.

2 PORTIONS

VARIANTE

Punch aux arachides et aux bananes : Ajouter 1 banane très mûre.

PUNCH AUX ARACHIDES

Cette boisson a un goût de lait fouetté au beurre d'arachide.
Un autre délice antillais qu'il faut essayer absolument…

250 ml (1 tasse) de lait concentré
250 ml (1 tasse) d'eau
60 g (¼ tasse) de beurre d'arachide

3 c. à soupe de lait concentré sucré (ou au goût)
¼ c. à café (¼ c. à thé) de muscade moulue
½ c. à café (½ c. à thé) de vanille

1. Dans le mélangeur, à haute vitesse, bien mélanger tous les ingré-

dients. Verser dans de grands verres remplis de glaçons.

BOISSON AUX ŒUFS ET AU PORTO

Cette vieille recette victorienne a été créée pour redonner de l'énergie aux personnes faibles et invalides. À ne pas confondre avec un cocktail.

**2 œufs ou 125 ml (½ tasse) de substitut d'œuf entier liquide pasteurisé
375 ml (1 ½ tasse) de lait**

2 à 4 c. à soupe de xérès ou de porto blanc ou rouge

1. Dans le mélangeur, à haute vitesse, bien mélanger tous les ingrédients jusqu'à consistance lisse et givrée.

Cette recette contient des œufs crus. Si vous êtes préoccupé par des questions sanitaires relatives à l'utilisation d'œufs crus dans la cuisine, utilisez plutôt du substitut d'œuf entier liquide pasteurisé.

LAIT DE RIZ À LA VANILLE

Le lait de riz ne contient pas autant de protéines que le lait ordinaire ou le lait de soja, ce qui en fait un ingrédient privilégié pour confectionner des boissons fouettées à faible teneur en matières grasses. Sa consistance est légère et son goût est très agréable.

**440 g (2 tasses) de riz brun, cuit
750 ml (3 tasses) d'eau chaude**

**2 c. à soupe de sirop d'érable pur
2 c. à café (2 c. à thé) de vanille**

1. Dans le mélangeur, mélanger le riz avec 500 ml (2 tasses) d'eau chaude. Laisser reposer 30 min pour l'attendrir. Ajouter l'eau chaude restante et mélanger à haute vitesse jusqu'à consistance onctueuse. Verser dans une passoire à mailles fines. Transvider dans le bol du mélangeur avec le sirop d'érable et la vanille. Mélanger à haute vitesse jusqu'à consistance lisse et crémeuse.

VARIANTE

Lait de riz maison : *Ne mettez pas de vanille dans la recette.*

2 PORTIONS

LAIT DE RIZ AU CHOCOLAT

440 g (2 tasses) de riz brun, cuit
750 ml (3 tasses) d'eau chaude
2 c. à soupe d'eau bouillante

4 c. à café (4 c. à thé) de cacao en poudre
   non sucré
50 ml (¼ tasse) de sirop d'érable pur
2 c. à café (2 c. à thé) de vanille

1. Dans le mélangeur, mélanger le riz avec 500 ml (2 tasses) d'eau chaude. Laisser reposer 30 min pour l'attendrir. Ajouter l'eau chaude restante et mélanger à haute vitesse jusqu'à consistance onctueuse. Verser dans une passoire à mailles fines. Transvider dans le bol du mélangeur.

2. Dans un petit bol, mélanger l'eau bouillante et le cacao pour faire une pâte. Verser dans le mélangeur avec le sirop d'érable et la vanille. Mélanger à haute vitesse jusqu'à consistance lisse et crémeuse.

2 PORTIONS

LAIT DE SOJA

VARIANTES

Lait de soja à la vanille: *Ajouter 2 c. à café (2 c. à thé) de vanille.*

Lait de soja au chocolat: *Mélanger 4 c. à café (4 c. à thé) de cacao en poudre non sucré avec 2 c. à soupe d'eau bouillante et ajoutez-les aux autres ingrédients. Augmenter la quantité de sirop à 50 ml (¼ tasse).*

On peut acheter du lait de soja dans la plupart des supermarchés, mais il est tellement facile d'en faire chez soi. Le tofu soyeux est le meilleur choix puisque le tofu plus dur est difficile à réduire en purée lisse. Ajoutez plus ou moins d'eau selon la consistance désirée.

250 g (8 oz) de tofu soyeux ou mou
250 ml (1 tasse) d'eau (ou au goût)

4 c. à café (4 c. à thé) de sirop d'érable pur
   ou de sirop de maïs léger (facultatif)

1. Dans le mélangeur, à haute vitesse, réduire en purée tous les ingrédients.

BOISSON AU SOJA POUR LE PETIT-DÉJEUNER

Une façon simple et joyeuse de bien commencer la journée. Le punch congelé est un atout important pour cette recette. Selon moi, le meilleur est celui à l'ananas et à l'orange.

1 banane
250 ml (1 tasse) de fraises fraîches ou
   congelées
250 ml (1 tasse) de lait de soja nature ou à
   la vanille

3 c. à soupe de punch concentré congelé à
   l'ananas et à l'orange
8 glaçons

1. Dans le mélangeur, à haute vitesse, mélanger tous les ingrédients jusqu'à consistance lisse et crémeuse.

LAIT DE SOJA AUX BANANES

Une excellente suggestion pour remplacer le deuxième café du matin. Utilisez de préférence des bananes très mûres mais pas trop molles.

1 banane
250 ml (1 tasse) de lait de soja nature ou à
   la vanille
150 ml (⅔ tasse) de café très fort, refroidi

6 glaçons
¼ c. à café (¼ c. à thé) de cacao en poudre
   non sucré

1. Dans le mélangeur, à haute vitesse, réduire tous les ingrédients en purée. Verser dans les verres et saupoudrer de cacao.

TRUC

Utilisez du café très fort ou mélangez 2 c. à café (2 c. à thé) de café instantané et 75 ml (⅓ tasse) d'eau bouillante. Laissez refroidir à température ambiante avant d'utiliser.

2 PORTIONS

2 PORTIONS

THÉ À L'INDIENNE

150 ml (⅔ tasse) de lait ou de lait de soja
150 ml (⅔ tasse) d'eau
Environ 2 c. à soupe de sucre granulé

2 c. à soupe de mélange de thé à l'indienne
ou 1 sachet de chai

1. Dans une petite casserole, mélanger le lait, l'eau et le sucre. Ajouter le thé et laisser mijoter. Retirer du feu et laisser infuser 5 min. Porter à ébullition à peine quelques secondes, retirer du feu et laisser infuser 1 min.

2. Passer dans un tamis et battre au mélangeur jusqu'à consistance mousseuse.

CAPPUCCINO DU DIMANCHE MATIN

Pas besoin d'avoir une machine à espresso dernier cri pour préparer ce cappuccino savoureux. Faites du café deux fois plus fort qu'à l'ordinaire (grains de café espresso ou à la française) et passez-le au mélangeur avec du lait chaud.

325 ml (1 ⅓ tasse) de lait ou de lait de soja
150 ml (⅔ tasse) de café fort, chaud

Une grosse pincée de cannelle moulue ou de cacao en poudre non sucré (facultatif)

1. Dans une petite casserole, porter le lait à ébullition. Retirer du feu et laisser reposer 1 min.

2. Verser dans le bol du mélangeur et battre jusqu'à ce qu'il soit mousseux.

3. Verser le café dans de grandes tasses réchauffées. À l'aide d'une cuillère, déposer le lait mousseux sur le

dessus. Saupoudrer de cannelle ou de cacao.

VARIANTES

Café latte : Verser le café dans de grands bols ou de grosses tasses. Verser le lait. Saupoudrer de cannelle ou de cacao au goût.

Café moka : Mélanger 2 c. à soupe de sirop de chocolat avec le lait chaud. Terminer la recette comme pour le cappuccino.

CAFÉ FRAPPÉ

*Il est moins coûteux de boire un café glacé chez soi qu'au restaurant.
Ajouter 1 c. à soupe de sirop aromatisé (amande, orange, menthe, etc.) pour rehausser
le goût de cette boisson.*

VARIANTE

Café moka : *Remplacer la crème par du lait au chocolat et réduire la quantité de sucre au goût.*

325 ml (1 ⅓ tasse) de café très fort, refroidi
125 ml (½ tasse) de crème 10 % ou de lait

2 c. à soupe de sucre granulé

1. Verser le café refroidi dans un séparateur à glaçons et congeler environ 4 h, jusqu'à ce qu'il soit bien ferme.

2. Au mélangeur, à haute vitesse, mélanger les cubes de café, la crème et le sucre jusqu'à consistance bourbeuse. Verser dans des verres refroidis.

CAFÉ GLACÉ À LA VIETNAMIENNE

*Voici le meilleur café glacé au monde ! Utilisez de préférence du café à la française
ou contenant un peu de chicorée.*

375 ml (1 ½ tasse) de café très fort, refroidi
2 c. à soupe de lait condensé sucré

8 glaçons

1. Dans le mélangeur, à haute vitesse, mélanger tous les ingrédients jusqu'à consistance onctueuse et

bourbeuse. Verser dans des verres refroidis.

2 PORTIONS

CHOCOLAT CHAUD À LA MEXICAINE

*Les tablettes de chocolat mexicaines sont vendues sous forme de rondelles que l'on brise
et que l'on mélange avec du lait chaud pour obtenir une boisson crémeuse.
La méthode que nous vous proposons ici donne les mêmes résultats.*

500 ml (2 tasses) de lait
60 g (2 oz) de chocolat mi-sucré, haché
4 c. à café (4 c. à thé) de sucre granulé

½ c. à café (½ c. à thé) de vanille
¼ c. à café (¼ c. à thé) de cannelle moulue
1 goutte d'extrait d'amande (facultatif)

1. Dans une petite casserole, mélanger tous les ingrédients. Laisser mijoter à feu moyen-doux de 1 à 2 min, jusqu'à ce que le chocolat soit fondu.

2. Passer au mélangeur à haute vitesse jusqu'à consistance mousseuse et bourbeuse.

TRUC

Vous pouvez multiplier facilement cette recette, mais ne mélangez que 175 ml (¾ tasse) de lait chaud à la fois puisqu'il faut laisser au lait suffisamment d'espace pour qu'il mousse comme il faut. Mettez un linge sur le couvercle pour éviter les éclaboussures.

COCKTAILS

On mesure habituellement l'alcool en onces. Le verre à liqueur vaut 2 oz et on trouve généralement une marque indiquant 1 oz et 1 ½ oz. Il faut savoir que 1 oz vaut 2 c. à soupe ou 25 ml et que 2 oz valent ¼ tasse ou 50 ml. Rincez toujours votre verre à liqueur et le bol du mélangeur si vous préparez successivement différents cocktails.

Les mélangeurs ont toujours figuré parmi les ustensiles indispensables et les nouveaux modèles sont suffisamment puissants pour broyer de la glace, ce qui nous permet de préparer de délicieux cocktails en un clin d'œil. Les cocktails traditionnels tels que les martinis et les manhattans n'ont pas une belle consistance lorsqu'ils sont préparés à l'aide du mélangeur. Utilisez principalement votre appareil pour réduire des fruits en purée ou pour ramollir de la crème glacée. Les concentrés de fruits congelés sont un excellent choix parce qu'ils ne diluent pas le cocktail lorsqu'on les mélange avec de la glace. Prenez aussi plaisir à essayer des fruits de saison. Rassemblez vos amis lors d'un barbecue ou d'une soirée et épatez-les avec vos boissons fabuleuses. Faites preuve d'audace et vous réussirez peut-être à inventer une boisson qu'on qualifiera de pur délice…

SIROP SIMPLE

500 ML (2 TASSES)

Ce sirop est utilisé dans quelques-unes des recettes de ce chapitre.

240 g (1 tasse) de sucre granulé

250 ml (1 tasse) d'eau

1. Dans une petite casserole, porter le sucre et l'eau à ébullition. Laisser bouillir jusqu'à dissolution du sucre. Laisser refroidir.

2. *Préparation à l'avance:* Verser le sirop dans un bocal ou un contenant à fermeture hermétique. Sceller et conserver jusqu'à 1 semaine à température ambiante.

PUNCH GUINNESS

Ce fameux cocktail jamaïquain met en vedette le lait concentré sucré et la bière amère.
Son goût est un peu semblable à un lait fouetté au thé indien.

50 ml (¼ tasse) de lait concentré sucré
Une pincée de muscade moulue
Une pincée de cannelle moulue

Une pincée de cacao en poudre non sucré
(facultatif)
250 ml (1 tasse) de stout (ex.: Guinness)

1. Dans le mélangeur, à haute vitesse, bien mélanger tous les ingrédients jusqu'à consistance onctueuse. Verser dans un verre refroidi.

PUNCH CUBAIN

½ c. à café (½ c. à thé) de zeste d'orange
frais râpé
250 ml (1 tasse) de jus d'orange frais pressé
75 g (½ tasse) de fraises congelées

50 g (½ tasse) d'ananas en cubes
50 ml (2 oz) de rhum ambré ou à la noix
de coco
1 glaçon

1. Dans le mélangeur, à haute vitesse, bien mélanger tous les ingrédients jusqu'à consistance onctueuse. Verser dans un grand verre à punch.

SHARK ATTACK

50 ml (¼ tasse) de concentré de jus
d'orange
4 c. à café (4 c. à thé) de jus de citron vert
frais pressé

50 ml (2 oz) de rhum ambré
15 ml (½ oz) de liqueur d'orange
4 glaçons
1 c. à soupe de grenadine

1. Dans le mélangeur, à haute vitesse, bien mélanger tous les ingrédients, sauf la grenadine. Verser dans un verre à gin et ajouter la grenadine.

TAIWAN PAPAYA SHAKE

À Taiwan, on trouve des boissons non alcoolisées à base de papaye. Laissez-vous tenter!

120 g (1 tasse) de papaye pelée, épépinée et coupée en cubes
3 c. à soupe de lait concentré sucré
50 ml (2 oz) de rhum ambré ou blanc

1 c. à café (1 c. à thé) de jus de citron vert frais pressé
3 glaçons

1. Dans le mélangeur, à haute vitesse, bien mélanger tous les ingrédients jusqu'à consistance onctueuse. Verser dans un grand verre.

PANACHÉ AUX CANNEBERGES

50 ml (¼ tasse) de concentré de cocktail aux canneberges congelé
50 ml (2 oz) de rhum blanc
25 ml (1 oz) de liqueur d'orange

6 glaçons
50 ml (¼ tasse) de soda tonique
1 quartier de citron vert

1. Dans le mélangeur, à haute vitesse, bien mélanger tous les ingrédients, sauf le soda tonique et le citron vert, jusqu'à consistance onctueuse. Verser dans un verre à gin et ajouter le soda tonique. Garnir avec le quartier de citron vert.

TOMAHAWK

2 c. à soupe de concentré de cocktail aux canneberges congelé
2 c. à soupe de concentré de jus d'ananas congelé

50 ml (2 oz) de rhum ambré ou blanc
15 ml (½ oz) de liqueur d'orange
6 glaçons
1 quartier de citron vert

1. Dans le mélangeur, à haute vitesse, bien mélanger tous les ingrédients, sauf le citron vert, jusqu'à consistance onctueuse. Verser dans un verre à whisky et garnir avec le quartier de citron vert.

BANANARAMA

½ banane
2 c. à soupe de jus de citron vert
    frais pressé

1 ½ c. à café (1 ½ c. à thé) de sucre glace
50 ml (2 oz) de rhum ambré ou blanc
3 glaçons

1. Dans le mélangeur, à haute vitesse, bien mélanger tous les ingrédients jusqu'à consistance onctueuse. Verser dans un verre à gin.

BEE'S BANANARAMA

½ banane
1 c. à soupe de miel liquide
2 c. à café (2 c. à thé) de jus de citron
    frais pressé

25 ml (1 oz) de rhum ambré ou blanc
25 ml (1 oz) d'eau-de-vie
3 glaçons
Une pincée de cannelle moulue

1. Dans le mélangeur, à haute vitesse, bien mélanger tous les ingrédients, sauf la cannelle, jusqu'à consistance onctueuse. Verser dans un verre à gin et saupoudrer de cannelle.

JAMAICAN DIRTY BANANA

½ banane
50 ml (¼ tasse) de crème 18 %
40 ml (1 ½ oz) de rhum ambré ou grand
    arôme de la Jamaïque

25 ml (1 oz) de liqueur de café (ex.: Kahlua)
25 ml (1 oz) de crème de banane
3 glaçons

1. Dans le mélangeur, à haute vitesse, bien mélanger tous les ingrédients jusqu'à consistance onctueuse. Verser dans un verre à gin.

TIGER STRIPES

2 c. à soupe de sirop de chocolat
½ banane
250 ml (1 tasse) de lait

40 ml (1 ½ oz) de rhum ambré
5 glaçons

1. Verser le sirop de chocolat dans un verre à gin refroidi en faisant tourner le verre pour dessiner une spirale.

2. Dans le mélangeur, à haute vitesse, bien mélanger tous les ingrédients jusqu'à consistance onctueuse. Verser dans le verre.

PUNCH AU RHUM ET À LA NOIX DE COCO

125 ml (½ tasse) de lait de coco
2 c. à café (2 c. à thé) de sucre de palmier
   ou de cassonade pâle

1 c. à café (1 c. à thé) de jus de citron vert
   frais pressé
50 ml (2 oz) de rhum ambré
2 glaçons

1. Dans le mélangeur, à haute vitesse, bien mélanger tous les ingrédients jusqu'à consistance onctueuse.

Verser dans un grand verre à punch ou une noix de coco.

MULTO-BUKO NOUVEAU GENRE

Pour faire un véritable multo-buko, remplacez la noix de coco par 160 g (1 tasse) de noix de coco fraîche, incluant sa chair gélatineuse.

125 ml (½ tasse) de lait de coco
1 c. à soupe de jus de citron vert frais pressé
1 c. à soupe de sirop simple (p. 245)

50 ml (2 oz) de rhum ambré
6 glaçons
1 tranche de citron vert

1. Dans le mélangeur, à haute vitesse, bien mélanger tous les ingrédients, sauf la tranche de citron vert, jusqu'à consistance

onctueuse. Verser dans un grand verre à gin ou une noix de coco. Garnir avec la tranche de citron vert.

1 PORTION

PIÑA COLADA

*La crème de coco est déjà très sucrée. Si vous utilisez du lait de coco, prélevez 50 ml
(¼ tasse) de liquide sur le dessus du liquide (la crème de coco) et ajouter 1 c. à soupe
de sirop simple (p. 245).*

50 g (1 tasse) d'ananas en cubes
2 c. à soupe de crème de coco
40 ml (1 ½ oz) de rhum ambré ou blanc

3 glaçons
1 quartier de citron vert

1. Dans le mélangeur, à haute vitesse, bien mélanger tous les ingrédients, sauf le quartier de citron vert, jusqu'à consistance onctueuse. Verser dans un verre à gin et garnir avec le quartier de citron vert.

1 PORTION

TRINIDAD PIÑA COLADA

50 g (1 tasse) d'ananas en cubes
2 c. à soupe de crème de coco
Une pincée de sel

40 ml (1 ½ oz) de rhum ambré ou blanc
4 traits d'angustura
3 glaçons

1. Dans le mélangeur, à haute vitesse, bien mélanger tous les ingrédients jusqu'à consistance onctueuse. Verser dans un verre à gin.

1 PORTION

PIÑA COLADA BLEU

50 g (1 tasse) d'ananas en cubes
2 c. à soupe de crème de coco
2 c. à café (2 c. à thé) de jus de citron vert
*   frais pressé*

40 ml (1 ½ oz) de rhum ambré ou blanc
25 ml (1 oz) de curaçao bleu
3 glaçons

1. Dans le mélangeur, à haute vitesse, bien mélanger tous les ingrédients jusqu'à consistance onctueuse. Verser dans un verre à gin.

COLADA AUX FRAISES

1 PORTION

12 fraises fraîches ou congelées
2 c. à soupe de crème de coco
2 c. à soupe de crème glacée à la vanille

50 ml (2 oz) de rhum ambré ou blanc
3 glaçons
1 quartier de citron vert ou jaune (facultatif)

1. Dans le mélangeur, à haute vitesse, bien mélanger tous les ingrédients, sauf le quartier de citron, jusqu'à consistance onctueuse. Verser dans un verre à gin et garnir avec le quartier de citron.

PIÑA ROSÉ

1 PORTION

250 ml (1 tasse) de jus d'ananas non sucré
3 c. à soupe de crème de coco
2 c. à soupe de sirop de fraise

40 ml (1 ½ oz) de rhum ambré
3 glaçons
1 fraise entière (facultatif)

1. Dans le mélangeur, à haute vitesse, bien mélanger tous les ingrédients, sauf la fraise, jusqu'à consistance onctueuse. Verser dans un verre à gin et garnir avec la fraise.

PIÑA PILIPINO

1 PORTION

50 g (½ tasse) d'ananas en cubes
2 c. à café (2 c. à thé) de sirop de canne ou de sirop simple (p. 245)

2 c. à café (2 c. à thé) de jus de citron vert frais pressé
50 ml (2 oz) de rhum ambré
4 glaçons

1. Dans le mélangeur, à haute vitesse, bien mélanger tous les ingrédients jusqu'à consistance onctueuse. Verser dans un verre à gin.

DAÏQUIRI GLACÉ

1 PORTION

2 glaçons
2 c. à soupe de jus de citron vert
    frais pressé

1 c. à café (1 c. à thé) de sucre glace
50 ml (2 oz) de rhum blanc

1. Broyer la glace dans le mélangeur. À haute vitesse, mélanger tous les ingrédients jusqu'à consistance bourbeuse. Verser dans un verre à whisky ou à martini.

DAÏQUIRI GLACÉ AUX FRAISES

1 PORTION

1 glaçon
6 fraises congelées
2 c. à café (2 c. à thé) de sirop de fraise

2 c. à soupe de jus de citron vert
    frais pressé
50 ml (2 oz) de rhum blanc

1. Broyer la glace dans le mélangeur. À haute vitesse, mélanger tous les ingrédients jusqu'à consistance bourbeuse. Verser dans un verre à whisky ou à martini.

DAÏQUIRI GLACÉ AUX PÊCHES

1 PORTION

2 glaçons
80 g (½ tasse) de pêches pelées et coupées
    en cubes
2 c. à soupe de jus de citron vert frais pressé

1 ½ c. à café (1 ½ c. à thé) de sucre glace
50 ml (2 oz) de rhum blanc
25 ml (1 oz) de schnaps aux pêches

1. Broyer la glace et les pêches dans le mélangeur. À haute vitesse, mélanger tous les ingrédients jusqu'à consistance bourbeuse. Verser dans un verre à whisky ou à martini.

TRUC

Avant de peler une pêche fraîche, plongez-la d'abord de 10 à 15 sec dans l'eau bouillante. Sa peau se détachera ainsi plus facilement. Vous pouvez aussi prendre des pêches en conserve ou congelées.

DAÏQUIRI GLACÉ AUX LITCHIS

2 glaçons
5 litchis en conserve égouttés
2 c. à soupe de jus de citron vert
frais pressé

2 c. à café (2 c. à thé) de sirop des litchis
en conserve
50 ml (2 oz) de rhum blanc

1. Broyer la glace et les litchis dans le mélangeur. À haute vitesse, mélanger tous les ingrédients jusqu'à consistance bourbeuse. Verser dans un verre à whisky ou à martini.

DAÏQUIRI GLACÉ À LA NOIX DE COCO

2 glaçons
2 c. à soupe de jus de citron vert
frais pressé

2 c. à café (2 c. à thé) de crème de coco
40 ml (1 ½ oz) de rhum blanc
25 ml (1 oz) de rhum à la noix de coco

1. Broyer la glace dans le mélangeur. À haute vitesse, mélanger tous les ingrédients jusqu'à consistance bourbeuse. Verser dans un verre à whisky ou à martini.

DAÏQUIRI GLACÉ À LA BANANE

3 glaçons
½ banane

2 c. à soupe de jus de citron vert
frais pressé
50 ml (2 oz) de rhum blanc
25 ml (1 oz) de crème de banane

1. Broyer la glace et la banane dans le mélangeur. À haute vitesse, mélanger tous les ingrédients jusqu'à consistance bourbeuse. Verser dans un verre à whisky ou à martini.

TOM AND JERRY

Cette boisson réconfortante est idéale pour les froides soirées d'hiver.
Le mélangeur vous permettra de gagner du temps puisque la recette traditionnelle,
préparée à l'aide d'un fouet, est beaucoup plus longue.

1 œuf, séparé, ou 50 ml (¼ tasse) de
substitut d'œuf entier liquide pasteurisé
1 c. à soupe de sucre glace
40 ml (1 ½ oz) de rhum grand arôme

40 ml (1 ½ oz) d'eau-de-vie
Environ 125 ml (½ tasse) d'eau bouillante
Une pincée de muscade fraîchement râpée

1. Dans le mélangeur, à haute vitesse, battre le blanc d'œuf jusqu'à ce qu'il devienne mousseux. Ajouter le jaune et battre jusqu'à consistance très mousseuse. (Ou mélanger du substitut d'œuf entier liquide jusqu'à ce qu'il soit mousseux.) Incorporer le sucre glace, le rhum et l'eau-de-vie et bien mélanger. Verser dans une chope et couvrir d'eau bouillante. Saupoudrer de muscade.

Cette recette contient un œuf cru. Si vous êtes préoccupé par des questions sanitaires relatives à l'utilisation d'œufs crus dans la cuisine, utilisez plutôt du substitut d'œuf entier liquide pasteurisé.

LAIT DE POULE VITE FAIT

1 jaune d'œuf ou 2 c. à soupe de substitut
d'œuf entier liquide pasteurisé
50 ml (¼ tasse) de crème à fouetter (35 %)
2 c. à café (2 c. à thé) de miel liquide

50 ml (2 oz) d'eau-de-vie ou de rhum grand
arôme
4 glaçons
Une pincée de muscade fraîchement râpée

1. Dans le mélangeur, à haute vitesse, bien mélanger tous les ingrédients, sauf la muscade, jusqu'à consistance onctueuse. Verser dans une tasse à lait de poule ou à punch et saupoudrer de muscade.

Cette recette contient du jaune d'œuf cru. Si vous êtes préoccupé par des questions sanitaires relatives à l'utilisation d'œufs crus dans la cuisine, utilisez plutôt du substitut d'œuf entier liquide pasteurisé.

LAIT DE POULE AU TOFU

1 PORTION

Une bonne recette pour tous ceux qui souffrent d'intolérance au lactose. Joyeux Noël!

60 g (½ tasse) de tofu soyeux ou mou
50 ml (¼ tasse) d'eau
3 c. à soupe combles de cassonade ou de sucre roux
½ c. à café (½ c. à thé) de vanille

¼ c. à café (¼ c. à thé) de curcuma
¼ c. à café (¼ c. à thé) de muscade moulue
25 ml (1 oz) de rhum ou d'eau-de-vie (ou au goût)

1. Dans le mélangeur, à haute vitesse, bien mélanger tous les ingrédients jusqu'à consistance onctueuse et crémeuse. Verser dans un verre et saupoudrer de muscade additionnelle au goût.

LAIT DE POULE À LA VODKA

ENVIRON 625 ML (2 ½ TASSES)

Une recette gardée secrète jusqu'à maintenant par le barman Duncan Waugh de Toronto. Préparez-en une grande quantité que vous pourrez congeler et déguster pendant la saison hivernale. Quand vous aurez envie de faire cul sec, vous n'aurez qu'à sortir la quantité requise pour vous et vos invités.

6 jaunes d'œufs ou 150 ml (⅔ tasse) de substitut d'œuf entier liquide pasteurisé
120 g (½ tasse) de sucre granulé
1 ½ c. à café (1 ½ c. à thé) de vanille

½ c. à café (½ c. à thé) de muscade moulue
375 ml (13 oz) de vodka (environ ½ bouteille)
75 ml (3 oz) de cognac ou d'eau-de-vie
40 ml (1 ½ oz) de whisky écossais

1. Dans le mélangeur, à haute vitesse, mélanger les jaunes d'œufs et le sucre jusqu'à consistance crémeuse. Incorporer tous les autres ingrédients et mélanger jusqu'à consistance onctueuse. Verser dans une bouteille ou un contenant pouvant supporter la congélation. Ce lait de poule se conserve jusqu'à 1 mois dans le congélateur.

Cette recette contient du jaune d'œuf cru. Si vous êtes préoccupé par des questions sanitaires relatives à l'utilisation d'œufs crus dans la cuisine, utilisez plutôt du substitut d'œuf entier liquide pasteurisé. Le lait de poule ne sera pas aussi épais, mais vous pourrez y ajouter de la crème glacée à la vanille afin qu'il ait meilleure allure.

1 PORTION

COCKTAIL À LA GRENADE

Si vous aimez les grenades, vous adorerez cette boisson!

75 ml (¼ tasse) de graines de grenade
1 c. à café (1 c. à thé) de jus de citron vert
frais pressé

½ c. à café (½ c. à thé) de sucre glace
25 ml (1 oz) de vodka

1. Dans le mélangeur, à haute vitesse, bien mélanger tous les ingrédients jusqu'à ce que les graines de grenade se séparent de la chair du fruit. Passer dans un tamis à fines mailles et servir dans un verre à whisky rempli de glaçons.

1 PORTION

POM PILOT

75 ml (¼ tasse) de graines de grenade
25 ml (1 oz) de liqueur d'orange

25 ml (1 oz) d'eau-de-vie

1. Dans le mélangeur, à haute vitesse, bien mélanger tous les ingrédients jusqu'à ce que les graines de grenade se séparent de la chair du fruit. Passer dans un tamis à fines mailles et servir dans un verre à whisky rempli de glaçons.

1 PORTION

POM-POM

75 ml (¼ tasse) de graines de grenade
50 ml (¼ tasse) de jus d'orange frais pressé
½ c. à café (½ c. à thé) de sucre glace

1 c. à café (1 c. à thé) de jus de citron
frais pressé
40 ml (1½ oz) de vodka

1. Dans le mélangeur, à haute vitesse, bien mélanger tous les ingrédients jusqu'à ce que les graines de grenade se séparent de la chair du fruit. Passer dans un tamis à fines mailles et servir dans un verre à whisky rempli de glaçons.

RUSH HOUR GLACÉ

1 ½ c. à café (1 ½ c. à thé) de concentré de
cassis
25 ml (1 oz) de vodka

25 ml (1 oz) de vermouth rouge
7 ml (¼ oz) d'eau-de-vie de cerise
2 glaçons

1. Dans le mélangeur, à haute vitesse, mélanger tous les ingrédients jusqu'à consistance onctueuse. Verser dans un verre à whisky ou à martini.

VODKA-ORANGE GLACÉE

50 ml (¼ tasse) de concentré de jus
d'orange congelé
50 ml (2 oz) de vodka

15 ml (½ oz) de liqueur d'orange
6 glaçons
1 tranche d'orange

1. Dans le mélangeur, à haute vitesse, mélanger tous les ingrédients, sauf la tranche d'orange, jusqu'à consistance onctueuse. Verser dans un verre à gin et garnir avec la tranche d'orange.

MAMA'S MANGO

½ mangue pelée et coupée en cubes
1 c. à soupe de jus de citron vert
frais pressé
1 c. à café (1 c. à thé) de sucre glace

25 ml (1 oz) de vodka
15 ml (½ oz) de liqueur d'orange
4 glaçons

1. Dans le mélangeur, à haute vitesse, mélanger tous les ingrédients jusqu'à consistance onctueuse. Verser dans un verre à whisky ou un grand verre à punch.

SPRITZ À L'ANANAS ET À LA MENTHE

6 feuilles de menthe fraîche (ou un généreux
*   trait de crème de menthe blanche)*
50 g (½ tasse) d'ananas en cubes
1 c. à café (1 c. à thé) de sucre glace

1 c. à café (1 c. à thé) de jus de citron
*   frais pressé*
25 ml (1 oz) de vodka
50 ml (¼ tasse) de soda

1. Dans le mélangeur, à haute vitesse, mélanger tous les ingrédients, sauf le soda, jusqu'à consistance onctueuse. Verser dans un verre à gin rempli de glaçons et couvrir de soda.

LUST AUX LITCHIS

4 litchis en conserve
1 c. à soupe de sirop des litchis en conserve
1 c. à café (1 c. à thé) de jus de citron
*   frais pressé*

25 ml (1 oz) d'eau-de-vie
2 glaçons
Un trait de grenadine

1. Dans le mélangeur, à haute vitesse, mélanger tous les ingrédients, sauf la grenadine, jusqu'à consistance onctueuse. Verser dans un verre à whisky et couvrir de grenadine.

GYPSY ROSE

TRUC

On peut remplacer les pétales de rose par ¼ c. à café (¼ c. à thé) d'eau de rose.

Utilisez uniquement des pétales de rose qui n'ont pas été vaporisés par des produits chimiques ou des parfums artificiels.

75 ml (¼ tasse) de pétales de rose
50 ml (2 oz) de vodka

1 c. à café (1 c. à thé) de grenadine
2 glaçons

1. Dans le mélangeur, à haute vitesse, mélanger tous les ingrédients jusqu'à ce que les pétales de rose et la glace soient hachés finement. Passer dans un tamis à fines mailles et servir dans un verre à martini.

LIMONADE PÉTILLANTE AU CASSIS

2 c. à soupe de concentré de limonade congelé
50 ml (2 oz) de vodka
25 ml (1 oz) de crème de cassis

6 glaçons
50 ml (¼ tasse) de soda
1 tranche de citron

1. Dans le mélangeur, à haute vitesse, mélanger tous les ingrédients, sauf le soda et la tranche de citron, jusqu'à consistance onctueuse. Verser dans un verre à gin et couvrir de soda. Garnir avec la tranche de citron.

FREEZIE AU MELON MIEL HONEYDEW

Ne mettez pas de piment fort si vous utilisez la vodka au piment au lieu de la vodka régulière. Les grands amateurs de chili peuvent mettre les deux.

140 g (1 tasse) de melon miel Honeydew très mûr, en cubes
2 c. à soupe de jus de citron vert frais pressé
1 ½ c. à café (1 ½ c. à thé) de sucre glace
Une pincée de sel

1 c. à café (1 c. à thé) de piment vert, fort, épépiné et haché
40 ml (1 ½ oz) de vodka régulière ou au piment
15 ml (½ oz) de liqueur d'orange
6 glaçons

1. Dans le mélangeur, à haute vitesse, mélanger tous les ingrédients jusqu'à consistance onctueuse. Verser dans un verre à gin ou un grand verre à punch.

FREEZIE AU MELON D'EAU

Ne mettez pas de piment fort si vous utilisez la vodka au piment au lieu de la vodka régulière. Les grands amateurs de chili peuvent mettre les deux.

140 g (1 tasse) de melon d'eau (pastèque), en cubes
1 c. à soupe de jus de citron frais pressé
1 c. à café (1 c. à thé) de sucre glace

1 c. à café (1 c. à thé) de piment rouge, fort, épépiné et haché
Une pincée de sel
40 ml (1½ oz) de vodka régulière ou au piment
15 ml (½ oz) de liqueur d'orange
6 glaçons

1. Dans le mélangeur, à haute vitesse, mélanger tous les ingrédients jusqu'à consistance onctueuse. Verser dans un verre à gin ou un grand verre à punch.

BOISSON CHAUDE AU GINGEMBRE ROSE

1 c. à soupe de jus de citron vert frais pressé
2 c. à café (2 c. à thé) de gingembre mariné ou de gingembre dans le sirop, haché

1 c. à café (1 c. à thé) de grenadine
50 ml (2 oz) de vodka
2 glaçons

1. Dans le mélangeur, à haute vitesse, mélanger tous les ingrédients jusqu'à consistance onctueuse. Verser dans un verre à martini.

WINTER WHIPPET

50 ml (¼ tasse) de concentré de jus de pamplemousse congelé

50 ml (2 oz) de vodka
6 glaçons

1. Dans le mélangeur, à haute vitesse, mélanger tous les ingrédients jusqu'à consistance bourbeuse. Verser dans un verre à gin.

PINK WHIPPET

50 ml (¼ tasse) de concentré de jus de
pamplemousse congelé
1 c. à café (1 c. à thé) de grenadine

50 ml (2 oz) de vodka
2 traits d'angustura
6 glaçons

1. Dans le mélangeur, à haute vitesse, mélanger tous les ingrédients jusqu'à consistance bourbeuse. Verser dans un verre à whisky.

COSMO GLACÉ

Plus sucré que le cosmo régulier, mais bien équilibré grâce à l'ajout
de jus de citron vert, voici un fabuleux cocktail estival.

3 glaçons
1 c. à soupe de concentré de cocktail aux
canneberges congelé
2 c. à café (2 c. à thé) de jus de citron vert
frais pressé

50 ml (2 oz) de vodka
25 ml (1 oz) d'eau-de-vie d'orange ou de
liqueur d'orange
1 à 3 canneberges congelées (facultatif)

1. Broyer la glace dans le mélangeur. À haute vitesse, mélanger tous les ingrédients, sauf les canneberges, jusqu'à consistance bourbeuse. Verser dans un verre à martini et garnir avec les canneberges congelées.

COSMO AU MELON D'EAU

140 g (1 tasse) de melon d'eau (pastèque)
sans pépins, coupé en cubes et congelé
2 c. à soupe de cocktail aux canneberges
4 c. à café (4 c. à thé) de jus de citron vert
frais pressé

40 ml (1 ½ oz) de vodka régulière ou aux
agrumes
15 ml (½ oz) de liqueur de melon
2 traits d'angustura

1. Dans le mélangeur, à haute vitesse, mélanger tous les ingrédients jusqu'à consistance onctueuse. Verser dans un tamis à fines mailles et servir dans un verre à martini.

LA VIE EN ROSE

1 c. à soupe de jus de citron frais pressé
1 c. à soupe de grenadine
25 ml (1 oz) de vodka

25 ml (1 oz) de kirsch
2 glaçons
1 pétale de rose non vaporisé (facultatif)

1. Dans le mélangeur, à haute vitesse, mélanger tous les ingrédients, sauf le pétale de rose, jusqu'à ce que la glace soit bien broyée. Verser dans un verre à whisky et garnir avec le pétale de rose.

LA DÉESSE VERTE

6 feuilles de basilic frais
50 ml (2 oz) de gin ou de vodka
25 ml (1 oz) de vermouth blanc sec

1 glaçon
1 petite olive noire

1. Dans le mélangeur, à haute vitesse, mélanger tous les ingrédients, sauf l'olive, jusqu'à consistance onctueuse. Verser dans un tamis à fines mailles et servir dans un verre à martini avec l'olive noire.

GREYHOUND D'HIVER

50 ml (¼ tasse) de concentré de jus de pamplemousse congelé

50 ml (2 oz) de gin
6 glaçons

1. Dans le mélangeur, à haute vitesse, mélanger tous les ingrédients jusqu'à consistance bourbeuse. Verser dans un verre à gin.

GREYHOUND ROSÉ

50 ml (¼ tasse) de concentré de jus de
pamplemousse rose congelé
50 ml (2 oz) de gin

2 traits d'angustura
6 glaçons

1. Dans le mélangeur, à haute vitesse, mélanger tous les ingrédients jusqu'à consistance bourbeuse. Verser dans un verre à gin.

PINK GIN WHIZZ

1 c. à café (1 c. à thé) de sucre glace
1 c. à café (1 c. à thé) de jus de citron
frais pressé

50 ml (2 oz) de gin
4 traits d'angustura
2 glaçons

1. Dans le mélangeur, à haute vitesse, mélanger tous les ingrédients jusqu'à ce que la glace soit bien broyée. Verser dans un verre à whisky.

APRÈS LES HUÎTRES

Si vous voulez transformer cette boisson en digestif, ajoutez quelques traits d'angustura.
Il conviendra alors parfaitement après un savoureux repas d'huîtres. Ce cocktail porte
aussi le nom de Tom Collins Slushy.

2 c. à soupe de concentré de limonade congelé
1 c. à soupe de sirop simple (p. 245)
50 ml (2 oz) de gin

1 glaçon
50 ml (¼ tasse) de soda
1 quartier de citron

1. Dans le mélangeur, à haute vitesse, mélanger tous les ingrédients, sauf le soda et le quartier de citron, jusqu'à consistance onctueuse. Verser dans un verre à gin et couvrir de soda. Garnir avec le quartier de citron.

1 PORTION

SUMMER PIMM'S SLUSHY

40 g (¼ tasse) de concombre pelé, épépiné et haché
2 c. à café (2 c. à thé) de jus de citron frais pressé

50 ml (2 oz) de liqueur Pimm's nº 1
2 glaçons
50 ml (¼ tasse) de soda
1 tranche de citron

1. Dans le mélangeur, à haute vitesse, mélanger tous les ingrédients, sauf le soda et la tranche de citron, jusqu'à consistance onctueuse. Verser dans un verre à gin et couvrir de soda. Garnir avec la tranche de citron.

1 PORTION

MARTINI AU MELON D'EAU

50 g (⅓ tasse) de melon d'eau (pastèque) sans pépins, coupé en cubes et refroidi
Une pincée de sel

50 ml (2 oz) de vodka
1 glaçon

1. Dans le mélangeur, à haute vitesse, mélanger tous les ingrédients jusqu'à consistance onctueuse. Verser dans un verre à martini.

1 PORTION

MARTINI AUX FRAMBOISES

40 g (¼ tasse) de framboises non sucrées congelées
50 ml (2 oz) de vodka

25 ml (1 oz) de liqueur d'orange
2 traits d'angustura

1. Dans le mélangeur, à haute vitesse, mélanger tous les ingrédients jusqu'à consistance onctueuse. Verser dans un tamis à fines mailles et servir dans un verre à martini.

MARTINI POIVRÉ AUX FRAISES

6 fraises congelées
6 grains de poivre noir entiers

75 ml (3 oz) de vodka
Un trait de liqueur d'orange

1. Dans le mélangeur, à haute vitesse, mélanger tous les ingrédients jusqu'à ce que les fraises soient réduites en purée et que les grains de poivre soient broyés grossièrement. Verser dans un verre à martini.

MARTINI AU MELON D'EAU ET AU BASILIC

5 feuilles de basilic frais
140 g (1 tasse) de melon d'eau sans pépins,
*   coupé en cubes et congelé*

Une pincée de sel
50 ml (2 oz) de gin
Un trait d'angustura

1. Dans le mélangeur, à haute vitesse, mélanger tous les ingrédients jusqu'à consistance onctueuse. Verser dans un tamis à fines mailles et servir dans un verre à martini.

MARTINI À L'ESSENCE DE POIRE

40 g (¼ tasse) de poire très mûre, pelée et
*   coupée en cubes*

40 ml (1 ½ oz) de poire Williams
1 glaçon

1. Dans le mélangeur, à haute vitesse, mélanger tous les ingrédients jusqu'à consistance onctueuse. Verser dans un verre à martini.

MARTINI À L'ESSENCE DE PRUNE

1 prune rouge ou prune à pruneaux, ou plumot

40 ml (1 ½ oz) d'eau-de-vie de prune (ex.: Slivovitch)
1 glaçon

1. Dans le mélangeur, à haute vitesse, mélanger tous les ingrédients jusqu'à consistance onctueuse. Verser dans un verre à martini.

MARTINI À L'ESSENCE DE CERISE

40 g (¼ tasse) de cerises douces, dénoyautées
40 ml (1 ½ oz) de kirsch

1 glaçon

1. Dans le mélangeur, à haute vitesse, mélanger tous les ingrédients jusqu'à consistance onctueuse. Verser dans un verre à martini.

MARTINI À L'ESSENCE D'ABRICOT

1 abricot très mûr, pelé, coupé en deux et dénoyauté, ou abricot en conserve

40 ml (1 ½ oz) d'eau-de-vie
1 glaçon

1. Dans le mélangeur, à haute vitesse, mélanger tous les ingrédients jusqu'à consistance onctueuse. Verser dans un verre à martini.

MARTINI AU PIÑA COLADA

35 g (⅓ tasse) d'ananas en cubes
1 c. à café (1 c. à thé) de jus de citron vert
frais pressé

50 ml (2 oz) de rhum à la noix de coco
1 glaçon

1. Dans le mélangeur, à haute vitesse, mélanger tous les ingrédients jusqu'à consistance onctueuse. Verser dans un verre à martini.

MARTINI TUTTI FRUTTI

2 c. à soupe de jus de pomme non sucré
2 c. à soupe de jus d'ananas non sucré
1½ c. à café (1½ c. à thé) de jus de citron
vert frais pressé
40 ml (1½ oz) de vodka aux framboises ou
aux agrumes

15 ml (½ oz) de liqueur de melon
15 ml (½ oz) de schnaps aux pêches
1 glaçon
1 petit quartier d'ananas, de pomme, de
pêche ou de citron vert frais

1. Dans le mélangeur, à haute vitesse, mélanger tous les ingrédients, sauf le quartier de fruit, jusqu'à consistance onctueuse. Verser dans un verre à martini. Garnir avec le quartier de fruit.

MARTINI CRÉMEUX AUX NOIX

2 c. à soupe de crème glacée à la vanille
50 ml (2 oz) de vodka

25 ml (1 oz) de liqueur d'amande ou de noisette
1 glaçon

1. Dans le mélangeur, à haute vitesse, mélanger tous les ingrédients jusqu'à consistance onctueuse. Verser dans un verre à martini.

1 PORTION

MARTINI CRÉMEUX DOUBLE VANILLE

2 c. à soupe de crème glacée à la vanille
65 ml (2½ oz) de vodka
15 ml (1 oz) de liqueur d'orange

1 glaçon
1 petit morceau de gousse de vanille

1. Dans le mélangeur, à haute vitesse, mélanger tous les ingrédients, sauf la vanille, jusqu'à consistance onctueuse. Verser dans un verre à martini. Garnir avec le morceau de gousse de vanille.

1 PORTION

MARTINI À LA CITRONNELLE

2 c. à soupe de citronnelle (partie blanche
seulement) hachée
50 ml (2 oz) de vodka

25 ml (1 oz) de vermouth blanc sec
1 glaçon

1. Dans le mélangeur, à haute vitesse, mélanger tous les ingrédients jusqu'à ce que la citronnelle soit hachée très finement. Verser dans une passoire à mailles fines et servir dans un verre à martini.

1 PORTION

MARTINI AU SAKÉ ET AU CONCOMBRE

40 g (¼ tasse) de concombre pelé, épépiné
et haché
1 c. à café (1 c. à thé) de jus de citron
frais pressé

75 ml (3 oz) de saké
1 glaçon
1 ruban de pelure de concombre

1. Dans le mélangeur, à haute vitesse, mélanger tous les ingrédients, sauf la pelure de concombre, jusqu'à consistance onctueuse. Verser dans un verre à martini. Garnir avec le ruban de pelure de concombre.

SANG D'HAMLET

Même si vous êtes peut-être sceptique, si vous aimez faire cul sec avec une petite quantité de liqueur congelée, essayez cette version aux betteraves. C'est vraiment délicieux!

1 betterave miniature marinée, égouttée

50 ml (2 oz) d'aquavit

1. Dans le mélangeur, à haute vitesse, mélanger tous les ingrédients jusqu'à consistance onctueuse. Verser dans un grand verre à liqueur.

VAGUE DE POSÉIDON

Vous trouverez des olives farcies spécialisées, sinon il suffit de farcir une olive verte dénoyautée avec un demi-filet d'anchois.

2 c. à café (2 c. à thé) de jus de citron frais pressé
50 ml (2 oz) d'ouzo

15 ml (½ oz) de vermouth blanc sec
2 glaçons
2 olives farcies aux anchois

1. Dans le mélangeur, à haute vitesse, mélanger tous les ingrédients, sauf les olives, jusqu'à consistance onctueuse. Verser dans un verre à martini. Piquer les olives sur un bâtonnet à cocktail et le plonger dans le verre.

GEWURZTRAMINER NOUVELLE VAGUE

Ce cocktail apéritif marie les saveurs de litchi, de rose et d'épices du gewurztraminer. L'eau de rose est facile à trouver dans les épiceries du Moyen-Orient et de l'Inde ainsi que dans les magasins d'aliments naturels.

4 litchis en conserve, égouttés
1 c. à soupe de sirop des litchis en conserve
Un trait d'eau de rose

Un trait de jus de citron frais pressé
75 ml (3 oz) de vermouth blanc sec
2 glaçons

1. Dans le mélangeur, à haute vitesse, mélanger tous les ingrédients jusqu'à consistance onctueuse. Verser dans un verre à vin.

1 PORTION

GIN FIZZ

1 blanc d'œuf ou 125 ml (½ tasse) de
   substitut de blanc d'œuf liquide pasteurisé
2 c. à soupe de jus de citron frais pressé
1 c. à soupe de crème à fouetter (35 %)

1 ½ c. à café (1 ½ c. à thé) de sucre glace
50 ml (2 oz) de gin
2 glaçons
Environ 2 c. à soupe de soda

Cette recette contient du blanc d'œuf cru. Si vous êtes préoccupé par des questions sanitaires relatives à l'utilisation d'œufs crus dans la cuisine, utilisez plutôt du substitut de blanc d'œuf liquide pasteurisé.

1. Dans le mélangeur, à haute vitesse, mélanger tous les ingrédients, sauf le soda, jusqu'à consistance onctueuse et mousseuse. Verser dans un verre à gin et couvrir de soda.

1 PORTION

FIZZ À L'ANANAS

100 g (1 tasse) d'ananas en cubes
2 c. à café (2 c. à thé) de jus de citron vert
   frais pressé
1 ½ c. à café (1 ½ c. à thé) de sucre glace

50 ml (2 oz) de rhum blanc ou ambré
2 glaçons
Environ 2 c. à soupe de soda

1. Dans le mélangeur, à haute vitesse, mélanger tous les ingrédients, sauf le soda, jusqu'à consistance onctueuse et mousseuse. Verser dans un verre à gin et couvrir de soda.

FIZZ À L'EAU-DE-VIE

1 blanc d'œuf ou 125 ml (½ tasse) de
substitut de blanc d'œuf liquide pasteurisé
2 c. à soupe de jus de citron frais pressé
2 c. à café (2 c. à thé) de sucre glace

50 ml (2 oz) d'eau-de-vie
2 glaçons
Environ 2 c. à soupe de soda

1. Dans le mélangeur, à haute vitesse, mélanger tous les ingrédients, sauf le soda, jusqu'à consistance onctueuse et mousseuse. Verser dans un verre à gin et couvrir de soda.

Cette recette contient un blanc d'œuf cru. Si vous êtes préoccupé par des questions sanitaires relatives à l'utilisation d'œufs crus dans la cuisine, utilisez plutôt du substitut de blanc d'œuf liquide pasteurisé.

FIZZ AU RHUM ET AUX AGRUMES

1 blanc d'œuf ou 125 ml (½ tasse) de
substitut de blanc d'œuf liquide pasteurisé
50 ml (¼ tasse) de jus d'orange frais pressé
2 c. à soupe de jus de citron vert
frais pressé

1 c. à soupe de jus de citron frais pressé
1 ½ c. à café (1 ½ c. à thé) de sucre glace
50 ml (2 oz) de rhum ambré
2 glaçons
Environ 2 c. à soupe de soda

1. Dans le mélangeur, à haute vitesse, mélanger tous les ingrédients, sauf le soda, jusqu'à consistance onctueuse. Verser dans un verre à gin et couvrir de soda.

Cette recette contient un blanc d'œuf cru. Si vous êtes préoccupé par des questions sanitaires relatives à l'utilisation d'œufs crus dans la cuisine, utilisez plutôt du substitut de blanc d'œuf liquide pasteurisé.

MORNING GLORY FIZZ

1 blanc d'œuf ou 125 ml (½ tasse) de
 substitut de blanc d'œuf liquide pasteurisé
2 c. à soupe de jus de citron vert
 frais pressé
1 ½ c. à café (1 ½ c. à thé) de sucre glace

50 ml (2 oz) de vodka
15 ml (½ oz) de liqueur à l'anis
 (ex. : Pernod)
2 glaçons
Environ 2 c. à soupe de soda

Cette recette contient un blanc d'œuf cru. Si vous êtes préoccupé par
des questions sanitaires relatives à l'utilisation d'œufs crus dans la cuisine, utilisez plutôt du substitut de blanc d'œuf liquide pasteurisé.

1. Dans le mélangeur, à haute
vitesse, mélanger tous les ingrédients,
sauf le soda, jusqu'à consistance onctueuse. Verser dans un verre à gin et
couvrir de soda.

FIZZ SAPHIR

1 blanc d'œuf ou 2 c. à soupe de substitut de
 blanc d'œuf liquide pasteurisé
2 c. à soupe de jus de citron frais pressé
1 c. à café (1 c. à thé) de sucre glace
50 ml (2 oz) de curaçao bleu

25 ml (1 oz) de gin
2 glaçons
3 c. à soupe de soda
1 tranche de citron

Cette recette contient un blanc d'œuf cru. Si vous êtes préoccupé par
des questions sanitaires relatives à l'utilisation d'œufs crus dans la cuisine, utilisez plutôt du substitut de blanc d'œuf liquide pasteurisé.

1. Dans le mélangeur, à haute
vitesse, mélanger tous les ingrédients,
sauf le soda et la tranche de citron, jusqu'à consistance onctueuse. Verser dans
un verre à gin et couvrir de soda. Garnir
avec la tranche de citron.

LAGON BLEU

1 PORTION

*2 c. à soupe de jus de citron vert frais
    pressé*
2 c. à soupe de sirop simple (p. 245)
25 ml (1 oz) de curaçao bleu

25 ml (1 oz) de gin
25 ml (1 oz) de vodka
2 glaçons

1. Dans le mélangeur, à haute vitesse, mélanger tous les ingrédients jusqu'à ce que la glace soit bien broyée. Verser dans un verre à whisky.

ARCTIC SUNRISE

1 PORTION

*50 ml (¼ tasse) de concentré de jus
    d'orange congelé*
50 ml (2 oz) de tequila

6 glaçons
1 ½ c. à café (1 ½ c. à thé) de grenadine
1 tranche d'orange

1. Dans le mélangeur, à haute vitesse, mélanger tous les ingrédients, sauf la grenadine et la tranche d'orange, jusqu'à consistance onctueuse. Verser dans un verre à gin et couvrir de grenadine. Garnir avec la tranche d'orange.

ROSY SUNRISE

1 PORTION

Vous serez peut-être tenté d'essayer cette boisson au petit-déjeuner, mais je vous recommande plutôt de l'essayer à l'heure de l'apéro malgré son nom…

1 orange ou 1 tangerine pelée et épépinée
1 c. à café (1 c. à thé) de grenadine

40 ml (1 ½ oz) de tequila

1. Dans le mélangeur, à haute vitesse, mélanger tous les ingrédients jusqu'à consistance onctueuse. Verser dans un verre à whisky, avec ou sans glaçons.

SALTY STAR SURPRISE

1 grosse carambole
1 c. à soupe de jus de citron vert
*   frais pressé*

¼ c. à café (¼ c. à thé) de sel
50 ml (2 oz) de tequila ou de vodka
3 glaçons

1. Bien nettoyer et parer la carambole. Couper les côtes, évider et épépiner.

2. Dans le mélangeur, à haute vitesse, mélanger tous les ingrédients jusqu'à consistance bourbeuse. Verser dans un verre à whisky.

BAMPIRA SUR LE TOIT

75 ml (¼ tasse) de graines de grenade ou
*   2 c. à soupe de jus de grenade*
2 c. à soupe de jus d'orange frais pressé
1 c. à soupe de jus de citron vert frais pressé

Une pincée de poivre noir frais moulu
Un trait de sauce forte aux piments
50 ml (2 oz) de tequila
Gros sel (pour givrer)

1. Dans le mélangeur, à haute vitesse, bien mélanger tous les ingrédients, sauf le sel, jusqu'à ce que les graines de grenade se séparent de la chair du fruit. Passer dans un tamis à fines mailles et servir dans un verre à whisky rempli de glaçons dont le bord aura d'abord été passé dans le gros sel.

MARGARITA GLACÉE

1 PORTION

2 glaçons
1 c. à soupe de jus de citron vert
*   frais pressé*

50 ml (2 oz) de tequila
15 ml (½ oz) de liqueur d'orange
Gros sel (pour givrer)

1. Dans le mélangeur, broyer la glace. À haute vitesse, mélanger tous les ingrédients, sauf le sel, jusqu'à consistance bourbeuse. Verser dans un verre à margarita dont le bord aura d'abord été passé dans le gros sel.

MARGARITA GLACÉE AUX FRAISES

1 PORTION

1 glaçon
10 fraises congelées
2 c. à soupe de sirop de fraise
1 c. à soupe de jus de citron vert
*   frais pressé*

2 c. à café (2 c. à thé) de jus de citron
*   frais pressé*
50 ml (2 oz) de tequila
15 ml (½ oz) de liqueur d'orange
Gros sel (pour givrer)

1. Dans le mélangeur, broyer la glace. À haute vitesse, mélanger tous les ingrédients, sauf le sel, jusqu'à consistance bourbeuse. Verser dans un verre à margarita dont le bord aura d'abord été passé dans le gros sel.

MARGARITA GLACÉE AUX PÊCHES

2 glaçons
80 g (½ tasse) de pêches pelées et coupées
    en cubes (voir Truc, p. 252)
2 c. à soupe de jus de citron vert
    frais pressé

½ c. à café (½ c. à thé) de sucre glace
25 ml (1 oz) de tequila
25 ml (1 oz) de liqueur d'orange
25 ml (1 oz) de schnaps aux pêches
Gros sel (pour givrer)

1. Dans le mélangeur, broyer la glace. À haute vitesse, mélanger tous les ingrédients, sauf le sel, jusqu'à consistance bourbeuse. Verser dans un verre à margarita dont le bord aura d'abord été passé dans le gros sel.

BELLINI À LA GRENADINE

2 glaçons
80 g (½ tasse) de pêches pelées et coupées
    en cubes (voir Truc, p. 252)
1 c. à café (1 c. à thé) de grenadine

2 c. à café (2 c. à thé) de jus de citron
    frais pressé
15 ml (½ oz) de schnaps aux pêches
50 ml (2 oz) de vin mousseux bien froid

1. Dans le mélangeur, broyer la glace. À haute vitesse, mélanger tous les ingrédients, sauf le vin mousseux, jusqu'à consistance bourbeuse. Verser dans une coupe à champagne ou un verre à martini et couvrir de vin mousseux.

JUBILÉ AUX GRIOTTES

50 ml (¼ tasse) de jus d'orange frais pressé
60 g (¼ tasse) de griottes en pot, égouttées
50 ml (2 oz) de whisky

2 traits d'angustura
2 glaçons
1 cerise au marasquin

1. Dans le mélangeur, à haute vitesse, mélanger tous les ingrédients, sauf la cerise, jusqu'à consistance onctueuse. Verser dans un verre à whisky et garnir avec la cerise au marasquin.

PÊCHES CRÉMEUSES

80 g (½ tasse) de pêches pelées et coupées en cubes (voir Truc, p. 252)
125 ml (½ tasse) de crème légère (10 %)

25 ml (1 oz) d'eau-de-vie
25 ml (1 oz) de schnaps aux pêches
2 glaçons

1. Dans le mélangeur, à haute vitesse, mélanger tous les ingrédients jusqu'à consistance onctueuse. Verser dans un verre à whisky.

ORANGE NAVEL GLACÉE

50 ml (¼ tasse) de concentré de jus d'orange congelé
50 ml (2 oz) de schnaps aux pêches

6 glaçons
1 tranche de pêche ou d'orange

1. Dans le mélangeur, à haute vitesse, mélanger tous les ingrédients, sauf la tranche de fruit, jusqu'à consistance bourbeuse. Verser dans un verre à gin et garnir avec la tranche de fruit.

SPARKLER AUX PÊCHES

80 g (½ tasse) de pêches pelées et coupées en cubes (voir Truc, p. 252)
25 ml (1 oz) de schnaps aux pêches

2 glaçons
50 ml (2 oz) de vin mousseux bien froid

1. Dans le mélangeur, à haute vitesse, mélanger tous les ingrédients, sauf le vin mousseux, jusqu'à consis- tance onctueuse. Verser dans un verre à vin et couvrir de vin mousseux.

SPARKLER AUX PÊCHES ET AUX FRAMBOISES

55 g (⅓ tasse) de pêches pelées et coupées en cubes (voir Truc, p. 252)
50 g (⅓ tasse) de framboises fraîches ou congelées

25 ml (1 oz) de schnaps aux pêches
6 glaçons
50 ml (2 oz) de vin mousseux bien froid

1. Dans le mélangeur, à haute vitesse, mélanger tous les ingrédients, sauf le vin mousseux, jusqu'à consis- tance onctueuse. Verser dans un grand verre à vin et couvrir de vin mousseux.

SPARKLER AUX BLEUETS

40 g (¼ tasse) de bleuets
25 ml (1 oz) de curaçao bleu

75 ml (3 oz) de vin mousseux bien froid

1. Dans le mélangeur, à haute vitesse, mélanger tous les ingrédients, sauf le vin mousseux, jusqu'à ce que les bleuets soient bien broyés. Passer dans un tamis à fines mailles et verser dans une flûte. Couvrir de vin mousseux et ajouter 2 ou 3 bleuets au goût.

SPARKLER À L'ANANAS

50 g (½ tasse) d'ananas en cubes
1 c. à soupe de jus de citron vert
frais pressé

15 ml (½ oz) de rhum ambré
2 glaçons
75 ml (3 oz) de vin mousseux bien froid

1. Dans le mélangeur, à haute vitesse, mélanger tous les ingrédients, sauf le vin mousseux, jusqu'à consistance onctueuse. Verser dans un grand verre à vin et couvrir de vin mousseux.

SPARKLER À LA MANGUE

75 g (½ tasse) de mangues en cubes
2 c. à soupe de jus d'orange frais pressé
15 ml (½ oz) d'eau-de-vie

2 glaçons
50 ml (2 oz) de vin mousseux bien froid

1. Dans le mélangeur, à haute vitesse, mélanger tous les ingrédients, sauf le vin mousseux, jusqu'à consistance onctueuse. Verser dans un verre à vin et couvrir de vin mousseux.

SPARKLER AU KAKI

75 g (½ tasse) de kaki très mûr, pelé et
coupé en cubes
2 c. à soupe de jus d'orange frais pressé

15 ml (½ oz) d'eau-de-vie
2 glaçons
50 ml (2 oz) de vin mousseux bien froid

1. Dans le mélangeur, à haute vitesse, mélanger tous les ingrédients, sauf le vin mousseux, jusqu'à consistance onctueuse. Verser dans un verre à vin et couvrir de vin mousseux.

FEUILLE D'ÉRABLE

1 c. à soupe de jus de citron frais pressé
1 c. à soupe de sirop d'érable pur

50 ml (2 oz) de whisky
2 glaçons

1. Dans le mélangeur, à haute vitesse, mélanger tous les ingrédients jusqu'à consistance bourbeuse. Verser dans un verre à whisky.

LAIT FOUETTÉ DE MARIE

55 g (⅓ tasse) de crème glacée à la vanille
2 c. à soupe de lait

50 ml (2 oz) d'eau-de-vie
18 ml (¾ oz) de crème de cacao

1. Dans le mélangeur, à haute vitesse, mélanger tous les ingrédients, sauf la crème de cacao, jusqu'à consistance onctueuse. Verser dans un verre à whisky et arroser avec la crème de cacao.

BOISSON FOUETTÉE AUX FRAISES

6 fraises fraîches ou congelées
40 g (¼ tasse) de crème glacée à la vanille
50 ml (2 oz) de rhum blanc ou ambré

15 ml (½ oz) de liqueur d'orange
1 fraise fraîche (facultatif)

1. Dans le mélangeur, à haute vitesse, mélanger tous les ingrédients, sauf la fraise, jusqu'à consistance onctueuse. Verser dans un verre à whisky et garnir avec la fraise entière.

MADÈRE MA CHÈRE

1 PORTION

6 fraises fraîches ou congelées
40 g (¼ tasse) de crème glacée à la vanille

50 ml (2 oz) de madère
1 fraise fraîche (facultatif)

1. Dans le mélangeur, à haute vitesse, mélanger tous les ingrédients, sauf la fraise, jusqu'à consistance onctueuse. Verser dans un verre à whisky et garnir avec la fraise entière.

WHITE CARGO

1 PORTION

40 g (¼ tasse) de crème glacée à la vanille

50 ml (2 oz) de gin

1. Dans le mélangeur, à haute vitesse, mélanger la crème glacée à la vanille et le gin jusqu'à consistance onctueuse. Verser dans un verre à whisky.

BOISSON FOUETTÉE AUX PÊCHES ET AUX AMANDES

1 PORTION

80 g (½ tasse) de pêches pelées et coupées en cubes (voir Truc, p. 252)
55 g (⅓ tasse) de crème glacée à la vanille
2 c. à café (2 c. à thé) de jus de citron frais pressé

25 ml (1 oz) d'eau-de-vie
25 ml (1 oz) de schnaps aux pêches
25 ml (1 oz) de liqueur d'amande
1 glaçon

1. Dans le mélangeur, à haute vitesse, mélanger tous les ingrédients jusqu'à consistance onctueuse. Verser dans un verre à whisky.

WHITE RUSSIAN

*Si vous voulez une boisson moins alcoolisée, diminuez la quantité de vodka
et augmenter celle de lait d'autant.*

55 g (⅓ tasse) de crème glacée à la vanille
2 c. à soupe de lait

75 ml (3 oz) de vodka
25 ml (1 oz) de liqueur de café (ex.: Kahlua)

1. Dans le mélangeur, à haute vitesse, mélanger tous les ingrédients jusqu'à consistance onctueuse. Verser dans un verre à whisky.

BROWN RUSSIAN

*Si vous voulez une boisson moins alcoolisée, diminuez la quantité de vodka
et augmenter celle de lait d'autant.*

40 g (¼ tasse) de crème glacée au chocolat
2 c. à soupe de lait
75 ml (3 oz) de vodka

40 ml (1 ½ oz) de liqueur de café (ex.: Kahlua)
2 glaçons
2 c. à café (2 c. à thé) de chocolat mi-amer, râpé

1. Dans le mélangeur, à haute vitesse, mélanger tous les ingrédients, sauf le chocolat, jusqu'à consistance onctueuse. Verser dans un verre à whisky et saupoudrer de chocolat.

MUDSLIDE GLACÉ

80 g (½ tasse) de crème glacée à la vanille
125 ml (½ tasse) de lait
50 ml (2 oz) de liqueur Irish Cream
25 ml (1 oz) de liqueur de café (ex.: Kahlua)

25 ml (1 oz) de vodka
1 glaçon
1 c. à soupe de chocolat mi-amer, râpé

1. Dans le mélangeur, à haute vitesse, mélanger tous les ingrédients, sauf le chocolat, jusqu'à consistance onctueuse. Verser dans un verre à whisky et saupoudrer de chocolat.

BOISSON À SAVEUR DE TRUFFE

40 g (¼ tasse) de crème glacée au chocolat
25 ml (1 oz) de liqueur de noisette
4 glaçons

1 c. à café (1 c. à thé) de chocolat mi-amer,
  râpé

1. Dans le mélangeur, à haute vitesse, mélanger tous les ingrédients, sauf le chocolat, jusqu'à consistance onctueuse. Verser dans un verre à whisky et saupoudrer de chocolat.

BOISSON À SAVEUR DE TRUFFE À LA MENTHE

40 g (¼ tasse) de crème glacée au chocolat
25 ml (1 oz) de liqueur de noisette
15 ml (½ oz) de crème de menthe blanche

4 glaçons
1 c. à café (1 c. à thé) de chocolat mi-amer,
  râpé

1. Dans le mélangeur, à haute vitesse, mélanger tous les ingrédients, sauf le chocolat, jusqu'à consistance onctueuse. Verser dans un verre à whisky et saupoudrer de chocolat.

CAFÉ IRISH CREAM

50 ml (¼ tasse) de café espresso froid
40 g (¼ tasse) de crème glacée au chocolat

75 ml (3 oz) de liqueur Irish Cream

1. Dans le mélangeur, à haute vitesse, mélanger tous les ingrédients jusqu'à consistance onctueuse. Verser dans un verre à whisky ou une tasse à café.

SPLISH-SPLASH AUX BANANES

1 banane
50 g (½ tasse) d'ananas en cubes
50 ml (¼ tasse) de jus d'orange
40 g (¼ tasse) de crème glacée à la vanille

40 ml (1 ½ oz) de rhum ambré ou grand arôme
15 ml (½ oz) de rhum à la noix de coco
3 glaçons

1. Dans le mélangeur, à haute vitesse, mélanger tous les ingrédients jusqu'à consistance bourbeuse. Verser dans un verre à lait fouetté ou un grand verre à punch.

JUBILÉ À LA MENTHE

40 g (¼ tasse) de crème glacée à la vanille
50 ml (2 oz) de bourbon

25 ml (1 oz) de crème de menthe blanche
1 feuille de menthe fraîche (facultatif)

1. Dans le mélangeur, à haute vitesse, mélanger tous les ingrédients, sauf la menthe, jusqu'à consistance onctueuse. Verser dans un verre à whisky et garnir de menthe.

S MAJUSCULE

Une boisson qui met en valeur un mariage français des plus classiques : l'armagnac et les pruneaux.

40 g (¼ tasse) de crème glacée à la vanille
2 pruneaux dénoyautés

50 ml (2 oz) d'armagnac

1. Dans le mélangeur, à haute vitesse, mélanger tous les ingrédients jusqu'à ce que les pruneaux soient hachés très finement sans être réduits en purée. Verser dans un verre à whisky.

JACK SPLAT

Cette boisson prend le nom de Kentucky Cream quand on la fait avec du bourbon.

40 g (¼ tasse) de crème glacée au caramel
50 ml (2 oz) de whisky du Tennessee
1 glaçon
½ c. à café (½ c. à thé) de miel liquide

Cassonade foncée (pour givrer)
1 c. à café (1 c. à thé) de crème à fouetter
(35 %)

1. Dans le mélangeur, à haute vitesse, mélanger la crème glacée au caramel, le whisky et la glace jusqu'à consistance onctueuse. Tremper le bord d'un verre à whisky dans le miel, puis le passer dans la cassonade pour le givrer. Verser la boisson dans le verre et garnir de crème.

FRAMBOISES GLACÉES

Cette boisson peut être servie comme dessert dans un verre à martini refroidi.

40 g (¼ tasse) de sorbet aux framboises
50 ml (2 oz) d'eau-de-vie de framboise

2 c. à café (2 c. à thé) de chocolat mi-amer, râpé
Framboises fraîches

1. Dans le mélangeur, à haute vitesse, mélanger le sorbet et l'eau-de-vie jusqu'à consistance onctueuse. Verser dans un verre à martini, saupoudrer de chocolat et garnir de framboises.

BOISSON À L'AVOCAT À LA MODE PHILIPPINE

Aux Philippines, on consomme l'avocat au dessert seulement, avec un peu de lait concentré sucré sur de la glace concassée. Cette tradition nous a servi à créer cette recette.

½ avocat pelé
2 c. à soupe de lait concentré sucré

50 ml (2 oz) de rhum blanc ou ambré
3 glaçons

1. Dans le mélangeur, à haute vitesse, mélanger tous les ingrédients jusqu'à consistance onctueuse. Verser dans un verre à whisky.

POLAR EXPRESS

Servez cette boisson dans des petites tasses à chocolat chaud à l'heure du goûter.

50 ml (¼ tasse) de café espresso refroidi
2 c. à soupe de lait concentré sucré
25 ml (1 oz) d'eau-de-vie

15 ml (½ oz) de liqueur d'amande ou de
    noisette
2 glaçons

1. Dans le mélangeur, à haute vitesse, mélanger tous les ingrédients jusqu'à consistance onctueuse. Verser dans un verre à whisky.

B-52 GLACÉ

2 glaçons
25 ml (1 oz) de liqueur Irish Cream

25 ml (1 oz) d'eau-de-vie d'orange
25 ml (1 oz) de liqueur de café (ex.: Kahlua)

1. Dans le mélangeur, à haute vitesse, mélanger tous les ingrédients jusqu'à consistance bourbeuse. Verser dans un verre à whisky.

CUBAN MORNING

50 ml (¼ tasse) de café espresso refroidi
1 c. à soupe de crème à fouetter (35 %)
Sucre glace

40 ml (1 ½ oz) de rhum ambré (vieux rhum
    cubain de préférence)
2 glaçons

1. Dans le mélangeur, à haute vitesse, mélanger tous les ingrédients jusqu'à consistance onctueuse. Verser dans un verre à whisky ou une tasse à café.

BITTER MORNING

Excellente idée si vous avez la gueule de bois. Si vous n'aimez pas l'amertume du melon amer, remplacez-le par du concombre pelé et épépiné.

1 œuf ou 50 ml (¼ tasse) de substitut d'œuf entier liquide pasteurisé
140 g (1 tasse) de melon amer, épépiné et haché
Une pincée de sel
Une pincée de poivre noir frais moulu
Un trait de sauce Worcestershire
Un trait de sauce forte aux piments
50 ml (2 oz) de vodka
3 glaçons

1. Dans le mélangeur, à haute vitesse, mélanger tous les ingrédients jusqu'à consistance onctueuse. Verser dans un verre à whisky.

Cette recette contient un œuf cru. Si vous êtes préoccupé par des questions sanitaires relatives à l'utilisation d'œufs crus dans la cuisine, utilisez plutôt du substitut d'œuf entier liquide pasteurisé.

POTION ANTI-GOUTTE

Les cerises sont reconnues pour leurs bienfaits contre la goutte. Même si vous ne souffrez pas de cette maladie, vous apprécierez cette boisson très particulière.

50 ml (¼ tasse) de jus de griottes ou de cerises douces, ou de cocktail aux canneberges
60 g (¼ tasse) de griottes ou de cerises douces
50 ml (2 oz) de vodka
4 glaçons

1. Dans le mélangeur, à haute vitesse, mélanger tous les ingrédients jusqu'à consistance onctueuse. Verser dans un verre à whisky.

1 PORTION

COCKTAIL CONTRE LA GUEULE DE BOIS

Même s'il n'existe aucun remède absolu contre la gueule de bois, cette boisson vous permettra de vous sentir un peu mieux pendant un moment et elle a aussi le mérite d'être nourrissante.

1 tomate très mûre, pelée ou en conserve
2 c. à soupe de jus de myes
2 ½ c. à café (2 ½ c. à thé) de jus de citron
   frais pressé
Une pincée de sel
Une pincée de poivre noir frais moulu

Un trait de sauce forte aux piments
50 ml (2 oz) de vodka ou d'aquavit
1 glaçon
Sel de céleri (pour givrer)
1 petite branche de céleri

1. Dans le mélangeur, à haute vitesse, mélanger jusqu'à consistance onctueuse la tomate, le jus de myes, 2 c. à café (2. à thé) de jus de citron, le sel, le poivre, la sauce aux piments, la vodka et la glace. Tremper le bord d'un verre à whisky dans le jus de citron restant et le passer dans le sel de céleri pour le givrer. Verser la boisson dans le verre et garnir avec la branche de céleri.

INDEX

Achevé d'imprimer au Canada
sur les presses de Quebecor World Saint-Romuald